SEDA ROJA

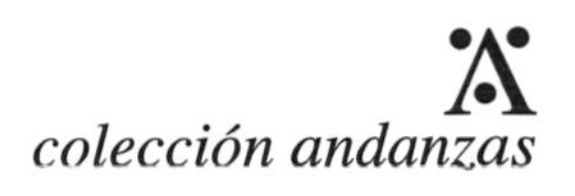

QIU XIAOLONG

SEDA ROJA

Traducción de Victoria Ordóñez Diví

Título original: *Red Mandarin Dress*

1.ª edición: junio de 2010

Diseño de la colección: Guillemot-Navares

Tusquets Editores, S.A. - Cesare Cantù, 8 - 08023 Barcelona
www.tusquetseditores.com
ISBN: 978-84-8383-241-7
Depósito legal: B. 18.425-2010
Fotocomposición: Pacmer, S.A. - Alcolea 106-108, 1.° - 08014 Barcelona
Impresión: Limpergraf, S.L. - Mogoda, 29-31 - 08210 Barberà del Vallès
Encuadernación: Reinbook
Impreso en España

A mi hermano mayor, Xiaowei
De no haber intervenido el azar, lo que le sucedió durante la Revolución Cultural me podría haber sucedido a mí.

Prólogo

Mientras corría por la calle Huaihai oeste, con el aliento empañado bajo la mortecina luz de las estrellas, el maestro capataz Huang pensó que muy pocos madrugaban tanto como él en Shanghai. Huang, un anciano de más de setenta años, aún podía correr con pasos vigorosos. Después de todo, nada era tan valioso como la salud, se dijo con orgullo secándose el sudor de la frente. A esos enfermizos «bolsillos llenos», los nuevos ricos de Shanghai, ¿de qué les iban a servir las montañas de oro y plata que guardaban en sus patios traseros?

Pero un trabajador jubilado como Huang de poco más se podía enorgullecer ahora, a mediados de la década de 1990, cuando la transformación materialista se extendía por toda la ciudad.

Huang había visto tiempos mejores. Fue trabajador modelo en los años sesenta, miembro de la Escuadra para la Propaganda del Pensamiento de Mao Zedong durante la Revolución Cultural, guardia de seguridad del barrio en los ochenta... En resumen, un antiguo «maestro capataz» perteneciente a la clase trabajadora políticamente gloriosa de China.

Ahora Huang era un don nadie. Un jubilado de una fábrica de acero estatal al borde de la quiebra, que apenas llegaba a fin de mes con una pensión cada vez más reducida. Irónicamente, el cargo de «maestro capataz» sonaba anacrónico incluso en los periódicos del Partido.

«La China socialista ha caído en las redes del capitalismo.» Le vino a la memoria el estribillo de unos ripios recientes, como si fuera al ritmo contrario de sus pasos. Todo estaba cambiando muy deprisa y de forma incomprensible.

También estaba cambiando su manera de hacer *footing*. Años atrás, mientras corría solo bajo la luz de las estrellas con escasos vehículos a la vista, a Huang le gustaba pensar que la ciudad palpitaba a su ritmo. Ahora, a esta hora tan temprana, no podía evitar fijarse en todos los coches que circulaban a su alrededor tocando el claxon de vez en cuando, o en la grúa que basculaba en una obra nueva una manzana más adelante. Decían que era un complejo residencial de lujo para los nuevos ricos.

No demasiado lejos de allí, su antigua casa construida al estilo *shikumen*, donde vivía junto a una docena de familias obreras, iba a ser derruida para erigir en su lugar un rascacielos de oficinas. Los vecinos no tardarían en ser trasladados a Pudong, una zona que antaño había sido tierra de labranza, al este del río Huangpu. Después del traslado ya no le sería posible salir a correr temprano por esta calle que tan bien conocía, situada en el centro de la ciudad. Y tampoco podría disfrutar de un cuenco de sopa de soja servido por el restaurante Obrero y Agricultor a la vuelta de la esquina. Sopa humeante aderezada con cebolleta picada, gambas desecadas, pasta frita troceada y algas moradas; una sopa realmente deliciosa, y sólo por cinco céntimos. El restaurante barato, en otra época recomendado «por su dedicación a la clase obrera», había desaparecido, y ahora ocupaba su lugar una cafetería Starbucks.

Quizá fuera demasiado viejo para poder asimilar los cambios. Mientras avanzaba con pasos cada vez más pesados, Huang suspiró y le empezaron a temblar los párpados como ante un mal presagio. Cerca del cruce de las calles Huaihai y Donghu el antiguo maestro capataz aflojó aún más el paso al ver la isla peatonal. En primavera parecía un parterre, pero ahora no crecía allí ni una brizna de hierba, sólo algunas ramitas desnudas que temblaban al viento. La isla, baldía y marrón, estaba tan desolada como su mente.

Huang vislumbró un bulto extraño, rojo y blanco, bajo el tenue círculo de luz que proyectaba el farol de la isla; tal vez se tratara de algún objeto que había caído del camión de alguna granja, de camino al mercado más cercano. La parte blanca semejaba una larga raíz de loto, y sobresalía de un saco hecho con lo que parecían viejas banderas rojas. Huang había oído decir que los agricultores lo aprovechaban todo, incluso aquellas banderas de cinco estrellas. También había oído que las rodajas de raíz de loto rellenas de arroz glutinoso eran ahora un plato muy solicitado en los restaurantes caros.

Huang dio dos pasos hacia la isla de peatones y se detuvo en seco, horrorizado.

Lo que había tomado por una raíz de loto blanco se convirtió en una pierna humana bien torneada, cubierta de gotas de rocío que brillaban a la luz del farol. Y no era un saco lo que vio, sino un qipao rojo. El qipao, o vestido mandarín, cubría el cuerpo de una mujer joven de poco más de veinte años. Su rostro, de una palidez amarillenta, parecía de cera.

Huang se agachó para intentar inspeccionar el cuerpo. El vestido, subido por encima de la cintura y con las aberturas laterales desgarradas, dejaba a la vista los muslos y el pubis, quc brillaban de forma obscena bajo la luz espectral. Bajo los botones en forma de doble pez, desabrochados, asomaban los pechos de la víctima. Iba descalza, con las piernas desnudas, y no llevaba nada debajo del vestido ajustado.

Huang tocó el tobillo de la muchacha. Estaba frío y no había pulso. Las uñas, pintadas de rosa, aún parecían pétalos. ¿Cuánto tiempo llevaba muerta? Huang le bajó el vestido para taparle los muslos. El vestido, bastante elegante, resultaba inexplicable. Originariamente lo llevaban los manchúes, un grupo étnico minoritario que ostentó el poder durante la dinastía Qing. En la década de 1930 se puso tan de moda que los chinos lo adoptaron como traje nacional sin importarles su origen étnico. Tras su desaparición durante la Revolución Cultural como símbolo de un estilo de vida burgués, el vestido había vuelto a ponerse de moda, sorprendentemente, entre las clases más adineradas. Pero Huang nunca había visto a ninguna mujer que lo llevara así, sin bragas ni zapatos.

Huang escupió en el suelo tres veces, un ritual supersticioso contra la mala suerte.

¿A quién se le habría ocurrido abandonar un cuerpo ahí por la mañana? Se trataba de un asesinato de índole sexual, concluyó.

Pensó en informar a la policía, pero aún era demasiado temprano y no había ningún teléfono público disponible. Miró a su alrededor y vio una luz que parpadeaba en la distancia, al otro lado de la calle. Provenía del Instituto de Música de Shanghai. Huang gritó pidiendo ayuda.

–¡Asesinato! ¡El asesinato del vestido mandarín rojo!

1

El inspector jefe Chen Cao, del Departamento de Policía de Shanghai, se despertó sobresaltado cuando sonó el teléfono a primera hora de la mañana.

Frotándose los ojos mientras descolgaba rápidamente el auricular, Chen vio que el reloj de la mesilla de noche marcaba las siete y media. La noche anterior se había quedado levantado hasta tarde escribiendo una carta a un amigo de Pekín, en la que citaba a un poeta de la dinastía Tang para expresar lo que tanto le costaba decir con sus propias palabras. Después consiguió dormirse y soñar con los despiadados sauces Tang, que bordeaban la desierta orilla bajo una neblina verdosa.

–Hola, soy Zhong Baoguo, del Comité para la Reforma del Sistema Legal de Shanghai. ¿Es usted el camarada inspector jefe Chen?

Chen se incorporó en la cama. Este comité en particular, una nueva institución perteneciente al Congreso del Pueblo de Shanghai, no ejercía autoridad directa sobre él, pero Zhong, que ocupaba un puesto más alto en el escalafón de cuadros del Partido, nunca lo había llamado antes, y menos aún a su casa. Los fragmentos de su sueño a la sombra de los sauces comenzaron a desvanecerse.

Podría ser uno de esos casos «políticamente delicados» que no se solían comentar en el Departamento. Chen notó que la boca se le ponía amarga.

–¿Ha oído hablar del caso del complejo residencial de la manzana nueve oeste?

–¿La manzana nueve oeste? Sí, el complejo residencial de Peng

Liangxin, en una de las mejores zonas del centro de la ciudad. He leído algún artículo sobre el asunto.

En la reforma que se estaba llevando a cabo en China, algunas de las oportunidades comerciales más increíbles habían surgido en el sector de la construcción. Tiempo atrás, cuando el Estado controlaba toda la tierra, la asignación de viviendas dependía de comités estatales. Al propio Chen le habían asignado una habitación a través de la cuota del Departamento, pero a principios de la década de 1990 el Gobierno empezó a vender terrenos a los empresarios emergentes. Peng –apodado el Bolsillos Llenos Número Uno de Shanghai– era uno de los primeros constructores que más se enriquecieron. Dado que los funcionarios del Partido decidían los precios de los terrenos y su asignación, los corruptos pululaban como moscas en busca de sangre. A través de sus contactos, Peng obtuvo el permiso gubernamental necesario para comenzar a urbanizar la manzana nueve oeste. Tuvieron que derribar los viejos edificios de la zona para poder construir los bloques nuevos, y Peng expulsó a los vecinos que vivían allí. Sin embargo, la gente empezó a quejarse de los «agujeros negros» en la operación comercial, y no tardó en estallar el escándalo.

Pero ¿qué podía hacer Chen? Obviamente, en un proyecto tan descomunal como el de la manzana nueve oeste habría bastantes funcionarios involucrados. Podía convertirse en un caso importante, de consecuencias políticas desastrosas. La minimización de daños, supuso Chen, sería probablemente la tarea que pensaban encomendarle.

–Sí, creemos que usted debería investigar el caso. Especialmente a Jia Ming, el abogado que representa a esos vecinos.

–¿Jia Ming? –Chen estaba aún más sorprendido. No conocía ningún detalle sobre el caso de corrupción. Había oído decir que Jia era un abogado de éxito, pero ¿por qué tendría que investigar a un abogado?–. ¿Es el abogado que defendió el caso de Hu Ping, el escritor disidente?

–El mismo.

–Director Zhong, lo siento muchísimo. Me temo que no puedo ayudarlo con su caso. –Chen proporcionó de inmediato una excusa, en lugar de negarse abiertamente–. Me acabo de inscribir en un máster especial en la Universidad de Shanghai. Literatura clásica china. Es preciso dedicar las primeras semanas al estudio intensivo, así que no tendré tiempo para nada más.

Más que una mera excusa improvisada, era una posibilidad que Chen contemplaba desde hacía tiempo. En realidad, aún no se había inscrito, pero había acudido a la universidad para hacer algunas consultas preliminares sobre el curso.

–Está de broma, camarada inspector jefe Chen. ¿Y qué hay de su trabajo policial? ¡Literatura china clásica! No tiene nada que ver con su profesión. ¿Acaso quiere cambiar de empleo?

–Estudié literatura en la universidad, literatura inglesa. Para ser un investigador competente en la sociedad actual, es preciso adquirir tantos conocimientos como sea posible. Este curso incluye clases de psicología y de sociología.

–Bien, es aconsejable que amplíe su horizonte intelectual, pero no creo que disponga del tiempo necesario, dado su cargo.

–Es algo así como un arreglo –repuso Chen–. Unas cuantas semanas de estudio intensivo en aulas, como los otros estudiantes, y luego sólo hay que entregar trabajos. Después el plan de estudios se adapta a mi horario laboral.

No era del todo cierto. Según el folleto informativo que había cogido en la universidad, las semanas de estudio intensivo no tenían por qué iniciarse de inmediato.

–Esperaba persuadirlo. Un destacado camarada del Gobierno municipal me sugirió que hablara hoy con usted.

–Prestaré mucha atención al caso en la medida en que me sea posible –afirmó Chen para guardar las apariencias ante Zhong. No quería que éste le hablara del «destacado camarada», fuera quien fuera.

–Estupendo. Pediré que le envíen el expediente del caso –añadió Zhong, tomándose el comentario como una concesión por parte del inspector jefe.

Después, Chen pensó con frustración que debería haberle dicho claramente que no.

Tras colgar el teléfono, Chen cayó en la cuenta de que necesitaba descubrir cuanto le fuera posible sobre el caso de la manzana nueve oeste, así que empezó a hacer llamadas de inmediato. Su corazonada resultó ser cierta: ésta era una investigación que debería haber evitado.

Peng Liangxin, el promotor inmobiliario, se había iniciado en el mundo de los negocios como vendedor ambulante de empanadillas, pero no tardó en exhibir una destreza extraordinaria a la hora de crearse una red de contactos. Supo cuándo y dónde entregar sobres rojos con dinero bajo mano a los altos cargos del Partido y, a cambio, el Partido lo ayudó a convertirse en multimillonario en sólo cuatro o cinco años. Peng adquirió los terrenos de la manzana nueve oeste sirviéndose de numerosos sobornos y de la presentación de un plan económico para mejorar las condiciones de los residentes. Después, gracias al permiso gubernamental que le concedía los terrenos, el promotor obtuvo los créditos bancarios necesarios para empezar a construir sin tener que poner ni un céntimo de su bolsillo. A continuación amedrentó a los vecinos hasta hacerlos abandonar sus viviendas sin apenas compensarlos. A las pocas familias que se resistieron las denominó «familias clavo», y las arrancó por la fuerza, como si de clavos se tratase, tras contratar a un grupo de matones de la Tríada. Varios vecinos fueron agredidos brutalmente en una especie de «campaña de demolición». Asimismo, en lugar de permitir a los vecinos originales que volvieran a instalarse en sus viviendas tal y como había prometido en su propuesta de urbanización, Peng empezó a vender los nuevos pisos a un precio mucho más alto a compradores de Taiwan y Hong Kong. Cuando la gente protestó, el millonario volvió a pedir ayuda a la Tríada local, así como a los funcionarios del Gobierno. Varios vecinos acabaron en la cárcel, tras ser condenados como alborotadores que interferían en el plan de desarrollo urbanístico de la ciudad. No obstante, dado que era cada vez mayor el número de ciudadanos descontentos que se unían a la protesta, el Gobierno se vio obligado a intervenir.

Según se decía, muchos de los problemas de Peng guardaban relación con su apodo. Había muchas personas ricas en la ciudad, algunas posiblemente más ricas que él, pero casi todas se esforzaban por no llamar la atención. Peng se había vuelto engreído a causa de su éxito fulgurante, y le encantaba que lo llamaran el Bolsillos Llenos Número Uno de Shanghai. A medida que la brecha entre ricos y pobres aumentaba, los ciudadanos expresaban con mayor contundencia su frustración contra la corrupción generalizada, y contra Peng en particular por ser uno de sus principales representantes. Como reza un proverbio chino, el pájaro que saque la cabeza recibirá un disparo.

La situación se complicó aún más cuando el ilustre abogado Jia Ming decidió representar a los vecinos. Gracias a su experiencia legal, Jia no tardó en descubrir nuevos abusos en la fraudulenta operación comercial, en la que estaban involucrados de lleno no sólo Peng, sino también sus contactos del Gobierno. El caso empezó a tener una gran repercusión, y a los funcionarios del Gobierno municipal les comenzó a preocupar que se les fuera de las manos. Tras la detención de Peng, las autoridades anunciaron que no tardaría en celebrarse un juicio justo y abierto al público.

Chen frunció el ceño al ver que recibía otro hoja de fax. El fax decía que algunos agentes del Departamento de Seguridad Interna habían estado investigando a Jia en secreto. El caso de corrupción se vendría abajo si lograban crearle problemas, pero sus esfuerzos no habían obtenido el éxito esperado.

Chen arrugó la página y se consideró afortunado por haber dado antes una excusa. Al menos podría alegar que no se quiso comprometer debido al máster especial que pensaba cursar.

Y realmente se le había presentado una oportunidad gracias al curso especial concebido para los cuadros emergentes del Partido, supuestamente demasiado ocupados en asuntos más importantes; por ello se les permitía obtener un título universitario en mucho menos tiempo.

El curso también le interesaba por otras razones. A juzgar por las apariencias, Chen había progresado con suma facilidad en su carrera profesional. Era uno de los inspectores jefe más jóvenes del Cuerpo, y el candidato con más probabilidades de suceder al secretario del Partido Li Guohua como cargo principal del Partido en el Departamento de Policía de Shanghai. Con todo, Chen no había elegido su profesión, no cuando aún estudiaba en la universidad. Pese a su éxito como policía, del que él era el primer sorprendido, y pese a haber resuelto varios casos «de gran importancia política», Chen se sentía cada vez más frustrado con su trabajo. La resolución de varios de estos casos no había satisfecho sus expectativas como policía.

Confucio dice: «Hay cosas que un hombre hará, y cosas que un hombre no hará». Por desgracia, Chen no disponía de directrices claras en una época de transición tan convulsa como la que estaba atravesando su país. En el curso, reflexionó, podría aprender a pensar desde otra perspectiva.

Así, aquella mañana Chen decidió visitar al profesor Bian Longhua, de la Universidad de Shanghai. El curso fue una excusa improvisada cuando habló con Zhong, pero no tenía por qué seguir siéndolo.

Por el camino compró un jamón *Jinhua* envuelto en papel *tung* especial, según una tradición que se remontaba a los tiempos de Confucio. El sabio no aceptaba dinero de sus alumnos, pero sí los regalos que éstos le traían, como jamones y pollos. Sin embargo, el jamón ocupaba demasiado para llevárselo en autobús, por lo que Chen se vio obligado a llamar a un coche del Departamento. Mientras esperaba en la tienda de jamones el inspector hizo algunas llamadas más en referencia al caso del complejo residencial, que acabaron por convencerlo de que no debía involucrarse.

Pequeño Zhou llegó con el coche antes de lo que Chen esperaba. Zhou, un conductor del Departamento que solía presentarse como «el hombre del inspector jefe Chen», haría correr la noticia de que Chen había visitado a Bian. Puede que sea lo mejor, pensó Chen, y después empezó a ensayar mentalmente su conversación con el profesor.

Bian vivía en un piso de tres dormitorios, ubicado en un nuevo complejo de una zona lujosa que pocos intelectuales se podían permitir. El propio Bian le abrió la puerta. El profesor, un hombre de complexión media de unos setenta años y brillante cabello plateado que contrastaba con su tez rubicunda, parecía muy enérgico pese a su edad y a su experiencia vital. Joven «derechista» en la década de 1950, «contrarrevolucionario histórico» de mediana edad durante la Revolución Cultural, y viejo «modelo intelectual» en los años noventa, Bian se había aferrado a sus estudios sobre literatura como si fueran un chaleco salvavidas durante todos esos años.

–Esto no basta en absoluto para mostrarle mi respeto, profesor Bian –dijo Chen mientras sostenía el jamón. A continuación intentó encontrar algún lugar donde depositarlo, pero los muebles, nuevos y caros, parecían demasiado buenos como para ponerles encima un jamón envuelto en grasiento papel *tung*.

–Gracias, inspector jefe Chen –contestó Bian–. Nuestro rector me ha hablado de usted. En consideración a sus muchas ocupaciones, hemos decidido que no tiene que acudir a clase como el resto de los alumnos, pero sí que deberá entregar los trabajos dentro del plazo previsto.

–Se lo agradezco. Le entregaré los trabajos cuando lo hagan los otros alumnos, por supuesto.

Una mujer joven entró con paso ligero en el salón. Tendría unos treinta años, y llevaba un vestido mandarín negro y sandalias de tacón alto. Cogió el jamón y lo puso sobre la mesita de centro.

–Fengfeng, mi muy eficiente hija –explicó Bian–. Presidenta de una empresa conjunta sinoamericana.

–Una hija muy poco considerada –añadió Fengfeng–. He estudiado administración de empresas en vez de literatura china. Gracias por elegir a mi padre como profesor, inspector jefe Chen. Tener un alumno famoso le alimenta el ego.

–No, es un honor para mí.

–Le va de maravilla en la policía, inspector jefe Chen. ¿Por qué quiere hacer este curso? –preguntó la joven.

–La literatura no tiene resultados prácticos –interrumpió el anciano, mofándose de sí mismo–. Ella, por el contrario, ha comprado este piso que yo nunca hubiera podido pagar. Así vivimos aquí: un país con dos sistemas.

«Un país con dos sistemas» era el lema político inventado por el camarada Deng Xiaoping para describir la coexistencia de la China continental socialista con el Hong Kong capitalista después de 1997. En este caso, la expresión se refería a una familia cuyos miembros ganaban dinero procedente de dos sistemas distintos. Chen comprendía que la gente cuestionara su decisión, pero intentaba no preocuparse demasiado por ello.

–Es como un camino intransitado, resulta tentador pensar en él durante esas noches en las que nieva sin cesar –explicó–, y también alimenta el ego si lo ves como alternativa profesional.

–Quisiera pedirle un favor –dijo Fengfeng–. Mi padre no va a la universidad cada día porque tiene diabetes y la tensión alta. ¿Le importaría asistir a clase aquí?

–Claro que no, si a él le resulta más cómodo.

–¿No recuerda la cita de Gao Shi? –preguntó Bian–. «Desgraciadamente, los eruditos son los más inútiles.» Aquí estoy, un viejo que sólo es capaz de «diseccionar insectos» en casa.

–«La importancia de la literatura perdura mil otoños» –afirmó Chen, citando otra frase como respuesta.

–Vaya, su pasión por la literatura es evidente. Como reza el proverbio chino, los que sufren la misma enfermedad se compadecen mutuamente. Claro que usted puede que tenga que preocuparse de su «enfermedad sedienta» particular. Usted es un poeta romántico, según tengo entendido.

Xiaoke zhi ji, o «enfermedad sedienta». Chen había oído la expresión alguna vez en relación a la diabetes, enfermedad que provoca sed y cansancio en quien la sufre. Bian, que se expresaba de forma curiosa, se había referido sutilmente tanto a su diabetes como a su sed de literatura, pero ¿qué tenía eso que ver con el hecho de que Chen fuera un poeta romántico?

Cuando volvió a meterse en el coche que lo esperaba fuera, Chen pilló a Pequeño Zhou examinando a una modelo desnuda en un ejemplar de *Playboy* de Hong Kong. La expresión «enfermedad sedienta» en la China antigua, recordó de pronto Chen, podría haberse empleado como metáfora de la pasión romántica no correspondida de un hombre joven.

Por otra parte, no estaba demasiado seguro de ello. Podría

haber leído la expresión en algún sitio, y haberla confundido con otras asociaciones irrelevantes. Durante el trayecto en coche, Chen se dio cuenta de que volvía a pensar como un policía, por querer buscar una explicación al uso de la expresión que había hecho el profesor Bian. El inspector jefe hizo un gesto de incredulidad con la cabeza al ver de pronto su expresión de desconcierto en el espejo retrovisor.

A pesar de todo, Chen estaba contento. La perspectiva de empezar el curso de literatura cambiaba mucho las cosas.

2

El subinspector Yu Guangming, del Departamento de Policía de Shanghai, estaba sentado con aire pensativo en un despacho que no era exactamente suyo, o no todavía. Como jefe en funciones de la brigada de casos especiales, Yu podía disponer del despacho durante las semanas de permiso de Chen.

Casi nadie parecía tomarse en serio a Yu, pese a que el subinspector había asumido el mando efectivo con anterioridad durante todas aquellas semanas en las que Chen estuvo ocupado con sus reuniones políticas y sus bien remuneradas traducciones. Con todo, eran muchos los que pensaban que Chen le hacía sombra.

A Yu le preocupaba la inexplicable determinación de Chen de inscribirse en el curso de literatura, una decisión que había dado pie a numerosas interpretaciones en el Departamento. Según Liao Guochang, jefe de la brigada de homicidios, Chen estaba intentando pasar inadvertido después de haber soliviantado a algunos capitostes, y adoptaba ahora una pose de intelectual para dejar de ser el centro de atención durante un tiempo. Pequeño Zhou creía que el objetivo de Chen era obtener un máster o un doctorado, titulaciones cruciales para su futura carrera profesional, porque un título superior supondría una enorme ventaja de cara a la nueva política de promoción de cuadros del Partido. El comisario Zhang, un cuadro semijubilado de la anterior generación, tenía una opinión distinta sobre los estudios de Chen. Creía que el inspector jefe Chen planeaba estudiar en el extranjero con una *hongyan zhiji* –una belleza comprensiva y llena de admiración por él– que era jefa de policía en Estados Unidos. Como la mayoría de rumores sobre Chen, nadie era capaz de demostrarlo ni de refutarlo.

Ninguna de esas conjeturas convencía del todo a Yu. Y también existía una posibilidad que no podía descartar: quizá sucedía algo de lo que ninguno de sus compañeros tenía conocimiento. Chen le había preguntado acerca de un caso sobre un complejo residencial sin darle ninguna explicación, algo poco habitual entre Yu y su jefe.

De todos modos, aquella mañana Yu no tenía demasiado tiempo para preocuparse. El secretario del Partido Li lo había convocado a una reunión en el despacho del inspector Liao.

Liao, un hombre de complexión robusta de unos cuarenta años, tenía cierto aspecto de lechuza debido a su nariz aguileña y sus ojos redondos. Liao frunció el ceño cuando Yu entró en su despacho.

En el Departamento, sólo un caso de extraordinaria importancia política podía ser asignado a la brigada de casos especiales bajo el mando de Chen y de Yu. La expresión avinagrada de Liao daba a entender que la brigada de homicidios era incapaz de ocuparse de otro caso más.

–Camarada subinspector Yu, habrá oído hablar del caso del vestido mandarín rojo –dijo Li, afirmando más que preguntando.

–Sí –respondió Yu–. Es un caso que ha despertado una gran expectación.

La semana anterior habían encontrado el cuerpo de una muchacha vestida con un qipao rojo en un parterre de la calle Huaihai oeste. El caso, muy divulgado por la proximidad del cadáver a varias tiendas de lujo, fue bautizado, apropiadamente, como el caso del vestido mandarín rojo. La noticia sobre el asesinato había provocado un atasco descomunal en el barrio. Los curiosos acudieron en tropel a la calle Huaihai para ver escaparates e intercambiar cotilleos, uniéndose a todos los fotógrafos y periodistas que pululaban por la zona en busca de información.

Los periódicos publicaron muchas teorías, a cuál más descabellada. Ningún asesino habría abandonado un cadáver vestido de tal guisa en un lugar como aquél si no tuviera alguna razón para hacerlo. Un periodista creyó que el cuerpo apuntaba a algún miembro del Instituto de Música de Shanghai, que se alzaba al otro lado de la calle frente al parterre. Otro reportero lo consideró un caso político, una especie de protesta contra la inversión de valores en la China socialista, porque el vestido mandarín, otrora condenado como símbolo de la decadencia capitalista, volvía a estar de moda. Una revista sensacionalista fue más allá y especuló que el asesinato había sido orquestado por un magnate de la industria de la moda. Paradójicamente, a resultas de la cobertura informativa varias tiendas se apresuraron a exhibir nuevas colecciones de vestidos mandarines en sus escaparates.

Yu había observado que el caso era desconcertante en algunos aspectos. Según el informe forense inicial, las magulladuras que presentaba la víctima indicaban que ésta podría haber sufrido algún tipo de agresión sexual antes de morir asfixiada, pero no se encontraron restos de semen ni en la vagina ni en la piel, y el asesino había lavado el cuerpo después de quitarle la vida. La muchacha no llevaba nada debajo del vestido, lo que contradecía las normas básicas del buen vestir. Y el lugar donde encontraron el cadáver solía estar tan concurrido que a muy pocos se les habría ocurrido abandonar un cuerpo allí.

Según una de las teorías iniciales del Departamento, tras cometer el crimen el asesino vistió a la víctima con la intención de llevarla a otro lugar, pero con las prisas o se olvidó de ponerle las bragas y el sostén, o no lo consideró necesario. El vestido podría haber sido el mismo que llevara la víctima antes de tan fatal encuentro. Puede que la elección del lugar no fuera relevante: el criminal podría haber obrado con imprudencia y, simplemente, haber abandonado el cuerpo a la primera oportunidad que se le presentó.

Yu no creía que se tratara de un acto cometido al azar, pero el caso no había sido asignado a la brigada de casos especiales. Sabía muy bien que no debía meter la cuchara en plato ajeno.

–Es sorprendente –repitió Yu, sintiéndose obligado a hablar de nuevo porque ni Li ni Liao le habían respondido–. Me refiero al lugar donde se encontró el cuerpo.

Seguían sin responderle. Li empezó a respirar con dificultad.

Sus ojeras parecían aún más profundas en aquel silencio siniestro. Li, un hombre de casi sesenta años, tenía unas ojeras enormes y gruesas cejas grises.

–¿Algún progreso? –preguntó Yu, volviéndose hacia Liao.

–¿Progreso? –gruñó Li–. Esta mañana ha aparecido otro cuerpo vestido con un qipao rojo.

–¡Otra víctima! ¿Dónde?

–Delante de las Vitrinas de los Periódicos, junto a la entrada número uno del Parque del Pueblo, en la calle Nanjing.

–Es increíble, eso está en el centro de la ciudad –afirmó Yu. Las Vitrinas de los Periódicos, como su nombre indicaba, era una serie de vitrinas con periódicos colocadas en hilera a lo largo del muro del parque, y casi siempre se concentraba allí un gran número de lectores–. Es un desafío deliberado.

–Hemos comparado a las dos víctimas –explicó Liao–. Presentan varias similitudes. Particularmente el vestido mandarín. La tela y el estilo son idénticos.

–Ahora la prensa se está poniendo las botas –observó Li mientras traían un montón de periódicos al despacho.

Yu cogió *Diario Liberación,* que había sacado en portada la fotografía en color de una muchacha enfundada en un vestido mandarín rojo y tirada en el suelo bajo las Vitrinas de los Periódicos.

–El primer asesino sexual en serie de Shanghai –dijo Liao, leyendo en voz alta–. «Vestido mandarín rojo» se ha convertido en una expresión popular. Las especulaciones se disparan como la pólvora. La ciudad se estremece expectante.

–Los periodistas están locos –le interrumpió bruscamente Li–. Nos bombardean con una avalancha de artículos y de fotografías, como si fuera lo único que importa en esta ciudad.

La frustración de Li era comprensible. Shanghai era conocida por la eficiencia de su Gobierno y, entre otras cosas, por su bajo índice de criminalidad. Se habían cometido otros asesinatos en serie en Shanghai, pero debido al eficaz control de los medios, nunca se les había dado publicidad. Un caso así podría haber llevado a la gente a pensar que la policía de la ciudad era incompetente, algo que los periódicos subvencionados por el Gobierno evitaban insinuar. Sin embargo, a mediados de la década de 1990 los periódicos ya eran responsables de su rentabilidad: los periodistas tenían que buscar noticias sensacionalistas, y el control de los medios no era ya tan férreo.

–Hoy en día, con todas esas novelas y películas occidentales de suspense en las librerías y en la televisión, algunas traducidas por nuestro inspector jefe Chen –señaló Liao–, los periodistas empiezan a dárselas de Sherlock Holmes en sus columnas. Fijaos en *Wenhui.* Ya predice la fecha del siguiente crimen: «Otro cuerpo vestido con un qipao rojo antes del próximo viernes».

–Eso lo sabe todo el mundo –repuso Yu–. Los asesinos en serie actúan a intervalos regulares. Si nadie los detiene, pueden continuar matando durante toda su vida. Chen ha traducido algo sobre un asesino en serie. Creo que deberíamos hablar con él.

–¡Al diablo el asesino en serie! –A Li parecía exasperarle el término–. ¿Ha hablado con su jefe? Apuesto a que no. Está demasiado ocupado escribiendo su trabajo de literatura.

Yu sabía que la relación entre Chen y Li no había sido demasiado buena últimamente, por lo que no respondió.

–No se preocupe –comentó Liao con tono sarcástico–. Incluso sin Carnicero Zhang la gente seguirá teniendo cerdo en la mesa.

–Estos asesinatos son una bofetada para el Departamento de Policía. «¡Eh, polis, lo he vuelto a hacer!» –continuó diciendo Li acaloradamente–. El enemigo del pueblo está intentando sabotear el gran progreso de nuestra reforma, y está dañando la estabilidad social al provocar el pánico entre la gente. Empecemos por los que muestran un odio encarnizado hacia nuestro Gobierno.

La lógica de Li aún se basaba en aquel librito rojo del presidente Mao, y según dicha lógica, reflexionó Yu, cualquiera podría ser un enemigo del pueblo. El secretario del Partido era conocido por formular teorías políticas sobre las investigaciones de homicidios. El jefe número uno del Partido también se consideraba a sí mismo una especie de investigador criminal número uno.

–Primero, el criminal debe de disponer de algún lugar donde cometer el asesinato, muy probablemente su casa –observó Liao–. Sus vecinos podrían haber notado algo raro.

–Sí, contacta con todos los comités vecinales, especialmente los más próximos a los dos lugares donde se han encontrado los cadáveres. Como dice el presidente Mao, tenemos que confiar en el pueblo. Ahora, a fin de resolver el caso lo antes posible –concluyó Li con tono solemne–, usted, inspector Liao, y usted, subinspector Yu, se pondrán al frente de un equipo especial.

Los dos policías no pudieron comentar con detenimiento el caso hasta que el secretario del Partido salió del despacho.

–Sé poquísimo acerca de este caso –empezó diciendo Yu– y prácticamente nada sobre la primera víctima.

–Éste es el expediente sobre la primera. –Liao le entregó una carpeta abultada–. De momento aún estamos recopilando información sobre la segunda.

Yu cogió una fotografía ampliada de la primera víctima. Una melena negra le cubría parcialmente el rostro, y el vestido ajustado resaltaba sus curvas y su buena figura.

–A juzgar por las magulladuras en los brazos y en las piernas –sugirió Liao– puede que sufriera algún tipo de agresión sexual. Pero no hay restos de semen ni secreciones en la vagina, y en el laboratorio han descartado que el asesino hubiera usado un condón. Tampoco encontraron restos de lubricante. Le hiciera lo que le hiciese antes de matarla, cuando el cuerpo de la muchacha ya estaba rígido el asesino volvió a vestirla, bruscamente y a toda prisa. Eso explicaría las aberturas desgarradas y los botones sueltos.

–Podemos estar bastante seguros de que el vestido mandarín rojo no era suyo –apuntó Yu–, porque la segunda víctima llevaba un vestido idéntico al de la primera cuando la encontraron.

–No, el vestido no era suyo.

Yu examinó las aberturas desgarradas y los botones sueltos en la fotografía. Si realmente alguien se había tomado la molestia de conseguir un vestido caro de moda, ¿por qué había vestido los cuerpos de forma tan descuidada en ambas ocasiones?

–¿El vestido de la segunda víctima también tiene las aberturas desgarradas?

–Ya veo por dónde va –gruñó Liao, asintiendo con la cabeza. –¿Cuándo identificaron a la primera víctima?

–Unos tres o cuatro días después de que encontraran el cuerpo. Tian Mo, veintitrés años. La llamaban Jazmín. Trabajaba en el hotel Gaviota, que está cerca del cruce de las calles Guangxi y Jingling. Vivía con su padre paralítico. Según sus vecinos y sus compañeros de trabajo, era una buena chica, muy trabajadora. No tenía novio, y ninguna de las personas que la conocían cree que tuviera enemigos.

–Parece como si el asesino hubiera lanzado el cadáver desde un coche.

–Sí, eso parece.

–¿Podría haber sido un taxista, o el propietario de un vehículo particular?

–Los taxistas hacen turnos de doce horas. Después de que denunciaran el hallazgo de la segunda víctima, investigamos inmediatamente a los que trabajaron las dos noches. Menos de veinte estaban de servicio en esa franja horaria, y todos ellos conservan los recibos de al menos una de las noches. ¿Cómo podría un taxista tener tiempo para asesinarla entre carrera y carrera, lavarla, probablemente en un baño privado, y ponerle el vestido mandarín? –Liao negó con la cabeza antes de seguir hablando–. Tal vez fuera un coche particular. Han aumentado de manera espectacular en los últimos años, con tantos «bolsillos llenos» en las empresas y tantos chupópteros en el Partido. Pero no disponemos de los recursos necesarios para llamar a sus puertas, una tras otra, por toda la ciudad, aunque nuestro secretario de Partido nos dé luz verde para hacerlo.

–Entonces, ¿qué piensa de los lugares donde se encontraron los cuerpos?

–En cuanto al primero –afirmó Liao, sacando una fotografía en la que al fondo se veía un semáforo en el cruce de calles–, el asesino tuvo que salir del coche para depositar el cuerpo. Se arriesgó muchísimo, el tráfico es prácticamente continuo en esa zona. El tranvía número veintiséis circula sin interrupción hasta después de las dos y media, y luego vuelve a salir hacia las cuatro. Además, de vez en cuando pasan algunos coches, y los estudiantes que trabajan hasta tarde entran y salen del instituto que hay al otro lado de la calle.

–¿Cree que el lugar en el que apareció el cuerpo tiene algún significado relacionado con el Instituto de Música, como afirman esos periodistas? –preguntó Yu.

–Ya lo hemos investigado. Jazmín no estudió en el instituto. Le gustaba la música, como a la mayoría de chicas jóvenes, y tatareaba alguna canción de vez en cuando, pero eso era todo. Y su familia tampoco tenía ninguna relación con la escuela. La segunda víctima fue abandonada en un sitio distinto, por lo que no me parece que tenga ningún sentido tomarnos en serio toda esa mierda que sale en los periódicos sobre el Instituto de Música.

–Puede que esta vez Li tenga razón. Los dos cuerpos aparecieron en lugares muy transitados, es posible que el criminal quisiera dejar su impronta –apuntó Yu–. Imagino que ya se ha puesto en contacto con todos los comités vecinales de la zona.

–Desde luego, pero las preguntas se centraron en un tipo muy determinado de criminal: los delincuentes sexuales con antecedentes penales. Aún no hemos encontrado nada. El segundo cuerpo ha aparecido esta mañana.

–Dígame todo lo que sepa acerca del segundo cadáver.

–Lo ha descubierto un chico del *Wenhui* que había ido a cambiar los periódicos de las vitrinas. Después de bajarle el vestido para taparle los muslos desnudos y cubrirle la cara con periódicos, ha llamado a *Wenhui* en vez de llamarnos a nosotros. Al llegar al lugar, hemos encontrado a un montón de gente concentrada allí desde hacía bastante rato, y es muy posible que le hayan dado la vuelta al cuerpo varias veces. Así que no tenía demasiado sentido inspeccionar el lugar donde se ha encontrado el cadáver.

–¿Ha llegado el informe del forense?

–No, aún no. Sólo un informe inicial redactado en el sitio. Una vez más, muerte por asfixia. No parecía que la víctima hubiera sufrido abusos sexuales, pero, al igual que la primera, no llevaba nada debajo del vestido mandarín. –Liao puso más fotografías sobre el escritorio–. Ningún resto de semen después de que tomaran muestras vaginales, bucales y anales. Los analistas de huellas latentes también han hecho su trabajo, y no han encontrado ningún pelo suelto que hubiera podido caer encima del cuerpo.

–¿Es posible que el segundo asesinato haya sido un calco del primero?

–Hemos examinado los dos vestidos. La misma tela estampada, y también el mismo estilo. Nadie que hubiera querido copiar el primer asesinato podría haber conocido o reproducido todos esos detalles.

–¿Se han tomado otras medidas en relación a la segunda víctima?

–Se han enviado carteles con su fotografía. Hemos recibido muchas llamadas, en las que nos ofrecen posibles pistas. El Departamento está trabajando a marchas forzadas.

–Le guste o no a Li el término asesino en serie –dijo Yu–, no hay que descartar esa posibilidad. Dentro de una semana podríamos encontrarnos con un tercer cadáver vestido con un qipao.

–Políticamente, Shanghai no puede admitir la existencia de un asesino en serie. Por eso Li ha llamado a la brigada de casos especiales.

–En el supuesto de que se trate de un asesino en serie –dijo Yu, consciente de la larga rivalidad entre las brigadas de homicidios y de casos especiales–, necesitamos establecer el perfil del criminal.

–Bien, los vestidos son muy caros, por lo que es posible que sea rico. Tiene coche. Lo más probable es que viva solo; no podría haber hecho todo esto sin disponer de una vivienda propia: un apartamento o un chalé aislado. Desde luego, no me refiero a una habitación en una casa *shikumen* en la que tuviera que apretujarse junto a otras veinte familias. Sería imposible trasladar los cuerpos sin llamar la atención de todos esos vecinos.

–Eso es cierto –dijo Yu, asintiendo con la cabeza–. Además, es un tipo solitario y un pervertido. Desnudó a las víctimas, pero no podemos asegurar que las sometiera a abusos sexuales. Es un psicópata que encuentra alivio mental cometiendo asesinatos rituales, y deja el vestido mandarín rojo como firma.

–¿Un psicópata que encuentra alivio mental? –exclamó Liao–. Venga, subinspector Yu. Me recuerda a todas esas novelas de suspense que traduce su jefe. Llenas de palabrería psicológica, pero que no nos ofrecen nada a lo que asirnos.

–Sin embargo, a partir de ese tipo de enfoque psicológico podríamos llegar a saber otras cosas sobre él –repuso Yu–. Creo que lo leí en un libro que tradujo Chen, pero hace mucho tiempo de eso.

–Bueno, mi enfoque es mucho más práctico, más material que psicológico, y es eficaz para reducir nuestra lista de sospechosos. Al menos, no tenemos que preocuparnos de los que no cumplen estas condiciones materiales.

–¿Y qué hay del vestido mandarín rojo? –preguntó Yu, evitando enfrentarse a Liao por el momento.

–Pensé en ofrecer una recompensa a cambio de información, pero Li se negó porque temía un caudal de especulaciones sin fundamento.

La conversación se interrumpió con la entrada de Hong, una joven graduada de la Academia de Policía de Shanghai que trabajaba como ayudante de Liao. Hong era una chica guapa, con una dulce sonrisa de dientes muy blancos. Se decía que su novio era un dentista que había estudiado en el extranjero.

–Bien, empezaré a revisar estas carpetas –dijo Yu, levantándose. Mientras salía del despacho se le ocurrió que Hong tenía un leve parecido con la primera víctima.

3

Aquella mañana, de camino a la Biblioteca de Shanghai, el inspector jefe Chen decidió pasear tranquilamente por la calle Nanjing mientras pensaba en un posible tema para su primer trabajo de literatura.

Cuando se acercaba a la calle Fujian, Chen se detuvo junto a un edificio en obras y encendió un cigarrillo. Al recorrer con la mirada la multitud de tiendas y letreros nuevos el inspector jefe reconoció un par de tiendas antiguas, aunque las habían reformado de arriba abajo; parecía como si las hubieran sometido a una operación de cirugía estética.

Los almacenes Número Uno de Shanghai, en otros tiempos los más populares de la ciudad, tenían ahora un aspecto destartalado, casi deprimido en contraste con los nuevos edificios. Chen había investigado un caso de homicidio relacionado con esos almacenes. En aquel momento el declive de la tienda no le hubiera resultado previsible a la víctima, una modelo nacional más preocupada por perder su estatus político. Actualmente, los almacenes estatales, lejos de representar fiabilidad y respetabilidad, eran conocidos por sus deficientes «servicio y calidad socialistas». Se trataba de un cambio simbólico: ahora el capitalismo se consideraba un sistema superior.

En el escaparate de los almacenes, una esbelta modelo –extranjera– se desperezaba con gesto insinuante mirando fijamente a Chen, quien tuvo que esforzarse para no perder la concentración.

Tras su conversación con Bian se le había ocurrido una idea para su primer trabajo de literatura, inspirada por una frase en particular: «enfermedad sedienta». Chen había buscado la expresión en todos los diccionarios que tenía en casa; ninguno incluía la forma en que Bian lo había empleado. Si bien «sediento» podría entenderse como un uso metafórico de anhelante, la frase «enfermedad sedienta» se refería únicamente a la diabetes. Por consiguiente, Chen decidió pasar la mañana consultanto los libros de referencia de la biblioteca. Tal vez encontrara algún dato interesante, quizás una evolución de la semiótica que pudiera incluir en su trabajo de literatura.

No tardó en vislumbrar el pináculo de la biblioteca, resplandeciente sobre la esquina de la calle Huangpi. Se decía que pronto trasladarían también la biblioteca. ¿Cuál sería su nuevo emplazamiento?, se preguntó el inspector jefe mientras empujaba la puerta giratoria.

Subió hasta el segundo piso y entregó una lista de libros a Susu, una bibliotecaria joven y atractiva que atendía detrás del mostrador. Susu le dirigió una sonrisa radiante y se le formaron hoyuelos en las mejillas. Después empezó a buscar los libros.

Cuando acababa de instalarse en la sala de lectura que daba al Parque del Pueblo y abrió el primer libro, sonó su móvil. Apretó el botón. Nadie dijo nada. Quizá se habían equivocado de número. Chen apagó el teléfono.

El concepto «enfermedad sedienta» aparecía mencionado por primera vez en «La historia de Xiangru y Wenjun», originariamente en un esbozo biográfico en *Shiji,* la obra de Sima Qian. El ejemplar de *Shiji* que Chen encontró en la biblioteca era una edición anotada, por lo que podía fiarse del significado. La historia, relatada desde el principio, narraba cómo surgió el amor entre Xiangru y Wenjun gracias a la música.

> *Él cantó los versos en un magnífico banquete celebrado en la mansión de Zhuo Wangsun, un rico mercader de Lingqiong. La hermosa hija de Zhuo Wangsun se encontraba en la habitación contigua, desde donde miraba de soslayo a Xiangru. La joven, que demostró comprender plenamente la música, decidió fugarse con él aquella noche. Se convirtieron en marido y mujer y vivieron felices para siempre...*

El relato mencionaba la expresión «enfermedad sedienta», pero sólo en una ocasión.

Xiangru tartamudeaba, pero era un excelente escritor. Padecía la «enfermedad sedienta» (xiaoke ji). *Se había enriquecido gracias a su matrimonio con una mujer de la familia Zhuo, por lo que no se vio obligado a ejercer su puesto de funcionario.*

El esbozo se centraba después en la carrera literaria de Xiangru, y no volvía a mencionar el tema de su enfermedad sedienta. Dada la importancia trascendental de *Shiji,* la historia fue relatada de nuevo en diversas versiones, y demostró ser arquetípica en cuanto a su influencia en el posterior género literario de relaciones amorosas entre eruditos y beldades.

Chen empezó a investigar en antologías y colecciones. Una de las versiones literarias más antiguas de la historia de amor aparecía en *Xijing Zaji,* una colección de anécdotas y relatos.

Cuando regresó a Chengdu junto a Zhuo Wenjun, Sima Xiangru estaba en la miseria. Le dejó en prenda su abrigo de plumas sushuang *a Yang Chang y compró vino para Zhuo Wenjun. Su mujer le echó los brazos al cuello y rompió a llorar. «Siempre he vivido en la abundancia. ¡Y ahora tenemos que empeñar tu ropa para poder comprar vino!» Después de mucho hablarlo, comenzaron a vender vino en Chengdu. Vestido únicamente con unos calzones, era el propio Xiangru quien lavaba los utensilios. Lo hacía para avergonzar a Zhuo Wangsun. Éste, sintiéndose abrumado por la vergüenza, entregó una gran cantidad de dinero a Wenjun y la hizo rica.*

Wenjun era una belleza. Sus cejas eran tan delicadas como las montañas que se vislumbran en la lejanía; su rostro tan encantador como una flor de loto; su piel tan suave como la nata fresca. Se había quedado viuda a los diecisiete años y ahora llevaba una vida disoluta. Así que, impresionada por el talento de Xiangru, Wenjun transgredió los ritos sociales.

Xiangru había padecido la «enfermedad sedienta» tiempo atrás. Cuando volvió a Chengdu, se enamoró de tal forma de la belleza de

Wenjun que sufrió una recaída en su enfermedad. Ello lo llevó a escribir la rapsodia satírica titulada «Belleza» para burlarse de sí mismo. Sin embargo, Xiangru no consiguió enmendarse y finalmente murió de la enfermedad. Wenjun escribió una elegía en su honor que aún se conserva en la actualidad.

En la versión incluida en la recopilación *Xijing Zaji,* observó Chen, la expresión «enfermedad sedienta» aparecía en un contexto muy distinto al descrito en *Shiji.* En lugar de empezar por el principio, la historia posterior arrancaba con las dificultades económicas de la pareja tras su retorno a Chengdu, sin mencionar la parte romántica y resaltando los motivos materialistas. Xiangru aparecía retratado como un conspirador codicioso, y a Wenjun la describían como una mujer bella pero de moral disoluta.

Los matices semánticos de «enfermedad sedienta» presentaban una diferencia sustancial: en este caso, se trataba de una enfermedad causada por el amor. Xiangru, consciente de su causa y de su efecto, empleaba la sátira para intentar recuperar la cordura, pero no lo consiguió. Murió debido a su pasión por Wenjun.

Por consiguiente, en este caso el significado de «enfermedad sedienta» se acercaba más al que le había dado Bian: era una consecuencia de la pasión amorosa. Eso fue lo que Bian quiso decir al referirse en broma a la «especie de enfermedad sedienta» del poeta romántico.

Chen abrió un ejemplar de *Océano de palabras,* el diccionario chino más amplio, en el que «enfermedad sedienta» claramente significaba diabetes. «Se le llama así porque el paciente se siente sediento y con hambre, orina mucho y está demacrado.» Era un término médico que no se asociaba a ningún otro significado. Exactamente el mismo significado que aparecía en *Shiji.*

Chen buscó otros libros de consulta, mientras pensaba en las supersticiones sobre el amor sexual en la China antigua. Por lo que podía recordar, los taoístas se oponían al amor sexual –o, para ser exactos, a la eyaculación– aduciendo que privaba al hombre de su esencia.

Fuera cual fuera la influencia filosófica o supersticiosa, en el horizonte temático de la versión literaria aparecía una asociación entre el amor y la muerte. Así pues, la historia amorosa contenía un «otro» que condenaba el tema romántico.

Además, la Wenjun de la versión posterior aparecía descrita como una mujer frívola y siniestra. Chen copió una frase en su cuaderno: «Así que, impresionada por el talento de Xiangru, Wenjun transgredió los ritos sociales». Chen subrayó la palabra *ritos,* pensando en una cita de Confucio: «Hazlo todo de acuerdo a los ritos».

¿Pero cuáles podrían haber sido los ritos relacionados con las parejas que se enamoraban?

Chen fue a pedir más libros. Susu le dijo que podría tardar bastante en conseguirlos porque los empleados estaban comiendo, así que decidió salir a comer él también. Era una tarde cálida para aquella época del año.

El Parque del Pueblo estaba bastante cerca, y allí había una cantina barata pero agradable a la que su madre solía llevarlo muchos años atrás. Le costó un poco encontrarla, pero finalmente dio con ella. Pidió una caja de plástico con arroz frito y lonchas de ternera en salsa de ostras con cebolletas, además de una sopa de bolas de pescado en un cuenco de papel. Esperaba que la receta de la ternera fuera la misma que había disfrutado en compañía de su madre.

También quiso comprar una botella de agua de limón de marca Zhengguanghe, pero sólo vio unas cuantas marcas estadounidenses: Coca-Cola, «Deliciosa, Placentera»; Pepsi, «Cientos de cosas placenteras»; Sprite, «Pura como la nieve»; 7-Up, «Séptima felicidad»; Mountain Dew, «Ola de excitación». Al menos las traducciones de las bebidas no estaban tan americanizadas, contempló con ironía.

Su móvil comenzó a sonar de nuevo. Era el Chino de Ultramar Lu, su amigo del instituto, ahora propietario de El Barrio de Moscú, un restaurante ostentoso conocido por su cocina rusa y sus chicas rusas.

–¿Dónde estás, colega?

–En el Parque del Pueblo, disfrutando de una almuerzo empaquetado en una caja. Me he tomado esta semana libre para escribir mi trabajo sobre literatura china.

–Me tomas el pelo... ¡Un trabajo sobre literatura china en medio de tu fulgurante carrera! –exclamó Lu–. Si realmente vas a dejar la policía, asóciate conmigo, te lo he dicho cientos de veces. Seguro que conseguiríamos una avalancha de clientes gracias a tus contactos.

Pero Chen no se engañaba: tenía contactos únicamente gracias a su cargo. Cuando dejase su puesto en la policía, la mayoría de sus «amigos» desaparecerían como por arte de magia. Probablemente nunca trabajaría con Lu, por lo que no creyó que valiera la pena seguir hablando del tema.

–Ven al Barrio de Moscú –continuó diciendo Lu–. Ahora todas mis camareras rusas llevan vestidos mandarines. Es todo un espectáculo. Las occidentales parecen algo desgarbadas con ellos. De todos modos, tienen un aspecto tan misterioso y excitante, tan delicioso, que los clientes prácticamente las devoran vivas.

–Por su sabor exótico, supongo.

A un emprendedor como Lu le parecía normal aprovechar cualquier oportunidad de hacer dinero sin preocuparse de la estética ni de la ética.

–Sea cual sea su sabor, un almuerzo que viene en una caja de plástico seguro que no es comestible. Y encima te lo tomas en el parque. Una vergüenza para un *gourmet* refinado como tú. Tienes que venir al restaurante.

–Iré, Lu –replicó Chen, interrumpiendo a su amigo–, pero ahora tengo que volver a la biblioteca. Me están esperando.

El almuerzo en la caja de plástico era lo que le estaba esperando, para ser exactos. No tardaría en enfriarse.

Sin embargo, antes de que pudiera abrir la caja volvió a sonar su móvil. Tendría que haberlo apagado mientras comía. Era Hong, la joven agente de la brigada de homicidios que trabajaba como ayudante de Liao.

–Vaya sorpresa, Hong.

–Lo siento, inspector jefe Chen, el subinspector Yu me dio su número de móvil. Intenté llamarle a su casa primero, pero sin éxito.

–No tiene por qué disculparse.

–He de informarle de un caso.

–Estoy de vacaciones, Hong.

–Es importante. Tanto el secretario del Partido Li como el inspector Liao me han dicho que me ponga en contacto con usted.

–Bueno –dijo Chen. Muchas cosas podrían haberse convertido en granos importantes en el molino político de Li. En cuanto a Liao, puede que le hubiera pedido a Hong que lo llamara como gesto de deferencia.

–¿Dónde está, inspector jefe Chen? Puedo salir ahora mismo y acercarme.

Podría tratarse de otro caso delicado, algo que no fuera conveniente comentar por teléfono. Pero, de ser así, tampoco podrían hablar en la biblioteca.

–Venga al Parque del Pueblo, Hong. Cerca de la entrada de la puerta número tres.

–Sí que disfruta de sus vacaciones. El Parque del Pueblo. ¡Menuda coincidencia!

–¿Qué quiere decir?

–Han encontrado un segundo cadáver vestido con un qipao rojo a primera hora de esta mañana. Delante de las Vitrinas de los Periódicos, cerca de la puerta número uno del parque. –Y entonces añadió–: ¡Ah!, el subinspector Yu también colaborará en la investigación especial.

–¡Asesinatos en serie!

Chen recordó haber visto antes a un grupo de gente allí, aunque no le había prestado demasiada atención. No era una escena inusual frente a las Vitrinas de los Periódicos.

–Por eso le llamo. Querían que me pusiera en contacto con usted porque, según ellos, el inspector jefe Chen no le diría que no a una chica.

La petición no podría haber llegado en un momento peor para su trabajo de literatura. De todos modos, Chen tendría que hacer algo. Era el primer caso de asesinatos en serie de la ciudad, y también del Departamento de Policía. Como mínimo, tendría que dar muestras de preocupación.

–Tráigame toda la información que haya recopilado, Hong. Le echaré un vistazo por la tarde.

–Voy hacia allá.

La caja permanecía intacta, y ahora el almuerzo estaba totalmente frío. Lo tiró a la papelera. Chen se levantó y se dirigió a la entrada, intentando imaginar la escena que había tenido lugar unas horas antes.

Las Vitrinas de los Periódicos estaban situadas en el cruce entre las calles Nanjing y Xizhuang, una zona donde no estaba permitido aparcar junto a la acera. Cualquier coche aparcado allí llamaría inmediatamente la atención, y la patrulla policial estaba de servicio durante toda la noche.

El asesino debía de haberlo planeado todo cuidadosamente, reflexionó Chen.

Ahí había muchísima gente, pero la zona de las Vitrinas de los Periódicos no estaba acordonada. Chen tampoco vio a ningún policía entre la multitud.

El inspector jefe se fijó en una joven que se dirigía hacia él vestida con un abrigo blanco, como una flor de peral bajo la luz matutina. Una metáfora inverosímil, porque el invierno acababa de empezar. No era Hong.

Algunos ancianos permanecían de pie frente a las Vitrinas de los Periódicos, leyendo y charlando como siempre. Para su sorpresa, la sección del periódico que atrajo a más lectores era la de la información bursátil. «El mercado alcista está desbocado», rezaba el titular en negrita.

4

El subinspector Yu llegó a casa más tarde de lo habitual.

Peiqin se estaba lavando el pelo en una palangana de plástico colocada sobre una mesa plegable cerca del fregadero comunitario, en la zona de la cocina que compartían las cinco familias del primer piso. Yu aflojó el paso hasta detenerse junto a Peiqin. Su mujer levantó la cabeza con el pelo cubierto de burbujas de jabón y le indicó con un gesto que entrara en la habitación.

Sobre la mesa reposaba un plato de pastelillos de arroz frito con trozos de carne de cerdo y col en vinagre. Yu había comido antes un par de bollos cocidos al vapor, por lo que pensó que más tarde podría comerse un pastelillo como tentempié nocturno. Su hijo, Qinqin, se había quedado en el colegio estudiando hasta más tarde, como de costumbre, para preparar el examen de ingreso en la universidad.

Yu se dio cuenta de lo cansado que estaba nada más ver la cama. El edredón de algodón acolchado, con un dragón y un fénix bordados, ya estaba extendido, y la almohada, blanca y suave, colocada contra la cabecera. El subinspector se echó sobre el edredón sin sacarse los zapatos. Al cabo de dos o tres minutos se incorporó de nuevo y, apoyándose contra la dura cabecera, sacó un cigarrillo. Peiqin aún tardaría un rato en venir, supuso Yu, y necesitaba pensar.

Mientras fumaba, le pareció que sus pensamientos aún tenían coherencia, como si los hubiera introducido en un cubo lleno de pegamento congelado. Así que intentó repasar mentalmente la información obtenida con la investigación sobre los asesinatos del vestido mandarín.

El Departamento era un hervidero de actividad. Se proponían teorías. Se citaban casos. Se esgrimían argumentos. Todo el mundo parecía estar bien informado sobre el caso.

La insistencia del secretario del Partido Li en «confiar en el pueblo» no había dado ningún fruto. Los comités vecinales abordaron a un gran número de personas que habían sido vistas en la zona. Les pidieron que proporcionaran coartadas, pero a nadie le sorprendió el fracaso de esta iniciativa.

En los años sesenta y setenta los comités vecinales regulaban con eficacia en nombre del Gobierno la asignación de viviendas y el reparto de cupones de racionamiento. Cuando una docena de familias convivía en una casa *shikumen*, compartiendo cocina y patio, los vecinos se vigilaban entre sí, y dado que los comités vecinales distribuían los cupones para racionar los comestibles, el poder de esos comités sobre los vecinos era enorme. Pero tras la mejora de las condiciones de la vivienda y la abolición de los cupones de racionamiento, los comités comenzaron a tener dificultades para controlar a los vecinos. Aún resultaban eficaces en los barrios antiguos de destartaladas casas *shikumen* abarrotadas de gente, pero, al parecer, este asesino vivía en una zona más acomodada, donde disfrutaba de espacio propio y privacidad. A mediados de la década de los noventa, un cuadro del comité vecinal ya no podía inmiscuirse en la vida de una familia como lo hubiera hecho en los años de la lucha de clases de Mao.

El enfoque del inspector Liao no sirvió de mucho. Si bien su perfil material redujo la lista de sospechosos, ninguno de los que tenían antecedentes por crímenes sexuales cumplía todas las condiciones que especificaba Liao. La mayoría eran pobres, sólo dos o tres vivían solos, y sólo uno, un taxista, tenía acceso a un coche.

La investigación sobre el vestido mandarín rojo tampoco los llevó a ninguna parte. Enviaron un aviso a todos los talleres y fábricas que confeccionaban vestidos mandarines, solicitando cualquier tipo de información que pudiera servir, pero de momento no habían recibido ningún dato sobre ese vestido en particular.

Cada día aumentaban las probabilidades de que apareciera una nueva víctima.

Yu observaba a través de un anillo de humo de su cigarrillo, como si lanzara dardos invisibles, cuando oyó que Peiqin vertía agua por el fregadero de la cocina. Apagó el cigarrillo y volvió a dejar el cenicero en su sitio.

Al subinspector no le apetecía aguantar un sermón esa noche si su mujer lo encontraba fumando. Quería hablar del caso con ella. A su manera, Peiqin lo había ayudado en anteriores investigaciones. Esta vez al menos podría explicarle algo más sobre el vestido. Como a otras mujeres de Shanghai, a Peiqin le gustaba ir de compras, aunque casi siempre tenía que limitarse a mirar escaparates.

Peiqin asomó la cabeza por la puerta de la habitación.

–Pareces agotado, Yu, ¿por qué no te vas a dormir temprano esta noche? Me seco el pelo deprisa y vuelvo dentro de un ratito.

Yu se desnudó, se metió en la cama y se puso a temblar bajo el frío edredón, pero no tardó demasiado en entrar en calor mientras la esperaba.

Su esposa entró apresuradamente en la habitación, caminando descalza sobre el suelo de madera. Levantó el edredón y se deslizó a su lado, tocándole los pies con los suyos, aún fríos.

–¿Quieres una bolsa de agua caliente, Peiqin?

–No, ya te tengo a ti. –Peiqin se pegó a él–. Cuando Qinqin vaya a la universidad sólo quedaremos tú y yo, como en un nido viejo y vacío.

–No debes preocuparte –la tranquilizó su marido, fijándose en que tenía una cana en la sien. Yu aprovechó la oportunidad para llevar la conversación a su terreno–. Todavía pareces muy joven y guapa.

–No hace falta que me halagues así.

–Hoy he visto un vestido mandarín en el escaparate de una tienda. Creo que te sentaría muy bien. ¿Alguna vez te has puesto uno?

–Venga, Yu. ¿Acaso me has visto llevar un vestido mandarín alguna vez? Cuando estábamos en el instituto una prenda así era impensable: decadente, burguesa y no sé cuántas cosas más. Luego nos fuimos a aquella granja del ejército dejada de la mano de

Dios en Yunnan, vestidos con el mismo uniforme militar de imitación durante diez años. Cuando volvimos, ni siquiera teníamos un armario decente en casa de tu padre. Nunca me has prestado la debida atención, marido.

–Ahora que tenemos una habitación para nosotros solos, en el futuro me enmendaré.

–¿Por qué estás interesado de repente en un vestido mandarín? Ah, ya lo sé. Otro de tus casos. El caso del vestido mandarín rojo, he oído hablar de él.

–Seguro que sabes algo sobre estos vestidos. A lo mejor te has mirado alguno en una tienda.

–Quizás una o dos veces, pero nunca entro en ninguna de esas tiendas caras. ¿Crees que un vestido mandarín le estaría bien a alguien como yo, una mujer de mediana edad que trabaja en un restaurante cochambroso?

–¿Por qué no? –preguntó Yu, recorriendo con la mano las curvas tan familiares de su cuerpo.

–No, no me engatuses como tu inspector jefe. No es un vestido apropiado para una mujer trabajadora. No para mí, en esa oficina *tingsijian* llena del humo de los woks y de hollín. Leí un artículo sobre vestidos mandarines en una revista de modas. No consigo entender por qué esa clase de prenda ha vuelto a ponerse tan de moda de repente. En fin, háblame del caso.

Yu le resumió lo que sus compañeros y él habían averiguado hasta entonces, y le habló sobre todo del fracaso de los procedimientos policiales rutinarios.

Cuando terminó, Peiqin preguntó en voz baja:

–¿Se lo has comentado a Chen?

–Ayer hablamos por teléfono. Está de vacaciones, escribiendo un trabajo de literatura con un enfoque deconstructivo, o algo por el estilo. En cuanto al caso, sólo farfulló algunos términos psicológicos, sacados probablemente de sus misteriosas traducciones.

–Chen es así a veces –afirmó su esposa–. Si el asesino es un chalado podría resultar realmente difícil encontrarlo, porque actúa según una lógica que sólo él entiende.

Yu esperó a que su mujer dijera algo más, pero ella no parecía concentrarse en la conversación.

–¿Y qué piensas del curso de literatura que está haciendo? –preguntó Peiqin, cambiando de tema inesperadamente–. ¿Crees que le gustaría dedicarse a otra cosa?

–Chen es impredecible –respondió Yu–. No lo sé.

–Puede que esté pasando por la crisis de la mediana edad: demasiado trabajo y estrés, y nadie esperándolo en casa. ¿Aún sale con aquella chica joven, Nube Blanca?

–No, creo que no. Nunca me ha hablado de ella.

–Esa chica estaba colada por él.

–¿Cómo lo sabes?

–Por la forma en que lo ayudó a cuidar de su madre durante su viaje con la delegación.

–Bueno, aquel «bolsillos llenos» podría haberle pagado.

–No, Nube Blanca hizo muchas cosas que no habría hecho sólo por dinero –explicó su mujer–. Además, a la anciana le gusta mucho esa chica. Estudiante universitaria, inteligente y presentable. A ojos de la anciana, debe de ser una buena elección. Y Chen es un hijo muy responsable.

–Eso es cierto. Siempre me está diciendo que tendría que cuidar mejor a su madre, que la ha defraudado por no seguir los pasos de su padre en el mundo universitario y por no haberse casado ni haber tenido hijos.

–Cuando pasó ayer por aquí estuvimos charlando un rato. Me explicó que había decidido inscribirse en ese curso especial en parte por ella. Pese al deterioro de su salud, su madre aún se preocupa por él. Como dijo Chen, aunque no pudiera abandonar la soltería tan fácilmente, al menos un título universitario consolaría un poco a la anciana.

–Como diría una pitonisa, Chen no tiene «la suerte de la flor del melocotón» –añadió Yu, suspirando–. Un proverbio chino dice que el que tiene suerte en el trabajo puede que carezca de ella en el amor.

–Venga ya. Sí que ha tenido la suerte de la flor del melocotón. Por ejemplo, su novia Hija de Cuadros Superiores en Pekín. Sencillamente, la relación no funcionó. De todos modos, Nube Blanca podría ser la elegida.

–No me sorprende que esté colada por él, pero no creo que

pueda haber nada entre ellos. Hay demasiados rivales vigilándolo. ¿Qué pasará cuando descubran el pasado de chica de K de Nube Blanca?

–Puede que trabajara como chica de karaoke, pero muchos estudiantes universitarios hacen trabajos así hoy en día. No debería importar demasiado, siempre que no llegara a acostarse con algún hombre, y no creo que lo hiciera –dijo Peiqin–. Lo que importa es si sería o no una buena esposa para él. Siendo inteligente, joven y práctica, podría hacer buena pareja con alguien tan sesudo como tu jefe. Aunque los rivales de Chen no son el único problema. No sé si él mismo es capaz de olvidar su pasado como chica K.

–Eres muy perspicaz, esposa mía.

–Ya va siendo hora de que siente la cabeza y forme una familia. No puede seguir soltero toda la vida. Además, tampoco es bueno para su salud. Y no me refiero únicamente a alguien que lo cuide en casa.

–Ahora hablas como su madre, Peiqin.

–Deberías ayudarlo, eres su compañero de trabajo.

–Tienes razón, pero en estos momentos ojalá fuera Chen el que pudiera ayudarme a mí.

–Ah, el caso del vestido mandarín rojo. Siento la digresión –se disculpó Peiqin–. Se trata de un caso prioritario. Tienes que detener al asesino antes de que vuelva a matar. ¿Cuál es tu plan?

–Todavía no tenemos ningún plan viable –respondió Lu–. Y es el primer caso en el que actúo como jefe de brigada. No creo que Liao vaya a llegar a ninguna parte con su enfoque habitual, por eso pienso que yo debería intentar algo distinto.

–Has visto un vestido mandarín en una tienda pero no estabas pensando en mí, sino en tu caso –le reprendió su esposa con una sonrisa–. Quizás en más de una tienda. ¿Qué te dijeron los dependientes?

–Liao y yo visitamos boutiques especializadas en este tipo de vestido, además de almacenes de lujo donde también los venden, pero en ninguna parte vendían un vestido mandarín tan pasado de moda. Según los dependientes, ninguna tienda de la ciudad vendería nada remotamente similar. El estilo es demasiado antiguo, al menos tiene diez años. Estamos en los noventa, ahora los vestidos mandarines suelen tener aberturas más altas para enseñar más muslo, y son más ajustados para marcar curvas más sensuales. No tienen mangas, y a veces dejan la espalda al aire. No son como los que llevaban las víctimas.

–¿Tienes alguna foto de ese vestido?

–Sí –respondió Yu, sacando varias fotografías de la carpeta que reposaba sobre la mesilla de noche.

–Quizá valga la pena estudiar más a fondo el vestido –observó Peiqin con aire pensativo, examinando las fotografías de cerca–. Además, puede que hubiera algo en la primera víctima que llevara al asesino a perder el control.

–También lo he pensado –dijo Yu–. Antes de su primer crimen, antes de que enloqueciera, su primer asesinato, el de Jazmín, lo podría haber provocado algo en ella, algo que nos resultara comprensible.

Como sucediera en ocasiones anteriores, la conversación con Peiqin lo ayudó, sobre todo en el caso de Jazmín. Yu había hablado con Liao del tema, pero éste le repitió que su brigada ya había investigado a fondo tanto los orígenes de Jazmín como su entorno, y que no tendría sentido volver a investigar. Sin embargo, mientras permanecía tendido junto a Peiqin, Yu decidió que volvería a examinar el expediente de Jazmín al día siguiente.

Yu se estiró bajo el edredón y sus pies rozaron de nuevo los de su esposa. Ligeramente sudoroso, alargó la mano para acariciarle el pelo, y la fue deslizando gradualmente hacia abajo.

–Qinqin podría volver en cualquier momento –dijo Peiqin, incorporándose en la cama–. Te calentaré el pastel en el microondas. Aún no has cenado, y los dos tenemos que levantarnos pronto mañana.

Yu se llevó una decepción. Pero su esposa tenía razón: a primera hora de la mañana tendría que ir al Departamento para asistir a una teleconferencia, y lo cierto es que estaba muy cansado.

5

A primera hora de la mañana, el subinspector Yu ya estaba en su despacho.

Sentado detrás de su escritorio, Yu tamborileaba sobre la mesa con el nudillo del dedo corazón, como si contara los asuntos de los que se habían ocupado sus compañeros hasta el momento: los innumerables sermones políticos del secretario del Partido Li; las fotografías de los lugares en los que aparecieron los cuerpos, estudiadas cientos de veces; las miles de pistas aportadas por la gente, clasificadas e investigadas; los escasos indicios biológicos, analizados una y otra vez en el laboratorio forense; los dos nuevos ordenadores destinados a la brigada; los numerosos pervertidos sexuales fichados, investigados una y otra vez, y algunos de ellos detenidos e interrogados acerca de sus actividades durante las horas en que se cometieron los dos asesinatos...

Pese a todo el trabajo realizado, la investigación apenas había avanzado, y continuaban especulando y planteándose numerosas teorías tanto en el Departamento como fuera de él.

Pequeño Zhou, el conductor del Departamento que acababa de empezar un curso policial por las noches, entró en el despacho de Yu sin llamar.

–¿Qué tienen los dos casos en común, subinspector Yu? –preguntó Pequeño Zhou con tono teatral–. El vestido mandarín rojo. Un vestido conocido por su origen manchú en la dinastía Qing. ¿Qué más? Los pies descalzos. Ninguna de las dos víctimas llevaba medias ni zapatos. Una mujer puede parecer sexy cuando anda descalza envuelta en un albornoz, pero si se pone un vestido mandarín tiene que llevar medias y tacones altos según las normas básicas del buen vestir. Si no se los pone, hará el ridículo.

–Eso es cierto –admitió Yu, asintiendo con la cabeza–. Continúa.

–El asesino pudo permitirse adquirir un vestido mandarín muy caro y tuvo tiempo de ponérselo al cadáver. ¿Por qué no le puso las medias ni los zapatos?

–¿Qué opinas tú? –preguntó Yu, empezando a sentirse intrigado por los argumentos del aspirante a policía.

–Ayer por la noche vi una serie por la tele, *El emperador Qianlong en su visita al sur del río Yangtze.* Fue uno de los emperadores más románticos e inteligentes de la dinastía Qing. Circulan distintas versiones sobre su auténtico origen, posiblemente era han en lugar de manchú, ¿sabe?

–Venga –dijo Yu, interrumpiéndolo–. No intentes hablar como una cantante de ópera Suzhou.

–Veamos, ¿qué diferenciaba a los manchúes del grupo étnico han? Las mujeres manchúes no se vendaban los pies y podían andar descalzas. Sin embargo, aunque sus pies vendados inspiraran comparaciones eróticas con lotos dorados de ocho centímetros, las mujeres han de la dinastía Qing apenas podían andar, y mucho menos descalzas. Y, claro está, sólo las mujeres manchúes se podían poner un vestido mandarín, al menos en aquella época.

–¿Quieres decir que al ponerles el vestido mandarín pero dejarlas descalzas pretende transmitirnos algún mensaje?

–Sí. Piense en la obscenidad de la postura, se trata de un mensaje contra la cultura manchú.

–Pequeño Zhou, has visto demasiados programas sobre las conspiraciones de los han contra los manchúes, o sobre las artimañas de los manchúes contra los han. Antes de la revolución de 1911, un mensaje de este tipo podría haber tenido sentido, ya que buena parte de los han eran contrarios al emperador manchú. Pero hoy en día es un mito del que sólo se habla en la televisión.

–Actualmente hay muchísimos programas televisivos sobre los grandes emperadores manchúes y sus concubinas, tan bellas e inteligentes. Tal vez alguien creyera necesario volver a enviar un mensaje contra los manchúes.

–Déjame decirte algo, Pequeño Zhou. Los manchúes han desaparecido, los asimilaron los han. El mes pasado me enteré de que un viejo amigo mío era manchú. ¿Por qué reveló su origen manchú? Sólo porque le ofrecieron un buen puesto que exigía pertenecer a una minoría étnica. Y, claro está, le dieron el trabajo. Sin embargo, durante todos estos años, jamás fue consciente de poseer ningún rasgo étnico distinto. Su familia se había cambiado el apellido manchú por un apellido han.

–Entonces, ¿cómo explica el exquisito vestido y los pies descalzos de ambas víctimas?

–Quizás una mujer vestida de forma similar maltrató al asesino.

–¿Con un vestido como ése con las aberturas laterales desgarradas y algunos botones sueltos? –inquirió Pequeño Zhou–. Si era una maltratadora en lugar de una víctima, ¿cómo podía tener un aspecto así?

Pequeño Zhou no era el único en proponer teorías descabelladas.

Aquella mañana, durante la reunión habitual en el despacho del secretario del Partido Li, el inspector Liao propuso otra vía para la investigación.

–Aparte de lo que ya hemos comentado, el criminal debe de tener un garaje. En Shanghai, sólo unas cien familias tienen garaje privado –explicó Liao–. Podríamos empezar a registrarlos uno a uno.

Pero Li se opuso.

–¿Qué van a hacer, llamar a una puerta tras otra sin una orden judicial? No. Si hacemos eso todavía provocaremos más pánico.

Los propietarios de garajes privados podían ser «bolsillos llenos» con buenos contactos o altos cuadros del Partido, observó Yu. La sugerencia de Liao equivalía a matar una mosca en la frente de un tigre, y sin duda Li no daría su aprobación.

Después de la reunión, Yu decidió ir al barrio de Jazmín sin mencionárselo a Liao. Había algo en Jazmín por lo que valía la pena esforzarse, se dijo Yu mientras salía del Departamento. Además, entre Jazmín y la segunda víctima había ciertas diferencias que no podían pasarse por alto. El hecho de que Jazmín tuviera magulladuras en distintas partes del cuerpo y de que después lavaran su cadáver indicaba una posible agresión sexual y un intento posterior por ocultarla. Por otra parte, la segunda víctima, un blanco más fácil para un asesino sexual, no parecía haber tenido relaciones sexuales antes de su muerte. Ni habían lavado su cuerpo después.

Poco antes del mediodía, Yu llegó a la calle en la que había vivido Jazmín: un callejón largo y mugriento, aparentemente olvidado por la reforma, que daba a la calle Shantou, cerca de la Ciudad Antigua.

Resultó ser casi como una visita a su antiguo barrio. A la entrada del callejón vio varios orinales de madera con bocas como sonrisas satisfechas puestos a ventilar, en medio del chischás de dos mujeres que barrían con escobas de bambú. Era una escena que aún tenía fresca en la memoria.

El local del comité de vecinos estaba situado al final del callejón. El tío Fong, presidente del comité, recibió a Yu en un minúsculo despacho y le sirvió una taza de té.

–Era buena chica –empezó a explicar el tío Fong, sacudiendo la cabeza–, pese a todos los problemas que tenía en casa.

–Hábleme de esos problemas –dijo Yu. Aunque ya sabía algo, Liao no había entrado en detalles.

–Una represalia. Seguro que ha sido una represalia. Su padre se lo merece, pero no es justo que la sufriera ella.

–¿Puede explicarse mejor, tío Fong?

–Bueno, su padre, Tian, fue alguien importante durante la Revolución Cultural, aunque después cayó en desgracia. Lo despidieron, fue a la cárcel y acabó paralítico, así que se convirtió en una carga terrible para ella.

–¿Qué hizo durante la Revolución Cultural?

–Perteneció a la organización de los Rebeldes Obreros. Llevaba un brazalete, se metía con la gente y pegaba palizas a diestro y siniestro. Luego formó parte de una escuadra obrera para la propaganda del pensamiento de Mao Zedong destinada a una escuela. En aquella época, sus miembros tenían mucho poder y eran muy agresivos.

Yu lo sabía de sobras. Aquellas escuadras obreras, llamadas a veces de forma abreviada «Escuadras de Mao», eran un producto de la Revolución Cultural. En los inicios de la campaña Mao movilizó a los Guardias Rojos, una organización compuesta por jóvenes estudiantes, para que recuperaran el poder que ahora detentaban sus rivales en el Partido. Sin embargo, los Guardias Rojos, que no tardaron en descontrolarse, suponían una amenaza para el propio poder del presidente. Por ello Mao declaró que los mismos trabajadores deberían liderar la Revolución Cultural, y envió Escuadras de Mao a las escuelas como fuerzas incuestionables, capaces de reprimir tanto a alumnos como a profesores. Un miembro de una Escuadra de Mao dejó inválido de una paliza a un profesor de la escuela secundaria de Yu.

–Así que Tian fue castigado –continuó diciendo el tío Fong–. Pero había millones de rebeldes como él en aquellos años. Tian tuvo la mala suerte de convertirse en chivo expiatorio. Lo sentenciaron a dos o tres años de cárcel. ¡Menudo karma!

–¿Jazmín era aún muy pequeña?

–Sí, entonces tendría sólo cuatro o cinco años. Vivió con su madre durante algún tiempo y luego, después de la muerte de ésta, volvió con su padre. Tian nunca la cuidó bien, y hace cinco o seis años quedó paralítico –explicó el tío Fong, tomando un largo sorbo de té con expresión pensativa–. Ella, por el contrario, sí que cuidó bien de su padre. No fue nada fácil, y tuvo que ahorrar hasta el último céntimo. Tian no tenía pensión, ni seguro médico. Jazmín nunca tuvo novio por culpa de su padre.

–¿Por culpa del viejo? ¿Y cómo es eso?

–No quería dejarlo solo. Cualquier posible pretendiente habría tenido que aceptar esa carga. Y muy pocos estaban dispuestos a hacerlo.

–Muy pocos, desde luego –observó Yu asintiendo con la cabeza–. ¿Tenía amigos en el barrio?

–No, la verdad es que no. No se relacionaba con las chicas de su edad. Estaba demasiado ocupada trabajando y llevando la casa. Creo que también hacía otros trabajillos –añadió el tío

Fong, depositando la taza sobre la mesa–. Déjeme que le lleve hasta allí, y así lo podrá comprobar usted mismo.

El tío Fong condujo a Yu hasta una vieja casa *shikumen* situada en la parte central del callejón, y abrió una puerta que daba directamente a una habitación que parecía construida en un rincón del antiguo patio. Era una habitación con varias funciones, había una cama deshecha en el centro, una escalera de mano que llevaba a un desván de construcción posterior, una estufa de briquetas de carbón apagada colocada junto a la cama, un viejo orinal sin tapa y casi ningún otro mueble. Durante los últimos años, esta pequeña habitación debió de constituir todo el mundo de Tian, que ahora yacía despatarrado en la cama.

Puede que Jazmín tuviera sus razones para no quedarse demasiado tiempo en casa, empezó a comprender Yu, mientras saludaba con la cabeza al padre de la muchacha.

–Éste es Tian –dijo el tío Fong, señalándolo. El hombre parecía tan consumido como un esqueleto salvo por sus ojos, que seguían a los visitantes por toda la habitación–. Tian, éste es el camarada subinspector Yu, del Departamento de Policía de Shanghai.

Tian susurró una respuesta ininteligible.

–Sólo ella entendía a Tian –comentó el tío Fong–. No sé quién vendrá a ayudarlo ahora. Ya no estamos en la época del camarada Lei Feng, y nadie quiere seguir el desinteresado modelo comunista.

Yu se preguntó si Tian estaba lo bastante lúcido como para entender lo que estaban diciendo. Quizá sería mejor que no lo estuviera. Mejor tener la mente en blanco que llorar la muerte de su hija y enfrentarse a su inevitable final. Hiciera lo que hiciera durante la Revolución Cultural, su castigo era más que suficiente.

Yu cogió la escalera de mano y subió con cuidado al desván.

–Sí, ahí es donde vivía.

El tío Fong permaneció de pie junto a la cama de Tian, mirando hacia arriba. A él le hubiera costado demasiado esfuerzo subir.

Ni siquiera era un desván, sino un «segundo piso» añadido de forma provisional sobre la cama de Tian, la cual ocupaba casi toda la primera planta. Jazmín ya era adulta, y necesitaba su propio espacio. Yu no consiguió ponerse de pie allí dentro sin rozar el techo con la cabeza. Y no había ni una sola ventana. En la oscuridad, Yu tardó uno o dos minutos en encontrar el interruptor de una lámpara, y la encendió. No había somier, sólo un colchón. A su lado reposaba una escupidera de plástico, posiblemente el orinal de Jazmín. También había una caja de madera sin pintar. Yu abrió la tapa y vio algunas prendas en su interior, casi todas baratas y pasadas de moda.

No tenía sentido permanecer allí más tiempo. El subinspector bajó de nuevo por la escalera de mano, sin hacer ninguna pregunta. ¿Cómo iba a saber algo Fong sobre el caso? Yu se despidió del tío Fong y salió del callejón, deprimido por la visita.

Si una muchacha que estaba en la flor de la vida había escogido vivir así, no parecía un blanco fácil para un asesino con un móvil sexual, ni que su conducta hubiera provocado el siguiente asesinato.

En lugar de volver al Departamento, Yu se dirigió al hotel donde había trabajado Jazmín, situado en la Ciudad Antigua. La Gaviota no era un hotel lujoso, aunque, debido a su buena ubicación y a su precio razonable, se había convertido en una «opción excelente para los viajeros con poco presupuesto». En el atestado vestíbulo, Yu vio a un grupo de estudiantes extranjeros cargados con enormes mochilas. El jefe de recepción, que parecía muy profesional con su uniforme escarlata, les habló en un inglés fluido. Sin embargo, no pudo evitar tartamudear al ver la placa policial que le mostró Yu. El jefe de recepción lo condujo hasta un despacho y cerró la puerta tras de sí.

–Sea lo que sea lo que hablemos aquí, por favor, no permita que ningún periodista se entere de la conexión entre el hotel y los asesinatos del vestido mandarín rojo, o nuestro negocio se irá a pique. La gente suele ser supersticiosa, y no se hospedaría en este hotel si creyera que alguien ha fallecido aquí de muerte violenta.

–Lo comprendo –respondió Yu–. Ahora dígame lo que sabe acerca de ella.

–Era una buena chica, muy trabajadora, de trato fácil. Su muerte nos ha horrorizado a todos. Podría decirse incluso que trabajaba demasiado.

–He hablado con el comité vecinal de su barrio. También me han dicho que trabajaba muchísimo, y que no pasaba demasiado tiempo en casa. ¿Es posible que tuviera otro trabajo?

–Eso no lo sé. Aquí hacía horas extra, por las que le pagábamos un cincuenta por ciento más. Por la mañana limpiaba las habitaciones y ayudaba en la cafetería del hotel. También trabajaba algunas noches. Tenía que pagar las facturas médicas de su padre. Nuestro hotel tiene permiso para alojar a turistas extranjeros, por lo que preferíamos contar con empleados de confianza. Nuestro gerente le proporcionaba todas las horas que quisiera trabajar. A los clientes les gustan las chicas jóvenes y guapas.

–A los clientes les gustan las chicas jóvenes y guapas. ¿Qué quiere decir con eso?

–No me malinterprete. Aquí no toleramos ningún servicio indecoroso. Una chica de su edad podría haber elegido trabajar en otro sitio. En un club nocturno, pongamos, por mucho más dinero, pero se quedó aquí, trabajando muchas más horas.

–¿Sabe algo sobre su vida personal? Por ejemplo, ¿tenía novio?

–No lo sé –respondió el jefe de recepción, tartamudeando de nuevo–. Eso pertenecía a su vida privada. Trabajaba mucho, como le he dicho, y no hablaba demasiado con sus compañeros de trabajo.

–¿Es posible que hubiera algo entre ella y algún cliente del hotel?

–Camarada subinspector Yu, nuestro hotel no es de lujo. Y los clientes que se alojan aquí no son «bolsillos llenos». Vienen en busca de un sitio céntrico a un precio razonable, no buscan... compañía.

–Tenemos que hacer todo tipo de preguntas, camarada jefe de recepción –replicó Yu–. Aquí tiene mi tarjeta. Si se le ocurre alguna cosa más, póngase en contacto conmigo, por favor.

La visita al hotel apenas le proporcionó información nueva. En todo caso, sólo confirmó su impresión de que una chica como Jazmín nunca habría provocado a un asesino lascivo que casualmente se cruzara en su camino, ni en el mugriento callejón ni en el hotel destartalado.

6

Peiqin también había estado pensando en el caso del vestido mandarín.

No sólo porque presentaba muchos aspectos desconcertantes, sino porque era el primer caso de Yu como jefe en funciones de la brigada.

Como ya hiciera en otras ocasiones, Peiqin trazó una línea mental entre lo que podía y lo que no podía hacer. No disponía de los recursos con que contaba la policía, ni del tiempo o la energía necesarios, por lo que eligió el vestido mandarín rojo como punto de partida.

Al trabajar de contable, Peiqin no tenía que acudir a su despacho del restaurante de nueve a cinco cada día. Así que, de camino allí, se detuvo en una boutique que confeccionaba prendas a medida. No se especializaba en vestidos mandarines, pero Peiqin conocía a un viejo sastre que trabajaba allí. Tras explicarle la razón de su visita le mostró una fotografía ampliada del vestido.

–A juzgar por las mangas largas y las aberturas en la parte baja, está bastante pasado de moda. Puede que sea un estilo de principios de los sesenta –explicó el sastre, un hombre de cejas y cabello cano, mientras se colocaba bien las gafas sobre el caballete de su nariz aguileña–. Dudo que los fabriquen hoy en día. Fíjese en el esmero con que está confeccionado, incluso tiene botones forrados en forma de peces invertidos. Probablemente tardaron un día entero en hacerlos.

–¿Cree que lo confeccionaron en los sesenta?

–No puedo asegurarlo viendo sólo la fotografía. En total, sólo habré cosido una media docena. No soy un experto, pero si un cliente me proporcionara la tela y el diseño, creo que podría confeccionarlo.

–Una pregunta más: ¿conoce alguna otra tienda que pudiera haberlo confeccionado?

–Muchas. Además, hay sastres privados que trabajan en casa del cliente. Algunos no quieren ir a las tiendas, ya sabe.

Así que había otro problema. Muchos sastres privados trabajaban de esta forma, yendo de una familia de clientes a otra. La policía sería incapaz de investigar todas las posibilidades.

Tras abandonar la tienda, Peiqin decidió ir a la Biblioteca de Shanghai. Si quería aportar algún dato nuevo a la investigación tendría que hacerlo desde una perspectiva distinta a la de la policía.

En la biblioteca, Peiqin estuvo alrededor de una hora buscando en el catálogo y pidió un montón de libros y de revistas.

Pasaban ya de las diez cuando subió hasta su despacho en el restaurante Cuatro Mares, cargada con una bolsa de plástico llena de libros. El director Hua Shan no se encontraba en el restaurante aquella mañana. Se había ausentado dos días para montar su propia empresa, aunque seguía conservando su empleo en el Cuatro Mares.

Pese a su buena ubicación, el restaurante, de gestión estatal, atravesaba momentos difíciles. Entre el socialismo y el capitalismo, como rezaba el nuevo dicho, sólo había una diferencia conceptual: la que distingue a los que trabajan por cuenta propia de aquellos que trabajan para el Estado. El restaurante acumulaba pérdidas desde hacía varios meses, razón por la que se hablaba de introducir un nuevo modelo de gestión: teóricamente, el Estado continuaría gestionando el restaurante, pero, a todos los efectos, el nuevo director sería responsable de sus pérdidas o de sus ganancias.

En medio del estrépito de cucharones y woks, Peiqin tuvo que hacer un esfuerzo para concentrarse en la lectura en el minúsculo despacho ubicado sobre la cocina del restaurante.

Lo que le había dicho a Yu era cierto: sabía muy poco acerca del vestido. En su época de estudiante, sólo lo había visto en el cine. Y luego en una fotografía de la época de la Revolución Cultural: Wang Guangmei, la «ex primera dama» de China, fue obligada a mostrarse en público vestida con un qipao escarlata desgarrado y un collar de pelotas de pimpón, a modo de perlas enormes; tanto el vestido como las supuestas joyas evidenciaban su estilo de vida burgués y decadente.

Tras recorrer con la mirada los libros esparcidos sobre el escritorio, Peiqin no supo por dónde empezar. Hojeó un libro tras otro hasta que una imagen en blanco y negro le llamó la atención: se trataba de una fotografía de Ailing, una novelista de Shanghai redescubierta en los noventa, que llevaba un vistoso vestido mandarín en los años treinta. En un programa televisivo reciente, recordó Peiqin, una muchacha paseaba con expresión pensativa por la calle Huanghe, imbuida de la nostalgia imperante, y señalaba un edificio que estaba a sus espaldas. «Puede que Ailing saliera a la calle desde ese encantador edificio, siempre radiante, enfundada en un vestido mandarín que ella misma debía de haber diseñado. ¡Qué ciudad tan romántica!»

Ailing, quien se consideraba comentarista de modas, había dibujado toda una serie de esbozos de prendas al estilo de Shanghai, cuya reimpresión se incluyó al final del libro. Pero a Peiqin le interesó más la historia personal de Ailing, que empezó a publicar cuando era muy joven y se hizo famosa por sus historias sobre Shanghai. Vivió un matrimonio infeliz con un mujeriego de mucho talento, que más tarde ganaría una pequeña fortuna escribiendo sobre su desventurada relación. Después de 1949 Ailing partió hacia Estados Unidos, donde se casó con un maduro escritor estadounidense venido a menos. Como reza un poema de la dinastía Tang: «Todo se vuelve triste cuando una pareja es pobre». Su biógrafo tachó este matrimonio de «autodeconstructivo». Después de la muerte de su segundo marido, Ailing se encerró en su piso de San Francisco, donde murió sola. Nadie se percató de lo sucedido hasta varios días después de su muerte.

Peiqin leyó la trágica historia, esperando poder comprender desde una perspectiva histórica la popularidad del vestido mandarín. No obstante, después de dos horas de lectura continuaba sabiendo muy poco sobre el tema. En todo caso, su investigación no hizo sino confirmar su anterior impresión de que era un vestido para mujeres ricas o cultas. Un vestido apropiado para alguien como Ailing, pero no para una mujer trabajadora como Peiqin. Mientras tamborileaba sobre el libro, observó distraídamente que tenía un minúsculo agujero en su calcetín de lana negra.

Le intrigaba el análisis que hacía el biógrafo sobre la tendencia «autodeconstructiva» de Ailing. Chen también estaba metido en un proyecto deconstructivo, por así llamarlo, según tenía entendido Peiqin. Se preguntó qué significaría ese término.

Alguien llamó a la puerta. Peiqin levantó la vista y vio al chef Pan de pie en la entrada, llevando una cazuela de barro en las manos.

–Una cazuela especial para ti –dijo el chef.

–Gracias.

Peiqin no tuvo tiempo de apartar los libros, en los que podía verse toda una serie de fotos de vestidos mandarines.

–¿Qué estás leyendo, Peiqin?

–Estoy pensando en hacerme un vestido, así que me he puesto a comparar diseños.

–Eres una mujer realmente capaz, Peiqin –declaró Pan, depositando la cazuela sobre el escritorio–. Hace tiempo que te quiero comentar algo. Llevamos casi medio año perdiendo dinero. El sistema socialista se ha ido al traste, y ahora la gente empieza a hablar del nuevo modelo de gestión.

Peiqin levantó la tapa de la cazuela y sonrió.

–¡Caramba, qué maravilla! –exclamó–. La comida, quiero decir.

Era la especialidad del chef: cabeza de carpa cubierta con pimientos rojos sobre un lecho de ajo blanco.

–La cazuela conserva la comida caliente durante mucho tiempo. Todavía quema –explicó Pan, frotándose las manos–. La clase media no deja de aumentar en China. Vienen a un restaurante en busca de algo especial, no quieren los típicos platos caseros que ellos mismos pueden cocinar. Así que también tendremos que cambiar la carta. ¿Qué te parecería encargarte de la dirección? Yo te ayudaré. Socialista o capitalista, éste es nuestro restaurante.

–Gracias, Pan. Lo pensaré –contestó Peiqin–, pero puede que no esté cualificada para el puesto.

–Sí, piénsatelo, Peiqin –la animó Pan, retrocediendo hacia la puerta–. Nunca sabemos de lo que somos capaces hasta que lo intentamos.

Sirviéndose una cucharada de la sopa, Peiqin pensó que probablemente sería capaz de dirigir el restaurante con eficacia o, como mínimo, de forma más concienzuda que el director actual. Pero ¿qué pasaría con su familia? Qinqin preparaba sin descanso el examen de ingreso en la universidad. Para labrarse un futuro, debía estudiar en una universidad de prestigio. También Yu había llegado a un momento crítico en su carrera profesional, de modo que ella tenía que encargarse de las cuestiones domésticas.

Después de comer le costó concentrarse de nuevo en los libros. Abajo en la cocina, parecía que se estaba iniciando una discusión. Hua llamó para decir que no iría a trabajar. Peiqin tuvo otra idea sobre el vestido mandarín rojo, por lo que decidió tomarse la tarde libre.

Tal vez aprendiera algo sobre el vestido viendo una película: quizá tenía algún significado específico que ella era incapaz de captar en su anodina vida diaria. Peiqin salió del restaurante y se dirigió a una videoteca en la calle Sichuan. La tarde se había puesto fría, así que se abrochó hasta arriba la chaqueta acolchada de algodón, una de las pocas prendas que aún conservaba de la época que pasó en una granja militar de Yunnan. Paradójicamente, las chaquetas de estilo militar también parecían volver a estar de moda.

La enorme tienda exhibía miles de vídeos y DVD en distintas secciones. Para su sorpresa, vio bastantes películas nuevas que aún no se habían estrenado oficialmente.

–¿Y cómo pueden ponerse a la venta los DVD tan deprisa? –preguntó al propietario de la tienda, que también era cliente de su restaurante.

–Es fácil. Alguien se cuela con una cámara de vídeo en un preestreno –contestó el hombre con una amplia sonrisa–. Garantizamos la calidad de las películas. Puede devolver el DVD y le reembolsaremos el importe completo.

Peiqin le dio las gracias y echó un vistazo por la tienda. En la sección de clásicos occidentales encontró *Niebla en el pasado,* una adaptación de la novela de James Hilton. Era la primera novela en inglés que Chen había leído en el Parque Bund, según le contó su marido. La versión china tenía un título fascinante: *El sueño de una pareja de patos mandarines soñado de nuevo.* En la poesía china clásica, la frase «una pareja de patos mandarines» se refería a los amantes inseparables. Así que debía de ser una historia de amor. Peiqin metió la película en su cesto de la compra.

De la sección de películas nacionales eligió *Diario de una enfermera,* una película de los años cincuenta. Recordó haber visto un cartel de la joven enfermera ataviada con un vestido mandarín. Otra historia de amor, a juzgar por la glamurosa carátula del DVD. También eligió *El candado de oro,* una película de Hong Kong basada en una novela de Ailing.

Pero no encontró ningún documental sobre el vestido, ni ninguna película cuyo título guardara relación directa con él.

Nada más llegar a casa, Peiqin encendió el lector de DVD. Aún disponía de un par de horas antes de preparar la cena. Se quitó los zapatos y los calcetines, se echó en el sofá y se tapó los pies con un almohadón.

Sólo vio diez minutos de *Niebla en el pasado.* Una película antigua de Hollywood, demasiado pasada de moda para su gusto. ¿Qué pensaría Chen de la película?, se preguntó.

Diario de una enfermera era muy distinta: trataba sobre un grupo de jóvenes entregados a la construcción de la nueva China socialista. Según los cánones actuales, no era en absoluto una historia romántica. La joven enfermera estaba demasiado ocupada haciendo la revolución como para concebir ideas románticas. De hecho, en aquella época el romanticismo estaba mal visto, pero a Peiqin le gustó la película, particularmente por su tema musical idealista:

Golondrinita, golondrinita,
vuelves aquí cada año.
¿Puedes decirme por qué?
La golondrinita responde:
«Aquí la primavera es más hermosa».

El «Aquí» más hermoso de la canción, reflexionó Peiqin, debía de referirse a alguna zona de la frontera noroccidental, aún pobre y despoblada. A nadie se le ocurriría ir allí hoy en día.

«Aquí la primavera es más hermosa.» En la pantalla, la esbelta enfermera, interpretada por la actriz Linfeng, tatareaba la canción, con el rostro encendido por la pasión revolucionaria socialista. Años después Linfeng emigró a Tokio, donde al parecer se puso al frente de un restaurante vegetariano chino. Cantaba de vez en cuando la canción de la golondrina para los clientes procedentes de China, con bastantes kilos de más y un exceso de maquillaje. Obviamente, sería ingenuo esperar que cualquier actriz continuara interpretando un papel como éste, o conservando la misma figura, durante toda su vida.

Al final, la mujer que llevaba el vestido en la película resultó ser la madre de la enfermera, una dama de mediana edad perteneciente a la clase alta en la antigua sociedad que aún se resistía a la revolución socialista. Pero Peiqin no se sintió demasiado decepcionada. Tal y como había pensado en un principio, los vestidos mandarines, tanto en las películas como en la vida real, estaban destinados principalmente a las mujeres que se movían en los sofisticados ambientes de las clases altas.

Cuando estaba a punto de ver *El candado de oro,* Peiqin se fijó en uno de los libros que había traído a casa. El canoso autor guardaba un extraño parecido con su difunto padre. Peiqin leyó la breve reseña biográfica que aparecía bajo la fotografía de la portada: «Shen Wenchang, célebre poeta antes de 1949, y a partir de entonces experto de renombre internacional en la historia de la indumentaria china».

Peiqin abrió el libro, pero sólo incluía dos breves párrafos sobre los vestidos mandarines. En las notas finales no encontró ni un solo texto académico centrado exclusivamente en el vestido mandarín, así que tendría que conformarse con leer algunos párrafos sueltos.

El anciano debía de tener unos ochenta años. Peiqin dejó a un lado el libro mientras observaba la fotografía. Ojalá pudiera consultar a un experto como él, suspiró.

Hacia la hora de la cena sonó el teléfono. Era Chen, quien dio muestras de preocupación al enterarse de que Yu aún estaba trabajando.

–Yu ha estado tan ocupado estos días que a menudo vuelve tarde. No se preocupe por él –lo tranquilizó Peiqin–. ¿Cómo va su trabajo de literatura?

–Lento, pero seguro. Siento mucho que haya coincidido con este caso, pero puede ser mi última oportunidad de intentar algo distinto –explicó Chen–. ¿Cómo le va a usted?

–No estoy demasiado ocupada. Ahora mismo estoy hojeando algunos libros. Todo el mundo habla del vestido mandarín rojo, así que pensé que podría aprender algo sobre él.

–Ya veo que intenta ayudar de nuevo, Peiqin. ¿Ha encontrado algo interesante?

–Todavía no. Acabo de empezar a leer un libro sobre la historia de la indumentaria china. El autor también fue poeta.

–¿Shen Wenchang?

–¿Lo conoce?

–Sí. Un gran erudito. Han estrenado un documental sobre él.

–No lo he visto. ¡Ah! He comprado un DVD, *Niebla en el pasado,* basado en la novela que le gusta. Yu me habló de la época en que usted solía ir al parque.

–Gracias, Peiqin. Muy amable de su parte. Tengo muchísimas ganas de verlo. –Luego añadió–: Cuando Yu vuelva a casa, dígale que me llame. ¡Ah! Y que me traiga la película cuando le venga bien.

7

Chen se despertó desorientado, como si perdiera pie en un mar de pensamientos.

Tras el descubrimiento del segundo cuerpo en el centro de la ciudad, los medios de comunicación comenzaron a clamar como las cigarras a principios del verano, y Chen pensó que tenía que ayudar de algún modo. Se lo debía a Yu. Y también a Hong, quien lo había mantenido al corriente de los últimos acontecimientos con una sonrisa radiante pese al malhumor de Liao.

Sin embargo, tras evaluar todas las medidas tomadas por sus compañeros, Chen llegó a la conclusión de que poco podía añadir a lo que ya habían hecho, al menos como «consultor externo». Aún estaba muy atareado redactando su trabajo de literatura. Dirigir una investigación podía ser como escribir uno de esos trabajos: las ideas llegaban siempre y cuando la concentración fuera absoluta.

El inspector jefe volvió a notar un regusto amargo en la boca. Mientras se lavaba los dientes enérgicamente le vino a la cabeza una idea, lo que le había comentado Peiqin. Casualmente, Chen conocía a Shen, una autoridad en la historia de la indumentaria china.

Shen había sido poeta en la década de 1940, época en la que escribía con el estilo imaginista que entonces estaba de moda. Después de 1949 le asignaron un puesto en el Museo de Shanghai, donde calificó su anterior poesía de burguesa y se dedicó con ahínco al estudio de las antiguas prendas de vestir chinas. Una decisión que probablemente le salvó el pellejo en el ambiente político cada vez más enrarecido de mediados de los cincuenta.

Como sucede en *Tao De Jing*, la desdicha conduce a la fortuna. Debido a su abrupta desaparición de la escena literaria, los jóvenes Guardias Rojos de mediados de los sesenta no lo reconocieron como «poeta burgués», y así se evitó las humillaciones y la persecución política. En los años ochenta, Shen reapareció tras publicar una obra en varios volúmenes sobre la historia de las prendas antiguas chinas que fue traducida a varios idiomas, y se convirtió en «una autoridad de prestigio internacional». El mundillo literario estaba poblado de voces y rostros nuevos, por lo que muy pocos lo recordaron como poeta.

Chen tampoco lo habría recordado, de no ser por un encuentro con un sinólogo británico que se mostró entusiasmado con el anterior trabajo literario de Shen. Chen quedó impresionado por un breve poema sobre la juventud de Shen:

> Embarazada, feliz por el niño que va a nacer
> y que podrá ser un habitante de Shanghai,
> su esposa se toca las venas azules que recorren sus pechos
> como las cordilleras contra las pálidas nubes el día en que
> [se marchó.
> Su abuela, andando a trompicones tras él con los pies
> [vendados,
> le puso un trozo de tierra en la mano,
> y le dijo: «Esto (una lombriz mutilada salió serpenteando
> [del terrón) te hará regresar».

Como miembro ejecutivo de la Asociación de Escritores, Chen se encargó personalmente de solicitar una reimpresión del poemario de Shen. No fue tarea fácil: el anciano se ponía tan nervioso al oír hablar de poesía como un hombre al que hubiera mordido una serpiente, mientras que el editor, reticente ante las posibles pérdidas económicas, era como un hombre temeroso de una serpiente. Con todo, la colección se publicó y pudo beneficiarse del sentimiento de nostalgia colectiva que invadía la ciudad. Los lectores disfrutaron redescubriendo a un testigo poético de la época dorada anterior a la revolución. Un joven crítico señaló que los poetas imaginistas estadounidenses tenían una deuda con la poesía clásica china, y que Shen, calificado de imaginista, en realidad estaba restaurando la antigua tradición. El artículo despertó el interés de un grupo de «nuevos nacionalistas», y la colección se vendió bastante bien.

Chen sacó su agenda y marcó el número de Shen.

–No puedo rechazar la petición de un caballero –respondió Shen, citando a Confucio–. Pero tengo que echarle un vistazo al vestido mandarín.

–No hay ningún problema. Hoy no estaré en el Departamento, pero puede hablar con el subinspector Yu, o con el inspector Liao. Cualquiera de los dos le enseñará el vestido.

A continuación Chen informó a Yu de la visita de Shen. Como había supuesto, a Yu le complació la ayuda inesperada de su jefe, y prometió mostrarle el vestido al historiador. Antes de colgar Chen añadió:

–¡Ah!, todo un detalle por parte de Peiqin, me ha hecho llegar el DVD de *Niebla en el pasado*. Llevo mucho tiempo buscando esa película.

–Sí, ha estado viendo muchos DVD, intentando encontrar pistas en las películas.

–¿Alguna novedad?

–No, nada por el momento, pero puede que los DVD la ayuden a olvidarse un poco de su trabajo.

–En eso tiene razón –admitió Chen, aunque en realidad no lo pensaba. A él le había pasado algo similar con sus lecturas de las últimas dos semanas: cuando por fin se las tomó en serio, como un objetivo que tenía que alcanzar, no le proporcionaron ningún respiro.

Antes de encaminarse a la biblioteca para continuar con su trabajo, le llegó otro envío urgente. Era un paquete con más información sobre Jia Ming, remitido por el director Zhong.

Eran especulaciones sobre los motivos que podía tener Jia para querer causar problemas al Gobierno. Jia y el resto de su familia fueron maltratados durante la Revolución Cultural; siendo aún un niño, Jia perdió a sus padres. Decidió estudiar Derecho a principios de los años ochenta, cuando la abogacía todavía no era una elección profesional tan común. Durante los años sesenta y setenta apenas había abogados en China, y los pocos que ejercían no defendían a cualquiera. Al igual que las acciones de bolsa, los abogados formaban parte de la sociedad capitalista: eran hipócritas y trabajaban para los ricos. Las autoridades del Partido fijaban de antemano el resultado de los casos importantes, siempre en nombre de la dictadura del proletariado. Liu Shaoqi, presidente de la República Popular China, fue encarcelado sin que se celebrara juicio alguno y murió solo en la cárcel, sin que nadie se molestara en enviar una notificación a su familia durante años. Jia había decidido deliberadamente hacerse abogado en una época en que dicha profesión resultaba muy poco popular: tenía intención de causar problemas al Gobierno desde un principio.

Su temprano inicio en la profesión le permitió alcanzar rápidamente el éxito. Cuando se abogó por la implantación de un sistema legal que después sería reconocido como parte de la reforma china, Jia adquirió renombre por representar a un escritor disidente. Realizó una defensa tan brillante que, en varias ocasiones, el juez no supo qué responder, lo que provocó el aplauso de los espectadores que vieron el juicio por televisión. La «nueva» profesión legal empezó a cobrar impulso y aparecieron bufetes de abogados por todas partes, como brotes de bambú tras un repentino chaparrón primaveral.

Pero Jia era distinto a los demás, y no sólo aceptaba aquellos casos que pudieran resultarle lucrativos. Debido en parte a la herencia que recibió de su familia después de la Revolución Cultural, Jia no tenía que trabajar por dinero. De vez en cuando aceptaba casos controvertidos, por lo que el Gobierno municipal lo incluyó en una lista negra incluso antes de que aceptara el caso del complejo residencial de la manzana nueve oeste.

Chen decidió no seguir leyendo. Durante sus años de universidad a él también lo habían incluido en una lista negra debido a algunas interpretaciones políticas infundadas de su poesía modernista.

El inspector jefe llegó a la biblioteca pasadas las diez. Susu, la bibliotecaria de hoyuelos encantadores, le trajo una taza de café recién hecho, fuerte y reconfortante.

Pese al café, fue incapaz de concentrarse. Puede que el caso de asesinato le atrajera más que las historias de amor, algo que no le sorprendió demasiado.

Sólo después de la segunda taza de café consiguió prestar la debida atención a otro de los cuentos que había seleccionado para su trabajo, «La historia de Yingying».

Yuan Zhen, célebre poeta y estadista, escribió este relato *cuanqi* de la dinastía Tang. Según estudios posteriores, la narración era en buena parte autobiográfica. En el año 800, Yuan viajó a Puzhou, donde conoció a una muchacha llamada Yingying, y ambos se enamoraron. Yuan se dirigió entonces a la capital, donde acabó casándose con una joven de la familia Wei. Con el tiempo, Yuan escribió un relato basado en el episodio de Puzhou.

Chen leyó la historia con interés. Un intelectual llamado Zhang viajó al Templo de la Salvación Universal, donde la señora Cui, que iba de camino a Zhang'an, se alojaba con su hija Yingying. Cuando las tropas de la guarnición local se amotinaron, Zhang pidió ayuda a un amigo para salvaguardar la seguridad de los habitantes del templo. Como muestra de gratitud, la señora Cui invitó a Zhang a un banquete, en el que conoció a Yingying y se enamoró de ella. No obstante, la joven rechazó sus insinuaciones con sermones moralistas confucianos. Una noche, sin embargo, tras un cambio inesperado de actitud, Yingying entró en la habitación del ala oeste que ocupaba Zhang y se ofreció a él. Poco después, Zhang partió con la intención de presentarse al examen imperial para convertirse en funcionario en la capital, donde recibió una carta de Yingying. Parte de la carta decía así:

Cuando me ofrecí a ti en tu lecho, me tomaste con la más tierna de las pasiones. Era tan ignorante que creí que podría confiar en ti para siempre. ¿Cómo podría haber adivinado que, tras sucumbir al atractivo de un caballero como tú sin cumplir con los ritos matrimoniales, no tendría la ocasión de servirte abiertamente como esposa en el futuro? Me lamentaré por ello hasta el fin de mis días. No pude hacer otra cosa que ahogar mis suspiros y permanecer en silen-

cio. Si tú, en tu infinita bondad, condescendieras a concederme mi deseo secreto, aunque estuviera muerta sería tan feliz como si estuviera viva. Pero si, como hombre de mundo que eres, reprimes tus sentimientos, sacrificas lo más pequeño en aras de lo más importante y consideras vergonzosa nuestra relación, hasta el punto de romper nuestro voto solemne, mi amor auténtico no desaparecerá, y aunque sople la brisa o caiga el rocío, se arrastrará por el suelo que pisas, incluso cuando mi cuerpo se pudra y se disuelva...

El protagonista del relato de Yuan mostró la carta a sus amigos antes de abandonar a Yingying con un argumento sorprendentemente moralista, que aparece al final de la narración:

Por norma general, las mujeres dotadas de belleza celestial están abocadas a destruirse, o a destruir a los demás. De haber encontrado a un hombre de elevada posición social poseedor de una gran fortuna, esta muchacha de la familia Cui se valdría de su don para aparecerse en forma de nube y de lluvia, o de dragón y de monstruo: no puedo imaginar en qué podría convertirse. En tiempos inmemoriales, el rey Yin de los Shang y el rey You de los Zhou tuvieron un fin aciago a causa de esta clase mujeres; pese al tamaño de sus reinos y a la magnitud de su poder, sus ejércitos fueron destruidos, su pueblo masacrado y, desde entonces, sus nombres se han convertido en objeto de ridículo. Carezco de virtudes interiores que me permitan resistir esta influencia maligna, y por ello he reprimido con firmeza mi amor.

En este punto de la narración el autor, que adopta la identidad del amigo íntimo de Zhang en el texto, interviene para respaldar con sus propias palabras la conducta de Zhang.

Casi todos los coetáneos de Zhang lo alabaron por haber sabido rectificar su error. Suelo mencionar esta historia a mis amigos para que, alertados de antemano, puedan evitar cometer un error semejante, y, de haberlo cometido ya, para impedir que sucumban del todo.

La decisión de Zhang, observó Chen, supuso un cambio radical que atajaba de un golpe el tema romántico. La argumentación esgrimida por el personaje equivalía a afirmar que, si una mujer era irresistiblemente encantadora, debía ser rechazada como «influencia maligna», porque «destruiría» como si fuera un «monstruo» al hombre que tuviera cerca.

En opinión de Chen, podría haberse presentado una defensa propia más convincente. La retórica autojustificante que tachaba de monstruo a Yingying no le pareció más que hipocresía descarada, una endeble excusa para justificar el que Zhang la hubiera seducido antes de abandonarla, lo que volvía el relato tan fascinante como desconcertante. El texto invitaba a especular sobre sus incoherencias: la pasión romántica, por ejemplo, era alabada en la primera parte de la historia y condenada en la segunda.

Sin embargo, las similitudes entre este relato y los otros cuentos que había leído comenzaban a sugerirle un tema para su proyecto de literatura. «La historia de Yingying», al igual que «La historia de Xiangru y Wenjun», daba un giro deconstructivo al relato de la relación romántica. La historia de la dinastía Han atribuía la muerte del héroe por enfermedad sedienta a la heroína, quien, al ser implícitamente malvada debido a su insaciabilidad sexual, mermó sus fuerzas y finalmente lo destruyó. En la historia de la dinastía Tang, el héroe evita su destrucción acusando a la heroína de ser un monstruo que destruye a los que ama. En ambos relatos, el tema romántico es finalmente censurado.

Chen recordó, inesperadamente, un detalle del caso del vestido mandarín rojo: la ambivalencia del asesino, o sus contradicciones. El asesino desnudó y mató a las víctimas, pero luego les puso vestidos caros y elegantes.

Era un paralelismo muy vago, que se le fue de la cabeza antes de que pudiera darle forma. Así que intentó centrarse de nuevo en los libros, con la intención de investigar más los orígenes de Yuan. En la crítica literaria, un enfoque biográfico podía contribuir a la comprensión de un texto difícil.

Pero ¿y en la investigación criminal? Dado que se desconocía la identidad del asesino, el análisis biográfico quedaba descartado, y el significado de las pistas contradictorias parecía indescifrable.

Chen se dio cuenta de que se había vuelto a atascar. No sabía por cuál de los dos proyectos decantarse, lo que le confundía aún más.

Alrededor de la una Shen lo llamó a la biblioteca.

–¿Algún descubrimiento, Shen?

–Es una historia muy larga, inspector jefe Chen –contestó Shen–. Creo que será mejor que se lo cuente en persona. Le puedo enseñar algunas fotos.

–Estupendo. Permítame que lo invite a comer. ¿Qué le parece el Refugio de las Cinco Fragancias? Está frente a la biblioteca.

8

Cuando Chen entró en el restaurante, un camarero que lo conocía desde hacía años lo saludó calurosamente.

–Lleva mucho tiempo sin venir, Chen. ¿Qué le gustaría comer hoy?

–Cualquier cosa que me recomiende, pero que no sean raciones muy grandes. Sólo para dos personas.

–¿Qué le parece la Combinación Especial del Chef para dos?

–Estupendo. Y una tetera de té verde fuerte, por favor.

Mientras esperaba, Chen pensó de nuevo en su trabajo de literatura. Quizá no bastara con analizar uno o dos relatos. Si conseguía demostrar que la contradicción temática era una característica común en las historias de amor clásicas, el proyecto sería original y merecería la pena. Así que tenía que elegir uno o dos relatos más. Lo anotó en su cuaderno.

Tras cerrar el cuaderno, levantó la vista y vio a Shen entrar en el restaurante arrastrando los pies y apoyándose en un bastón de bambú con el mango en forma de cabeza de dragón. Shen, un anciano de unos ochenta años con el pelo blanco y la frente surcada de arrugas, parecía un hombre muy enérgico. Vestía un traje tradicional Tang de algodón guateado, y zapatos negros de tela. El inspector jefe se levantó y lo ayudó a tomar asiento.

Al parecer, la visita de Shen al Departamento no había ido todo lo bien que cabía esperar. Yu salió a toda prisa para encargarse de una cuestión urgente, por lo que fue el inspector Liao quien recibió al anciano. Liao le comunicó que ya había consultado a varios sastres de cierta edad, y mostró poco interés en lo que le decía Shen.

La actitud de Liao, sospechó Chen, podría deberse a otra razón. El que Shen fuera al Departamento a petición de Chen podría haberlo molestado. No parecía necesario, sin embargo, explicarle las intrigas del Departamento al viejo erudito.

–No se preocupe por lo sucedido con Liao. A veces puede ser más terco que una mula, e igualmente estúpido –explicó Chen, sirviéndole a Shen una taza de té mientras el camarero empezaba a traer algunos platos fríos–. Por favor, hágame una introducción a la historia del vestido mandarín. Soy todo oídos.

Shen se sirvió una cucharada de tofu de jade blanco aderezado con cebolleta y aceite de sésamo y, asintiendo en señal de aprobación, comenzó a hablar.

–Veamos, ¿por qué se le llama vestido mandarín? Existen varias teorías al respecto. En primer lugar, los manchúes, tanto los varones como las mujeres, llevaban trajes de colores muy vivos. También se dice que, en el periodo inicial de la dinastía Qing, los manchúes dividieron a su pueblo en ocho grupos, o *qi,* y cada uno de ellos lucía un estandarte de un diseño y un color particulares. La palabra *Qi* es la misma que compone *Qipao,* vestido mandarín. Sin embargo, hasta los años veinte y treinta el vestido no se puso de moda a escala nacional, dejando atrás sus connotaciones étnicas. Disfrutó de una gran popularidad hasta los inicios de la Revolución Cultural. A mediados de la década de los ochenta volvió a ponerse de moda, y ahora es popular en todo el mundo. Las estrellas de Hollywood llevan vestidos mandarines a las ceremonias de los Oscar. Dicen que ciñe sutilmente el cuerpo de la mujer, destacando sus curvas como ningún otro vestido...

La introducción había sido larga, pero Chen la escuchó con gran interés. Dado que el vestido mandarín constituía una firma inequívoca del asesino, un policía tenía que conocer bien su historia y sus características.

–En cuanto al vestido mandarín que me enseñó Liao, lo confeccionaron hace varios años, quizá más de diez –explicó Shen, mientras le mostraba varias fotografías al inspector jefe–. Me baso en el color del hilo, que se ha puesto amarillento con el tiempo. Si nos fijamos en la tela, un damasco singular de exquisito estampado, diría que el vestido es incluso más antiguo. De los sesenta, tal vez. Lo mismo puede decirse de los minúsculos cierres de acero. Los sastres sólo los usaron durante ese periodo, o antes incluso. Desde principios de los ochenta han usado cremalleras de plástico, que son más cómodas y quedan mejor. El estilo del vestido también corresponde a esa época. Fíjese en las mangas de una sola pieza. Hoy en día los que siguen la moda prefieren las mangas cosidas al cuerpo del vestido, porque destacan las curvas con más elocuencia. Y también son mucho más fáciles de confeccionar...

La explicación de Shen fue interrumpida por la llegada de los segundos platos. Uno de ellos era un cuenco de vidrio que contenía gambas vivas, sumergidas en un licor blanco. Las gambas, borrachas, continuaban saltando, aunque de forma cada vez menos enérgica.

–Un plato que ahora está de moda –comentó Shen–. En cierto modo, también lo han redescubierto.

Para un hombre de su edad, Shen demostró tener muy buen apetito. Cogió con los palillos una gamba que aún se movía y se la metió en la boca. Chen hizo lo mismo. La gamba tenía un sabor ligeramente dulce, pero no le gustó la sensación cosquilleante que le dejó en la lengua.

–También quería explicarle algo sobre la confección del vestido –siguió diciendo Shen con los labios fruncidos–. Está hecho totalmente a mano. Sólo un sastre de Ningbo, viejo y experimentado, podría haber confeccionado un vestido como éste. Le debió llevar al menos una semana acabarlo. Hoy pueden verse vestidos mandarines expuestos en las tiendas más caras. Parecen magníficos y tienen unos precios prohibitivos, pero su calidad es risible. Están hechos enteramente a máquina, y no son en absoluto comparables al que Liao me enseñó.

–Entonces lo confeccionaron hace al menos diez años, y tanto la tela como el estilo son incluso más antiguos, de los cincuenta o los sesenta –resumió Chen, apuntando los datos en su cuaderno–. Dicho de otro modo, el criminal tuvo que encargar especialmente un corte de tela de una época anterior, y pedir que le hicieran el vestido a medida según sus indicaciones.

–Eso ya no lo puedo saber –repuso Shen–. Pero hay que destacar otro detalle, la forma en que la víctima llevaba puesto el vestido. Esencialmente, la estética de un vestido mandarín refleja una sutil provocación. Las aberturas laterales, por ejemplo, revelan las piernas de la mujer, pero no demasiado. Basta con que se vean parcialmente los muslos para estimular la imaginación.

–Así que es como la poesía clásica china –interrumpió Chen–. La imaginación surge de lo que el poeta no dice, o no dice directamente.

–Exacto. Ya conoce la diferencia. Por ejemplo, una estrella de cine americana alta y con mucho pecho puede que lleve lo que denominaríamos vestido mandarín modificado, con la espalda al descubierto y la falda sumamente corta. Creo que ver una espalda desnuda cubierta de pecas, y unas pantorrillas y unos muslos afeitados como colmillos de mamut, no estimula la imaginación, precisamente.

–Su enfoque imaginista continúa siendo muy bueno, maestro Shen.

–Por decirlo de otra manera, es un vestido que resalta la armonía interior de quien lo lleve puesto. Está pensado para una mujer sensual, sutil, esbelta. No es un traje que le siente bien a cualquiera.

–Sí, sus palabras están cargadas de sabiduría –asintió Chen.

–La longitud de las aberturas laterales también denota sutileza. Las mujeres de buena familia suelen llevar aberturas recatadas, que indican su sentido refinado del decoro. En rigor, cuando lleva puesto un vestido mandarín, una mujer anda con pasos pequeños, sin hacer movimientos exagerados. Sin embargo, puede que una muchacha moderna necesite aberturas más altas para bailar, o para contonearse. Mientras que una muchacha que trabaje en el mundo del espectáculo elegirá un vestido con aberturas tan profundas como sea posible, que muestren sus muslos de forma seductora y a veces también sus nalgas. Es algo así como la semiótica del vestido mandarín. En los años treinta, un cliente potencial de la calle Cuatro habría abordado a una chica que vistiera de ese modo.

–Sí, la etiqueta en el vestir lo dice todo –añadió Chen tragándose otra gamba viva sin masticarla, un error que le produjo irritación en la garganta y le dejó un desagradable regusto en la boca. La calle Cuatro era la zona en que se congregaban las prostitutas antes de 1949.

–Además, una dama elegante lleva medias y zapatos de tacón alto como requiere este tipo de vestido, aunque en casa vista de manera más informal. Fíjese en la foto: la víctima no lleva sostenes, bragas ni zapatos, y el vestido se le ha subido por encima de la ingle. Quienquiera que cometiera el asesinato asesinó también el vestido. –Shen hizo una pausa y luego agregó–: Se trata de una víctima sexual, según creo, pero este vestido es demasiado antiguo y poco común como para haber sido adquirido por casualidad. Además, es un vestido bastante conservador: ninguna mujer tendría relaciones llevándolo puesto. No tiene sentido.

–Hay muchos detalles en este caso que no tienen sentido –comentó Chen, carraspeando.

–No sé nada sobre el caso, inspector jefe Chen –aseguró Shen, algo turbado–. Sólo puedo hablar acerca del vestido.

–Gracias, Shen. Sus conocimientos han arrojado mucha luz sobre la investigación.

Chen no mencionó, sin embargo, que también planteaban más preguntas de las que resolvían. De ser tan antiguo como creía Shen, el vestido mandarín no era popular cuando lo confeccionaron. Quienquiera que lo hubiera confeccionado, lo hizo sin tener en cuenta la moda de la época. Esto sugería una posible causa que se remontaba aún más atrás en el tiempo, lo que a su vez planteaba nuevos interrogantes.

Shen sostenía la última gamba viva entre los palillos cuando sonó con estridencia el teléfono móvil de Chen. Shen se sobresaltó y la gamba volvió a caer dentro del cuenco, salpicando y saltando como si hubiera escapado a su sino.

La llamada era de un periodista del *Wenhui* que quería conocer la teoría de Chen sobre el caso del vestido mandarín rojo.

–Lo siento, no puedo darle ninguna teoría. Estoy de permiso, escribiendo un trabajo de literatura.

Nada más colgar, Chen lamentó haber hecho tal afirmación. Pese a ser cierta, podría dar pie a todo tipo de especulaciones.

–¿Es verdad eso que ha dicho? –inquirió Shen, levantándose lentamente–. «El más inútil es un erudito», como yo, pero puede que no haya demasiados policías competentes como usted.

Chen se levantó para ayudar a Shen a salir del restaurante sin hacer ningún comentario.

Cerca de la salida, vieron un par de peceras grandes de cristal con gambas y peces vivos. Todos nadaban a ritmo pausado, sin saber que su destino cambiaría cuando le tomaran nota al próximo cliente.

9

Al salir del restaurante, Shen caminó lentamente hasta el bordillo y luego se agachó para entrar en un taxi, con el cuerpo doblado como el de una gamba.

Mientras despedía al taxi agitando la mano, Chen se reprochó a sí mismo el haber concebido semejante imagen. Shen era original como poeta, y también como erudito. Quizá su éxito académico se debiera a su poética imaginista. Para Shen, un vestido no era un mero trozo de tela, sino una imagen llena de significados y de asociaciones.

Una imagen orgánica con vida propia, que podía ser más elocuente que muchas páginas escritas.

Chen recordó una imagen similar en *Niebla en el pasado,* la novela que había leído muchos años atrás en el Parque Bund. Se trataba de la primera aparición de la heroína, tocada con «un pequeño gorro de piel, como un fez». Era un detalle simbólico en el texto, porque la sobrina de la protagonista también aparecía con un gorro de piel parecido a un fez en otra ocasión. Una insinuación sutil, tal y como la interpretó Chen, sobre las similitudes entre ambas. Cuando leyó la novela por primera vez, «fez» era un vocablo que no conocía, así que lo buscó en un diccionario. Lo definía como un «tocado de fieltro rojo, en forma de maceta invertida».

Dada su predilección casi sentimental por la novela, Chen no creía que una película pudiera hacerle justicia a la obra original, por lo que se propuso no esperar demasiado de la que Peiqin le había enviado. Con todo, no pudo evitar sentirse decepcionado. Era una película en blanco y negro, y el tocado que le había vuelto a la memoria no destacaba en absoluto.

En cuanto al vestido mandarín rojo, ¿qué podía simbolizar?

Chen, aún absorto en sus pensamientos, continuaba saludando con la mano en plena calle pese a que el taxi había desaparecido hacía rato.

Una imagen acertada podría tener significado tanto para el autor como para los lectores. En el poema de Shen, el apego al hogar se reflejaba vívidamente en la frase «lombriz mutilada». Por otra parte, una imagen desacertada, aunque tuviera sentido para su autor, podía resultar incomprensible para los lectores.

El asesino no era un escritor preocupado por si sus lectores podían entenderlo. Cuanto más sorprendentes resultaran sus actos, más satisfecho se sentiría él, y mayor sería su triunfo.

De pronto Chen notó que algo vibraba en el bolsillo de su pantalón. El móvil. Vio en la pantalla del teléfono que esta vez lo llamaba el secretario del Partido Li.

–Quiero que reduzca sus semanas de permiso. No se preocupe por su trabajo de literatura, camarada inspector jefe Chen. Hay que encontrar al asesino antes de que vuelva a matar. No hace falta que se lo diga.

–Estoy siguiendo el caso muy de cerca, secretario del Partido Li.

Al menos eso era cierto, aunque Chen no mencionó las pesquisas que estaba realizando por su cuenta. Tenía la impresión de que el asesino no sólo era sumamente inteligente, sino que además tenía contactos importantes. Por una vez, Chen contaba con la ventaja de permanecer entre bastidores, y quería aprovecharla.

–El Gobierno municipal está preocupado por el caso. Un destacado camarada ha vuelto a mencionar su nombre esta mañana.

–Lo sé. Lo hablaré con el subinspector Yu.

–Entonces vuelva al Departamento esta tarde.

–Esta tarde... –A Chen no le gustaba recibir órdenes de Li, y tampoco estaba listo para volver–. Tal vez no sepa que he estado revisando el caso del complejo residencial de la manzana nueve oeste. El director Zhong del Comité para la Reforma del Sistema Legal de Shanghai me ha pedido que...

–Así que su trabajo sobre literatura china es sólo una excusa –lo interrumpió Li bruscamente–. Podría habérmelo dicho antes.

Otro comentario imprudente. Chen había dado por sentado que, con aquel argumento, se sacaría de encima a Li durante algún tiempo. No se le ocurrió que Li se molestara por no haberle informado de que colaboraba en otro caso. Ahora Li pensaría que Chen no respetaba su autoridad.

–No, no es una excusa. Me refiero al trabajo de literatura. Es cierto que lo tengo que entregar a tiempo. En cuanto al asunto del complejo residencial, supongo que habrá oído que es un caso políticamente delicado. Por el momento no he hecho ninguna aportación, no había nada de que informar.

De hecho, Chen se había enterado de que se estaba librando una lucha de poder en la Ciudad Prohibida. Ahora que varios altos cuadros de Shanghai estaban implicados en el escándalo, algún mandamás de Pekín quería explotar el caso por motivos aún no desvelados.

–Usted es una figura de arcilla demasiado grande para nuestro pequeño templo, inspector jefe Chen.

–No diga eso, secretario Li. Voy a hablar del caso del vestido mandarín rojo con el subinspector Yu, le doy mi palabra.

Tras hablar con Li, en lugar de volver a la biblioteca, Chen llamó a Yu.

–Lo siento, jefe. Tuve que salir deprisa esta mañana y no vi al señor Shen.

–No se preocupe por eso. Acabamos de comer juntos y Shen me ha dado toda una conferencia sobre el vestido mandarín.

–¿Dónde está ahora?

–Cerca de la Biblioteca de Shanghai.

–¿Tiene algo de tiempo esta tarde? Me gustaría hablar con usted.

–Sí, y a mí con usted.

–Estupendo. ¿Dónde podemos quedar?

–Bueno...

No parecía muy apropiado hablar de un caso de asesinato en la biblioteca. Miró a su alrededor, y vio un bar-alfarería a la vuelta de la esquina en el que sólo había una pareja joven.

–¿Qué le parece el bar-alfarería en la esquina de la calle Fengyang, frente a la biblioteca?

–Ah, ese sitio está muy de moda. Estaré ahí en veinte minutos.

Chen entró en el bar, cuyo interior tenía forma de ele. La parte más alargada parecía una cafetería convencional, pero la parte más corta era una especie de taller de alfarería, con grandes tableros, montones de arcilla y un horno en un extremo. Los clientes podían modelar algún objeto de cerámica mientras disfrutaban de una taza de café. Quizá por la hora, el taller estaba vacío a excepción de la pareja joven, mientras que Chen era el único cliente de la cafetería. O quizás había poca gente por el precio. Aquí un café costaba mucho más que en una cafetería normal y corriente.

Mientras tomaba un sorbo de café caliente, la pareja inclinada sobre la arcilla le trajo a la memoria la escena de una película de Hollywood, y también una imagen de un canto *ci* en chino clásico de una poetisa del siglo XIII, Guan Daoshen.

> Tú y yo estamos tan locos
> el uno por el otro,
> como si nos envolviera el fuego del alfarero.
> De un trozo
> de arcilla, moldea tu efigie,
> moldea la mía. Aplástanos
> a los dos de nuevo para volvernos arcilla, mézclala
> con agua, vuelve a moldear tu efigie,
> vuelve a moldear la mía.
> Así, te tendré en mi cuerpo,
> [y tú me tendrás también en el tuyo.

En el taller, la muchacha empezó a embadurnar el rostro del chico con la mano cubierta de arcilla. Sus risas sonaban como campanillas de plata, aunque Chen no pudo distinguir las palabras cariñosas que se susurraban al oído. Una imagen conmovedora, como la del poema. Se contentó con su café solo, mientras intentaba procesar toda la información que le había proporcionado Shen.

Pensó en el enfoque imaginista que empleó Shen para analizar el vestido mandarín. Tal vez el significado del vestido no fuera comprensible sólo para el «autor», pero puede que a la policía le costara descifrarlo porque se había confeccionado según un modelo, o una imagen original, de tiempo atrás.

Peiqin había estado viendo varias películas en busca de una especie de arquetipo. Quizás él tuviera más éxito. No porque fuera más hábil que ella, sino gracias a sus contactos.

Chen sacó su cuaderno de direcciones y buscó el número del presidente Wang de la Asociación de Escritores Chinos, que también ocupaba el cargo de primer secretario adjunto del Partido en la Asociación de Artistas Chinos, entre cuyos miembros había diseñadores de moda, fotógrafos y directores. No hacía mucho, Chen había ayudado a Wang a su manera.

–¿Ha oído o leído algo sobre el caso del vestido mandarín rojo en Shanghai, presidente Wang? –preguntó Chen sin rodeos nada más contestar Wang la llamada de larga distancia.

–Sí, lo he leído aquí en un periódico de Pekín.

–Tengo que pedirle un favor. Suponiendo que el vestido sea una imagen que quizás alguna gente haya visto, ¿puede preguntarles a los miembros de la asociación si tienen información al respecto? Envíe un fax del vestido mandarín a las delegaciones de todo el país. Cualquier tipo de información nos será de gran ayuda.

–Me pondré en contacto con todas las personas que conozco, inspector jefe Chen, pero ¿quién no ha visto algún que otro vestido mandarín, en fotografías, en el cine o en la vida real? No tiene nada de especial.

–Hay tres detalles inusuales en el vestido. Primero, como puede que haya leído en el periódico, el vestido mandarín rojo está muy bien confeccionado pero tiene un estilo bastante anticuado, posiblemente de los cincuenta o los sesenta. En segundo lugar, la mujer que llevaba el vestido mandarín iba descalza, y, finalmente, es posible que dicha mujer estuviera relacionada de alguna manera con un parterre de flores o con un parque.

–Eso podría reducir las hipótesis –observó Wang–. Le pediré a mi secretaria que se ponga en contacto con todas las delegaciones provinciales, pero no puedo prometerle nada.

–Le agradezco mucho su colaboración, presidente Wang. Sé que hará todo lo posible por ayudarme.

–Usted haría lo mismo por mí –respondió Wang–, como la última vez.

No como la última vez, refunfuñó Chen para sus adentros. Sólo de pensar en ello se echaba a temblar.

Después de apagar el teléfono, Chen estaba a punto de encender un cigarrillo cuando vio que Yu entraba en el bar con paso enérgico.

–Un sitio tranquilo, jefe –comentó Yu al ver que estaban solos en la parte de la ele destinada a cafetería.

–¿Alguna novedad? –preguntó Chen, acercando la carta a su compañero–. ¿Le han dicho algo más en los comités vecinales?

–No, nada útil ni importante.

Una camarera se acercó a la mesa y los observó con curiosidad. Embutido en su uniforme de algodón acolchado, con el pelo revuelto y los zapatos polvorientos, Yu contrastaba ostensiblemente con Chen, quien vestía como cualquier cliente habitual en una cafetería como ésa: blazer negro, pantalones color caqui y cartera de piel. Los jóvenes amantes que modelaban arcilla en el taller de alfarería se habían levantado para irse, probablemente al ver llegar a un policía.

–Un té –pidió Yu a la camarera antes de dirigirse a Chen–. Aún no puedo beber café, jefe.

–Lo de los comités vecinales no me sorprende demasiado –comentó Chen después de que se fuera la camarera–. Si el asesino consiguió abandonar dos cuerpos en aquellos lugares sin que nadie lo viera, no sería realista esperar que sus vecinos hubieran visto algo.

–Liao cree que debe de tener un garaje, pero Li se niega a registrar todos y cada uno de los garajes de la ciudad.

–No, no necesariamente el asesino tiene que tener un garaje.

–¡Ah! Han establecido la identidad de la segunda víctima. Qiao Chunyan. Una acompañante para comidas que solía trabajar en un restaurante llamado Río Ming.

–¿Una chica de triple alterne?

–Sí, así es como vivía, y también como murió.

Yu no tuvo que entrar en detalles. Las chicas de triple alterne –que acompañaban a los clientes en el restaurante, el club de karaoke o la sala de baile– era una nueva profesión, así como un término nuevo en el idioma chino. El negocio del sexo continuaba prohibido oficialmente, pero era posible dedicarse a él bajo todo tipo de nombres. Por esta razón el negocio del «triple alterne» estaba prosperando. No existía ninguna ley que prohibiera a las chicas comer, cantar y bailar con los clientes. En cuanto al posible servicio posterior, las autoridades municipales hacían la vista gorda. Las chicas tenían que enfrentarse a todo tipo de riesgos propios de la profesión, claro está, incluyendo a un asesino sexual.

–Así que ambas tenían empleos de baja categoría –observó Chen.

–En opinión de Liao, eso abre una nueva vía. Liao piensa que, por alguna razón, el asesino podía guardarles rencor a esas dos chicas, y eso lo llevó a cometer los asesinatos, aunque no veo qué conexión puede haber entre las dos víctimas. En cuanto a la segunda, es posible que cayera en manos del asesino a causa de su trabajo, pero eso no puede decirse de la primera.

–Sí, ya veo que ha investigado su vida a fondo.

–Una empleada de hotel no es una chica de triple alterne. Por lo que sé, Jazmín era una chica decente y trabajadora. También ayudaba en el restaurante del hotel, pero es demasiado pequeño para atraer a «bolsillos llenos» o a acompañantes para comidas. Si hubiera sido una cazafortunas sin escrúpulos, no habría decidido trabajar en un pequeño hotel.

–Creo que tiene razón –dijo Chen–. Entonces, ¿qué conexión cree que hay entre las dos?

–Aquí tiene una lista de lo que ambas tienen en común –respondió Yu, sacando una hoja arrancada de un cuaderno–. Liao ha comprobado la mayoría de los puntos.

–Revisemos la lista –propuso Chen mientras cogía la hoja.

1. *Chicas jóvenes y guapas de veintipocos años, solteras, sin estudios superiores, de familias pobres, con empleos de escaso prestigio, posiblemente involucradas en algún asunto turbio.*

2. *Ambas llevaban un vestido mandarín rojo. Aberturas laterales desgarradas, varios botones de la pechera desabrochados, muslos y senos visibles con efecto erótico u obsceno, aunque el vestido parecía exquisito y de estilo conservador. Sin bragas ni sostenes, en contradicción con la forma habitual de llevar ese tipo de vestido.*
3. *Descalzas, Qiao con las uñas de los pies pintadas de rojo, las de Jazmín sin pintar.*
4. *Ninguna de las dos sufrió abusos sexuales. La primera presentaba magulladuras, posiblemente había tratado de defenderse, pero no se hallaron indicios de penetración ni de eyaculación. En cuanto a la segunda víctima, no presentaba magulladuras que indicaran violencia sexual. El cadáver de la primera había sido lavado, pero no el segundo.*
5. *Los cuerpos aparecieron en lugares públicos. Sumamente difícil y peligroso abandonarlos allí sin ser visto.*

–¿Tiene alguna fotografía más que nos proporcione nuevos datos sobre quiénes eran y cómo vivían?

–Sí, casi todas son fotos de Qiao. Le apasionaba la fotografía.

–Pues veámoslas.

Lu colocó las fotografías en una hilera sobre la mesa.

Chen las estudió, como un hombre que examina posibles novias propuestas por una casamentera. Podría ser pura coincidencia, observó, que las dos chicas aparecieran en sendas fotografías tomadas en la Plaza del Pueblo en verano. Jazmín llevaba un vestido veraniego de algodón blanco, mientras que Qiao vestía una camiseta amarilla sin mangas y vaqueros. Chen colocó una foto al lado de la otra. Jazmín parecía más delgada que Qiao, y tal vez más alta.

–¿Se ha fijado en sus distintas complexiones, Yu? –preguntó Chen mientras contemplaba las fotografías.

Yu asintió sin decir nada.

–Según Shen, un buen vestido mandarín tiene que estar hecho a medida y ser ajustado, para que marque bien las curvas de una mujer. Mire las fotos de las dos víctimas. En ambas, el vestido se ciñe mucho al cuerpo. Tendríamos que comprobar las tallas de los dos vestidos. Fíjese en si son distintas.

–Lo comprobaré –añadió Yu–, pero si es tan...

–Esto significa que el asesino dispone de varios vestidos mandarines antiguos y caros, idénticos de color, tela y diseño, pero en distintas tallas entre las que poder elegir.

–Podría haberlos mandado confeccionar para alguien a quien amara o a quien odiara –sugirió Yu–, pero ¿por qué en tallas distintas?

–Es algo que me desconcierta –admitió Chen. Era una contradicción más, como las que había descubierto en las historias de amor que estaba analizando.

–¿Qué más le ha dicho Shen?

Chen le explicó su conversación con el anciano erudito.

–A la luz del análisis de Shen –apuntó Chen–, el asesino podría haber mandado confeccionar los vestidos en los ochenta, pero en un estilo de una época anterior, y haberlos guardado en un armario todos estos años hasta el primer asesinato de hace dos semanas.

–¿Y a qué se debe la larga espera?

–No lo sé, pero eso podría explicar que usted no encuentre ninguna pista sobre el vestido mandarín. Hace tanto tiempo de todo esto... A principios de los ochenta el vestido mandarín aún no había vuelto a ponerse de moda, por lo que no lo fabricaban en serie. Puede que los confeccionara algún sastre en particular, que quizá ya haya muerto, se haya retirado o haya vuelto al campo.

–Sí, eso es lo que piensa Peiqin –asintió Yu–. Pero si los hicieron en los sesenta o los setenta, durante la Revolución Cultural, dudo que nadie quisiera ponérselos en aquella época. Peiqin sólo recuerda un ejemplo de aquellos años: la fotografía de Wang Guangmei expuesta a la crítica de las masas, vestida con un qipao desgarrado.

–Igual que en la letra escarlata. Peiqin tiene razón –dijo Chen–. ¿Circula alguna teoría nueva por el Departamento?

–Liao todavía defiende su perfil material. Y ya le he hablado de Pequeño Zhou, ¿no? Se le ha ocurrido una rebuscada teoría sobre un mensaje antimanchú. Aún la sigue pregonando.

–Esa teoría no resulta creíble. Por otra parte, nos lleva a una interpretación orgánica de las contradicciones. Para empezar, en la ciudad de Shanghai es imposible que una mujer que lleve un elegante vestido mandarín vaya descalza. Esta contradicción podría formar parte de algún ritual que tenga significado para el asesino sexual.

–Pero sea cual sea la contradicción de la que estamos hablando –replicó Yu–, no creo que la primera víctima sea el tipo de chica de triple alterne en la que piensa Liao.

–¿Cuál es la teoría de Liao sobre la relación entre el vestido mandarín rojo y el negocio sexual?

–Según Liao, una chica de triple alterne vestida con un qipao podría haber abandonado y traicionado al asesino, quien justifica ahora sus acciones poniéndoles este tipo de vestido a sus víctimas.

–Pero eso no explica la exquisita confección del vestido, ni su estilo conservador. No creo que una chica de triple alterne hubiera podido permitirse llevar un vestido así. Y ya que el asesino se tomó tantas molestias para conseguirlo, no creo que pensara que sus víctimas fueran gentuza.

–¿Usted qué opina sobre el vestido, jefe?

–El vestido podría formar parte de un ritual psicológico, o de una fantasía sexual con un significado especial para el asesino.

–Entonces, ¿cómo podemos saber lo que supuestamente significa, si el tipo está tan chalado?

–El perfil material de Liao puede ayudar, pero tratándose de un asesino en serie, también necesitamos un perfil psicológico.

–Le mencioné a Li que usted traduce novelas de suspense psicológico, pero no quiso escucharme.

–Según la lógica de Li, los asesinatos en serie sólo pueden ocurrir en sociedades capitalistas occidentales, y no en la China socialista.

–He leído algunas novelas de suspense, pero no las he estudiado de manera sistémica. Me pregunto cómo podría ayudar un enfoque psicológico a resolver este caso.

–¿Aquí en China? No lo sé. En Occidente sí que podría resultar útil, dado que el psicoanálisis es muy común. Las personas con problemas psicológicos podrían tener un historial médico.

Los médicos pueden realizar una evaluación psicológica del sospechoso. O puede que los policías hayan recibido algún tipo de formación especial. Durante mis años de universidad no hice ningún curso de psicología, sólo leí un par de artículos sobre psicoanálisis para mis trabajos de literatura. En cuanto a las teorías y las prácticas de las novelas de suspense, no podemos tomárnoslas en serio.

–Aun así, explíqueme los enfoques psicológicos que aparecen en esos libros. Podrían ayudar a reducir la lista de posibilidades, como el método de Liao.

–Bueno –aceptó Chen–, déjeme intentar recordar algunos puntos. Los examinaremos en el contexto de este caso.

–Soy todo oídos, jefe.

–Veamos, la identidad de la segunda víctima nos indica algo que se lee con frecuencia en esos libros. Un asesino en serie caracterizado por una mentalidad obsesivo-compulsiva y con un objetivo en mente. Tiene problemas psicosexuales profundamente arraigados, y es psicótico, pero no sufre delirios. Está obsesionado con el deseo de librar al mundo de aquellos individuos que considera indeseables e indignos. Las chicas de triple alterne podrían categorizarse así. Su objetivo consiste en asestar un golpe demoledor a la industria del sexo, y sus víctimas resultan ser las mujeres más vulnerables y fáciles de conseguir. Cuando finalmente se captura a un asesino de este tipo, a menudo resulta ser un ciudadano íntegro que encaja en el perfil material de Liao.

–Entonces el enfoque de Liao no está tan equivocado –afirmó Yu, asintiendo con la cabeza.

La camarera volvió a la mesa con una bandeja con raros postres para elegir. Chen pidió un trozo de tarta de limón, y Yu escogió un bollo al vapor con cerdo a la parrilla. El bar era una mezcla de Oriente y Occidente, al menos en la bandeja de postres.

–Ahora bien, aunque parezca mentira –continuó diciendo Chen–, en esas novelas de suspense los asesinos sexuales suelen ser impotentes. Experimentan un orgasmo mental sin la eyaculación física, por lo que es posible que el forense no encuentre semen en la víctima.

–Sí, nuestros forenses ya han descartado que el agresor usara condones. Las víctimas no tenían restos de lubricante procedente de un condón. De momento, el asesino encaja en ese perfil. Desnudó a las dos víctimas, pero no las violó, por lo que podría ser un psicópata. –Luego añadió con aire pensativo–: En uno de los libros que usted tradujo, la forma de actuar del asesino se debía a los abusos sexuales que sufrió en su niñez. Después se volvió un hombre muy retorcido. Impotente.

–Según Freud, no podemos subestimar la importancia de nuestras experiencias infantiles. En la mayoría de casos, un asesino de estas características ha experimentado algún tipo de abuso sexual que ha influido en su comportamiento posterior.

–¿De qué nos sirve eso para nuestra investigación? –preguntó Yu–. En China nadie habla sobre abusos sexuales en la niñez. El hecho de admitirlo es peor que los abusos en sí. Siempre hay que mantener las apariencias.

–Sí, es un tabú, cultural además de político. Una humillación demasiado grande –observó Chen, preguntándose si habría un término para explicar ese tabú en concreto en la psicología occidental–. En los últimos años se ha vuelto bastante común que los occidentales hablen de su niñez traumática, pero eso aún es inimaginable en China. Además, aquí ciertas experiencias traumáticas de la infancia pueden considerarse normales: en una familia de Shanghai, con tres generaciones apretujadas en la misma habitación, el que un niño esté expuesto a las relaciones sexuales de sus padres, por ejemplo, puede ser algo habitual. Nadie habla de ello.

–Sí, me recuerda una historia de mi antiguo barrio. Un joven recién casado no podía consumar el matrimonio por miedo a que sus padres oyeran los crujidos de la cama. Sus padres dormían en el otro extremo de la habitación, que estaba dividida por un biombo de bambú. En su infancia, había oído cómo crujía la cama de sus padres, pero no se lo había dicho a nadie. Sin embargo, no se convirtió en un asesino. Al cabo de dos o tres años se trasladó con su mujer a otra habitación, y resolvió así sus problemas.

–Si lo hubiera consultado con un médico podría haber recibido ayuda de inmediato.

–Bueno, da la casualidad de que lo conozco, por lo que puedo adivinar algunas de las causas de su problema. Pero seguimos sin tener ninguna pista sobre la identidad del asesino.

–Por el momento sabemos que cuando mata a sus víctimas y se deshace de los cuerpos sigue más o menos las mismas pautas. Y que no se detendrá hasta que lo capturen.

–¿Y eso en qué nos ayuda, jefe?

–Si no estamos seguros de cómo elige a sus víctimas, creo que al menos podemos suponer que abandonará el cadáver de su siguiente víctima en un lugar público el jueves por la noche. Así que el próximo jueves tenemos que intensificar las patrullas en esos lugares.

–Pero en una ciudad como Shanghai no podemos apostar a nuestros agentes en todas las esquinas.

–Puede que a nosotros nos falten hombres, pero a los comités vecinales no. Hoy en día están despidiendo a mucha gente, por no mencionar a todos los trabajadores jubilados. Podríamos pagarles diez o quince yuanes por trabajar sólo una noche, la noche del jueves. Ordéneles que no dejen de moverse y que inspeccionen todos los coches que les parezcan sospechosos, en los que pueda haber un hombre y una mujer inconsciente en su interior. Sobre todo si los coches se detienen, o si aparcan en esos lugares públicos.

–Sí, es algo que podemos hacer –asintió Yu–. Volveré al Departamento y lo hablaré con Liao. Puede que reniegue de usted, pero aceptará una buena sugerencia.

–No, a mí no me meta –replicó Chen, apurando su café–. Tengo que acabar mi trabajo de literatura dentro del plazo previsto. Se lo he prometido al profesor Bian.

10

A solas en su despacho, el subinspector Yu intentó evaluar la situación. Era desesperada, tuvo que admitir. Desesperada por la certeza de que se cometería otro asesinato en tres días, y por su incapacidad para evitarlo.

Desde primera hora de la mañana, Yu se había visto desbordado por una avalancha de informes y de declaraciones. El teléfono no dejó de sonar, como la campana funeraria en una película casi olvidada. Sólo había dormido unas horas la noche anterior, y se había saltado el desayuno para poder asistir a una teleconferencia con un experto forense de Pekín. Ahora le agobiaba su uniforme de algodón acolchado y empezó a sudar. Al igual que los otros policías de su grupo, se sentía hastiado ya de buena mañana, mientras preparaba otra taza de té extra fuerte: una taza llena de hojas de té hasta la mitad.

Liao parecía desanimado, y había dejado de hablar del perfil material o del garaje. Tampoco planteó su hipótesis sobre el negocio sexual, que Li había vetado. La industria sexual de la ciudad era un secreto a voces, pero se suponía que nadie podía hablar de ello, menos aún relacionarlo con un caso de asesinatos en serie que estaba causando tanta alarma.

En cuanto al enfoque psicológico de Chen, Yu ni siquiera lo mencionó en el Departamento. No creyó que nadie se lo fuera a tomar en serio. Los estudios psicológicos sólo resultarían útiles después de capturar al criminal, pero de poco iban a servir si nadie lo identificaba y continuaba en libertad. Con todo, Yu recomendó intensificar la seguridad los jueves por la noche con la ayuda del comité vecinal. Por una vez, Li accedió de inmediato.

Yu estaba echando otro pellizco de hojas de té oolong en la taza cuando volvió a sonar el teléfono.

–¿Puedo hablar con el subinspector Yu Guangming? –dijo una voz desconocida que parecía de una mujer de mediana edad.

–Soy yo. Al habla.

–Me llamo Yaqin. Trabajaba con Jazmín. Usted vino a nuestro hotel el otro día, lo vi hablando con el jefe de recepción.

–Sí, así es.

–¿Aún ofrecen una recompensa por la información sobre Jazmín?

–Sí, dos mil yuanes, si nos ayuda a avanzar en la investigación.

–Jazmín tenía novio. Lo conoció hace algunos meses. Se aloja en nuestro hotel cuando vuelve de Estados Unidos, es un cliente habitual.

–Lo que dice podría ser importante –afirmó Yu–. ¿Me puede dar más detalles, Yaqin?

–Se llama Weng. No es muy rico, de lo contrario no se alojaría en nuestro hotel, pero tiene pasta, al menos la suficiente como para poder alojarse aquí varios meses seguidos. Y también tiene un permiso de trabajo americano, lo que es más que suficiente para que muchas chicas de Shanghai se le peguen como lapas. Bueno, la cuestión es que congeniaron. Los han visto cenando al aire libre, cogidos de la mano.

–¿Usted los ha visto juntos?

–No, pero la vi a ella entrando con sigilo en la habitación de Weng una tarde, hará un mes. No fue durante su turno de aquel día. –Después añadió–: Weng era una opción real para Jazmín. Tiene unos quince años más que ella, pero podría haberla llevado a Estados Unidos.

–¿Ha notado algo raro en él?

–Bueno, nada de lo que esté demasiado segura. Su familia continúa viviendo en Shanghai, pero él prefiere alojarse en un hotel. ¿Por qué? No me entra en la cabeza. Nadie sabe de qué trabaja, ni de dónde saca el dinero. Pagarse un hotel durante tres o cuatro meses es un coste considerable.

–Hablé con su director el otro día. No me dijo nada sobre Weng, ni sobre su relación con Jazmín.

–Puede que no lo sepa –respondió la mujer–. Además, el negocio hotelero se ha visto afectado por el asesinato. Puede que nadie tenga interés en atraer aún más atención.

–¿Weng está ahora en el hotel?

–Llegó de Estados Unidos esta mañana. Ha estado encerrado en su habitación desde entonces.

–Voy hacia allí ahora mismo. Si sale, dígale que no se vaya del hotel –ordenó Yu–. ¿Está segura de que estuvo en Estados Unidos las dos últimas semanas?

–Cuando Jazmín murió él no estaba aquí, pero no estoy segura de dónde se encontraba. Y llegó esta mañana con todo su equipaje.

–¿Puede comprobar su pasaporte? Sobre todo la fecha de su última entrada.

–Eso será fácil. Deja el pasaporte en la caja de seguridad del hotel. Haré lo que me pide. –Después agregó–: Pero no quiero que me vean hablando con un policía, o pasándole información.

–No se preocupe, lo entiendo. No vendré de uniforme.

Cuarenta y cinco minutos más tarde, Yu llegó a la recepción del hotel vestido con una chaqueta gris que Peiqin le había comprado. Nadie pareció reconocerlo. No tardó en ver a Yaqin, una mujer baja que llevaba el pelo recogido en un moño pasado de moda, aunque probablemente no tendría más de cuarenta y cinco años. Yaqin le pasó a escondidas una fotocopia del pasaporte, en el que constaba que Weng salió hacia Guangzhou el día en que asesinaron a Jazmín, y que había vuelto esa misma mañana. Weng apenas habría tenido tiempo para cometer el primer asesinato. Y era del todo imposible que hubiera cometido el segundo.

–Gracias, Yaqin –dijo Yu–. ¿Weng aún está aquí?

–Habitación trescientos siete –susurró Yaqin.

–La llamaré más tarde –respondió Yu en voz baja– para encontrarnos fuera del hotel.

Yaqin asintió con la cabeza mientras sacaba un cenicero lleno de colillas del mostrador de recepción, como empleada concienzuda que era.

Yu entró en un viejo ascensor, que lo zarandeó hasta la tercera planta. Tras recorrer el estrecho pasillo hasta el final, llamó a una puerta marrón con el número 307.

La puerta se abrió con un crujido. El hombre que se encontraba en el interior de la habitación parecía tener unos cuarenta años, iba despeinado y tenía los ojos enrojecidos y levemente hinchados. Yu lo reconoció como Weng, aunque en la fotografía de su pasaporte parecía mucho más joven y menos rechoncho. Era evidente que Weng no se había cambiado desde su llegada: aún iba embutido en un traje arrugado, como un petate demasiado lleno. El subinspector Yu le mostró su placa y fue directo al grano.

–Ya debe saber por qué estoy aquí, así que hábleme de su relación con Jazmín, señor Weng.

–Va muy deprisa, camarada subinspector Yu. He regresado esta mañana, y ya me considera sospechoso.

–No es cierto. Tal vez no sepa que ha habido otra víctima mientras usted estaba en Estados Unidos. No tiene que preocuparse de que lo consideremos sospechoso, pero todo lo que me diga nos ayudará en la investigación. Usted quiere vengar la muerte de Jazmín, ¿no?

–De acuerdo, le diré lo que sé –aceptó Weng, dejando entrar a Yu en la habitación–. ¿Por dónde quiere que empiece?

–Por el momento en que la conoció. No, espere, retrocedamos hasta el principio. Hábleme primero de sus viajes de regreso a Shanghai –sugirió Yu, sacando una grabadora en miniatura–. No es más que un procedimiento rutinario.

–Bueno, salí de Shanghai para seguir estudiando en Estados Unidos hará unos siete u ocho años. Allí me doctoré en antropología, pero no pude encontrar trabajo. Finalmente, empecé a trabajar para una empresa estadounidense como su comprador particular en China. Sin fábrica ni taller, la empresa diseña los productos en Estados Unidos, los fabrica aquí y los vende con un buen margen de beneficios por todo el mundo. A veces simplemente compran al por mayor en el mercado Yiwu de pequeños artículos, y después les ponen sus etiquetas a los objetos comprados. Me contrataron porque hablo varios dialectos chinos, y porque soy capaz de negociar y de regatear en el campo. Así que voy y vengo en avión regularmente, y tengo la base en Shanghai. Después de todo, es mi ciudad natal, y me es cómodo viajar a cualquier otra parte desde aquí.

–Espere un momento, Weng. Su familia aún está aquí. ¿Por qué no vive con ellos?

–Mis padres sólo tienen una habitación de dieciséis metros cuadrados, en la que aún vive mi hermano mayor con su mujer y sus dos hijos, muy apretujados. No puedo volver a esa habitación y apretujarme yo también con ellos. Tal vez mi hermano no dijera nada, pero su mujer no dejaría de refunfuñar. La empresa paga todos los gastos de mis viajes de negocios. ¿Por qué tendría que ahorrarles dinero?

–Ya veo –respondió Yu–. ¿Así que la conoció durante su estancia en el hotel?

–La conocí hará medio año, durante un incidente que tuvo lugar en el ascensor. El ascensor, que está muy viejo, se paró entre la quinta y la sexta planta. Nos quedamos atrapados. Los dos solos, cara a cara y conscientes de que el ascensor podía desplomarse en cualquier momento. De repente, la sentí muy cerca de mí. Vestida con su blusa y su falda de uniforme del hotel, calzando zapatillas de plástico, sosteniendo un cubo de agua jabonosa. Estaba en la flor de la vida, y era demasiado guapa para hacer un trabajo tan ingrato. Entonces se apagó la luz. Me cogió la mano, presa del pánico. Después de los cinco minutos más largos de mi vida, el ascensor volvió a funcionar. Bajo la luz, que volvió gradualmente, parecía tan pura y encantadora... Le pedí que se tomara una taza de té conmigo en la cafetería del hotel, para aliviar el sobresalto con un ritual establecido. Se negó, alegando que iba en contra de las normas del hotel. A la mañana siguiente la vi de nuevo en recepción, por casualidad. Parecía agotada después de su turno de noche. La seguí hasta el exterior y la invité a un restaurante que estaba frente al hotel. Aceptó. Así empezó todo.

–¿Qué tipo de chica le parecía que era?

–Una chica muy agradable. No quedan muchas como ella hoy en día. En absoluto materialista. Podría haber cobrado mucho más en un club nocturno, pero prefería ganar dinero de forma honesta en el hotel. No creo que me considerara un «bolsillos llenos». Ni se le ocurrió. Y además tenía devoción por su padre, que estaba enfermo y paralítico. ¡Una hija extraordinariamente dedicada!

–Sí, ya me lo han dicho. ¿Usted estuvo en su casa?

–No, a Jazmín no le gustaba la idea. Quería mantener nuestra relación en secreto.

–¿Porque usted se alojaba en el hotel?

–Tal vez.

–Sin embargo, usted salió muchas veces con ella. La gente habría descubierto su relación tarde o temprano.

–Quizá, pero no salimos tanto como dice. Yo estaba muy ocupado, volando de un sitio a otro, y ella tenía que cuidar a su padre.

–Ahora una pregunta algo distinta. ¿Se puso alguna vez un vestido mandarín rojo en su presencia?

–No. No era nada coqueta. Quise comprarle algo de ropa nueva, pero siempre me decía que no lo hiciera. Tenía una chaqueta de pijama que había pertenecido a su madre hacía quince años. No, no le... –Weng dejó de hablar, como si lo embargaran los recuerdos–. El Cielo está ciego. Una chica como ella no debería haber tenido tan mala suerte, ni haber acabado así.

El teléfono de la habitación comenzó a sonar. Weng descolgó rápidamente, como si hubiera estado esperando la llamada.

–Ah, señor Newman, sobre ese trato... Espere un momento –Weng se dio la vuelta, tapando el auricular con la mano–. Lo siento, es una llamada internacional. ¿Podemos seguir hablando en otra ocasión?

–Está bien –respondió Yu, sacando una tarjeta y escribiendo en ella el número del móvil que la comisaría le había proporcionado temporalmente–. Puede llamarme a cualquier hora.

La visita no había servido de mucho, pero al menos podía descartar dos posibilidades. En primer lugar, Weng quedaba excluido como sospechoso, y, lo que era más importante, Jazmín no parecía ser un ligue fácil que se dedicara al negocio sexual, en contra de las sospechas de Liao.

Con todo, le dio la impresión de haberse perdido algún detalle durante el interrogatorio, aunque no sabía exactamente cuál.

11

Una vez más, Peiqin intentaba ayudar a su manera.

Primero se ocupó de recopilar información sobre el pasado de Qiao, la acompañante para comidas. Como la propia Peiqin trabajaba en un restaurante, no le costó encontrar a personas dispuestas a hablarle de esas chicas. El chef Pan resultó saber bastante del asunto.

–Ah, las chicas de triple alterne, que cantan, bailan y comen –empezó a explicar Pan con entusiasmo mientras tomaba un plato de cacahuetes aderezados con algas de Daitiao–. Otra característica del socialismo chino. El socialismo tiene que seguir proporcionando una tapadera para todo, como el letrero de una cabeza de oveja, tras el cual se vende carne de perro o de gato a mansalva. Las autoridades del Partido repiten una y otra vez que aquí no hay prostitución. Como nada es blanco o negro, no tardó en aparecer la zona gris de las chicas de triple alterne.

–Usted ha trabajado en restaurantes de lujo –dijo Peiqin sirviéndole una taza de té de ginseng, regalo del inspector jefe Chen–, y seguro que sabe muchas cosas.

–Confucio dice: «El disfrute de las exquisiteces y del sexo forma parte de la naturaleza humana». En la reforma económica sin precedentes dirigida por el camarada Deng Xiaoping, ¿qué industria ha conseguido la expansión más increíble? La industria del entretenimiento: restaurantes y clubes nocturnos nuevos y lujosos, donde los «bolsillos llenos» y los cuadros del Partido gastan el dinero a manos llenas. Era lógico que aparecieran las acompañantes para comidas.

–¿Cómo gana dinero una acompañante para comidas?

–Para un «bolsillos llenos» que esté forrado, la compañía de una chica atractiva añade un toque de distinción a una noche perfecta. Al «bolsillos llenos» le encanta que la chica se acurruque junto a él mientras comen, y que le ponga exquisiteces en el plato mientras la llama de una vela sensual oscila entre los dos. Así se siente poderoso y triunfador. De hecho, estas chicas tienen que satisfacer muchos requisitos para dedicarse a esta profesión. Han de ser guapas, y lo bastante inteligentes como para convencer a un «bolsillos llenos» de que su compañía merece el dispendio. Para ellas, esto significa una cena gratis, además de una enorme comisión. Si piden exquisiteces y vinos caros la cuenta puede ser astronómica, y ellas se quedarán con un diez por ciento, sin mencionar la propina. Además, puede que cierren un trato clandestino con su cliente, por encima o por debajo de la mesa. Lo que pase después no es asunto del restaurante. Así que, en general, este trabajo constituye una fuente de ingresos considerable para ellas.

–Lo ha explicado muy bien, Pan.

–Las acompañantes para comidas hacen ganar dinero a los restaurantes, aunque nunca vendrían a un tugurio como éste. Nosotros también tendremos que cambiar.

–Muchas gracias –respondió Peiqin, aunque aquella explicación tan general la había decepcionado un poco. Necesitaba saber algo más concreto.

Los cotilleos sobre las chicas de triple alterne que le contaron sus otros colegas también eran información de segunda mano, imprecisa y poco fiable de tan exagerada. Después de todo, ninguno había conocido en persona a una de esas chicas.

Así que Peiqin dio un paso más y a través de sus contactos consiguió la colaboración de Cuatro Ojos Zhang, director de Río Ming, el restaurante en el que Qiao había trabajado durante el último año. Zhang le sugirió que hablara con Rong, una «hermana mayor».

–Rong, la mayor de las chicas, tiene unos treinta y tantos. Cuenta con más experiencia, más contactos y, lo que es más importante, con una lista de los clientes habituales que solicitan el servicio. Y además ha leído bastante, en concreto sobre la historia culinaria china, lo que la hace muy popular entre los antiguos clientes –explicó Zhang–. Algunos llaman con antelación para concertar una cita con las acompañantes para comidas, y Rong ayuda a concertar los encuentros. En cuanto a los nuevos clientes, no siempre es fácil abordarlos, por lo que su experiencia resulta inestimable. Además, dicen que Rong se había hecho amiga de Qiao.

–Es la persona más indicada para contestar a mis preguntas. Muchísimas gracias, director Zhang.

–Pero tendrá que hacerla hablar. Es todo un personaje.

Peiqin telefoneó a Rong y se presentó como escritora aficionada. Sabiendo como sabía gracias a Zhang que Rong era una experta en cocina china, Peiqin la invitó a comer en el Pabellón de Otoño, un restaurante célebre por su marisco fresco. Zhang debía de conocer bien a Rong, ya que ésta accedió de buena gana.

Rong entró en el Pabellón de Otoño vestida con una chaqueta blanca y vaqueros. Era una mujer alta y esbelta que no llevaba maquillaje ni joyas, por lo que no se la reconocía fácilmente como una acompañante para comidas. Tras elegir mesa en un rincón tranquilo, Peiqin le explicó lo que necesitaba: además de una introducción a la tradición culinaria china, le gustaría conocer algunos datos sobre Qiao, para poder escribir un relato corto sobre ella. No le fue demasiado difícil hacerse pasar por escritora novel y salpicar la conversación con citas populares, pero se preguntó si Rong realmente la creía.

–Es interesante –observó Rong–. Hoy en día muy pocos quieren ser escritores. Te arrastras sobre el papel durante meses, y con lo que ganas apenas puedes pagarte una comida.

–Lo sé. Pero llevo más de diez años trabajando en un restaurante. Tengo que hacer algo distinto además de ocuparme de las tres comidas diarias.

–Puede que tenga razón. Ya que somos casi colegas, no tiene por qué pedir los platos caros que pediría un «bolsillos llenos» –sugirió Rong con voz rasposa, mientras cogía la carta–. Lonchas de raíces de loto rellenas de arroz glutinoso, pollo de crianza propia regado con vino amarillo Shaoxin y lubina viva cubierta con láminas de cebolla y de jengibre. Con esto bastará.

–¿Y qué quiere tomar de aperitivo?

–Pidamos un par de ostras fritas. Voy a ir al Río Ming esta noche, ¿sabe? Estamos aquí para hablar.

–Estupendo –contestó Peiqin, aliviada de que Rong no se comportara como una acompañante para comidas con ella–. ¿Cuánto tiempo hace que conocía a Qiao?

–No mucho. Desde que vino a trabajar al Río Ming. Hará un año, creo.

–Según Zhang, usted fue muy amable con ella y le brindó su amistad, así que sabrá muchas cosas sobre Qiao.

–No, la verdad es que no. En nuestro trabajo, la gente no suele preguntar ni responder. Qiao era joven e inexperta, por eso le hice algunas sugerencias. Ahora que está muerta no debería hablar de ella, incluso si supiera algo.

–Lo que me cuente será sólo para ambientar el relato. No aparecerán los nombres auténticos de nadie. Le doy mi palabra, Rong.

–Entonces, ¿el relato no tiene por qué tratar sobre ella?

–No, no necesariamente. –Peiqin comprendió sus reservas, porque cualquiera podía vender la información sobre Qiao a una publicación sensacionalista–. Zhang me conoce bien. De no ser así no me habría dado su nombre. Sólo necesito estos datos para mi relato de ficción.

–Bien, pues ahora le contaré otro relato de ficción –dijo Rong, apurando su taza de un sorbo y sosteniendo una ostra dorada entre los dedos–, pero con información auténtica sobre nuestra profesión. No le diré el nombre de la chica. Si sólo es para un relato, no tiene que tomárselo demasiado en serio.

Rong actuó con inteligencia al recalcar que se trataba de una historia ficticia; así no tenía por qué responsabilizarse de lo que fuera a decir.

–Nació a principios de los setenta –comenzó a explicar Rong, mientras mordisqueaba la ostra frita–. La máxima que reza «la belleza no es comestible» era una de las preferidas de sus padres. En la pared que había tras su cuna colgaron un póster de la «chica de hierro» del presidente Mao: una joven alta y robusta, con los músculos tan duros como el hierro. Cuando la gente tiene problemas para conseguir comida, la belleza es como la imagen de un pastel. En la escuela primaria la niña dibujó un espléndido restaurante como su hogar ideal, un hogar en el que no entraría hasta cumplir los quince años.

»Su belleza alcanzó la plenitud a mediados de los ochenta. Aunque la máxima de sus padres ya no pudiera aplicarse a todo el mundo, aún resultaba relevante en su caso. En una época caracterizada por la necesidad de establecer contactos, ser bella no bastaba para convertirse en modelo o en estrella, y ella no tenía contactos. Para una muchacha de una familia obrera normal y corriente, un empleo en una fábrica estatal estaba considerado una ocupación estable de por vida, lo que en China se denominaba un «cuenco de hierro». Así que, después de acabar la escuela secundaria, la muchacha empezó a trabajar en una fábrica textil, empleo que consiguió cuando su madre se jubiló de forma anticipada.

»Allí, su belleza no le servía de nada. Trabajaba tres turnos, arrastrando sus pies cansados alrededor de las lanzaderas, de aquí para allá, como una mosca que vuela en círculos. Al volver a casa se sacaba los zapatos y se tocaba las plantas de los pies, llenas de callos. Mientras contemplaba por la ventana los pelados brotes de sauce, sacudidos por el viento otoñal, la muchacha pensaba siempre en lo mismo: una obrera textil envejece rápidamente. "Pronto, el esplendor primaveral desaparece / de la flor. Es imposible detener / la fría lluvia y el viento sibilante."

»Pero aquélla fue también la época en que la situación empezó a cambiar: Deng Xiaping había emprendido la reforma de China. Qiao comenzó a albergar sueños inimaginables para sus padres. Al hojear las revistas de moda, no podía evitar sentirse excluida. Según las descripciones de las casamenteras del barrio, ella embellecía la ropa que llevaba puesta, y no a la inversa.

»Así que tomó una decisión: aprovecharía su juventud al máximo. Ideó un plan rebuscado, basado en las convenciones del cortejo en Shanghai. Los jóvenes solían salir a cenar en sus primeras citas. El gasto variaba según el dinero de que dispusiera él, o el glamur que exhibiera ella. Como dice el refrán, la sonrisa de una beldad vale mil piezas de oro, sobre todo en el inicio de una posible relación amorosa. El hombre sería tan generoso con su dinero como un cocinero de Sichuan con la pimienta negra. Cuando la relación se volviera más estable, una muchacha de Shanghai instaría a su amante a ahorrar pensando en su futuro común. A veces puede que salieran a cenar a un restaurante bueno pero barato, como el que servía bollos rellenos de sopa al estilo de Nanxiang en el mercado del Templo del Dios de la Ciudad Antigua. Allí harían cola durante dos horas sin quejarse, esperando a que llegara su turno para saborear los tan celebrados bollos. Una muchacha obrera sólo podía disfrutar de la vida durante un periodo muy breve, se dijo la protagonista de nuestra historia.

»A su madre le preocupaba que no diera muestras de querer sentar la cabeza. "Aún no estoy lista", le dijo a su madre, "para hacinarme con mi familia en una habitación de nueve metros cuadrados, con un bebé que llora, un wok que humea, pañales que gotean y paredes que se desconchan como sueños irrecuperables. No, no me apetece en absoluto. Acabaré casándome como todo el mundo, pero primero déjame disfrutar un poco de la vida."

»Y disfrutó acudiendo a esas citas en restaurantes, donde exigía a sus acompañantes que le pagaran platos y vinos caros. La cuenta cortaba como un cuchillo afilado, pero si el hombre se estremecía al verla, era su problema. Sus relaciones con ellos solían ser breves y agradables. Bueno, siempre eran breves, aunque no tan agradables cuando él ya no podía permitirse su compañía. La muchacha solía pedir ternera con salsa de ostras en el restaurante Xingya, pato asado de Pekín en el Pabellón Yanyun, carne de cangrejo al horno con queso en la Casa Roja, manzana dulce hilada en el hotel Kaifu, cohombro de mar con ovarios de gamba en la Casa Vieja de Shanghai, etcétera.

»Su quinto pretendiente, al parecer un tipo adinerado de Hong Kong, pudo permitirse llevarla a un restaurante tras otro. Al cabo de dos meses, sin embargo, él también dejó de aparecer frente al hotel Cathay. Ella quedó un poco decepcionada, pero a la semana siguiente conoció a su sexto pretendiente en el restaurante Cazuela Caliente y Picante, donde pudo saborear lonchas de cordero, ternera, anguila, gamba y todo tipo de exquisiteces imaginables mezcladas en una cazuela de humeante caldo de pollo. “El brote de bambú de primavera tiene una forma preciosa”, dijo, tomando uno con sus palillos. “Igual que tus dedos”, le respondió el hombre neciamente, cogiéndole la otra mano. Ella no la apartó. Después de todo, el tipo se había gastado un dineral en las comidas. Al mes siguiente, conoció a su séptima pareja en el Pabellón Yangzhou, donde ambos se comportaron como dos tortolitos frente a una tortuga al vapor con azúcar glas y jamón, una celebrada especialidad que supuestamente aumentaba la energía sexual. Ella sonrió, poniendo un trozo de carne de tortuga en el plato de él y metiéndose otro en la boca.

»No tardó en surgir problemas en el círculo en el que se había movido. Todos esos hombres que le habían presentado sus vecinos o sus colegas procedían de la misma clase social. Ninguno podía colmar sus expectativas. Uno de ellos vendió su sangre, según se dijo, antes de quedar con ella por última vez en el restaurante Tierra Roja.

»“No es culpa mía”, se defendió ella. “No tienen por qué pegárseme de esta forma. ¿Por qué son tan caros esos restaurantes? Por su calidad. ¿Por qué me eligen a mí? Por mi belleza. No salgo a comer únicamente por el sabor de la comida. En una fábrica, frente a una máquina, soy como un tornillo, siempre fijo allí, sin lustre, sin vida. En un restaurante de lujo soy un ser humano, una auténtica mujer a la que sirven y miman.”

»Puesto que empezaron a aparecer hoteles y restaurantes lujosos como brotes de bambú después de la lluvia primaveral, y puesto que las chicas jóvenes y guapas pululaban por esos locales como hierbas silvestres (chicas de triple alterne), ella no tardó en tomar otra decisión. Era atractiva, sabía mucho de gastronomía y, como acompañante para comidas, su compañía en la mesa resultaba deseable. Además, podría conocer, en una de esas cenas de “bolsillos llenos”, a su futuro marido “tortuga de oro”, en lugar de esperar a que las casamenteras le presentaran a otros hombres incapaces de pagar la cuenta.

»Resultó ser una profesión muy lucrativa. Pedir vino Huadiao de diez años o las especialidades secretas del chef, como tigre que lucha contra dragones (con carne de gato y de serpiente en la cazuela, ya sabe) o abulón con aleta de tiburón, le reportaba una comisión considerable. Si el cliente deseaba algún servicio adicional, se podía discutir. No tardó en "ir a la deriva con las olas y las corrientes".

»Una noche, después de una cena ligera con un cliente japonés, nuestra protagonista lo acompañó a un hotel de cinco estrellas, donde disfrutó por primera vez de sushi y de sake tras llamar al servicio de habitaciones. Para complacerlo, se puso un kimono japonés y se arrodilló sobre un almohadón blando hasta quedarse tan rígida como una flor de loto de plástico cortado. Después de tres tazas de sake, sin embargo, comenzó a creer que florecía como una fragante flor nocturna, henchida por el orgullo de saber que la comida había costado miles de yuanes. Más tarde, el hombre le pidió que se duchara, que se tendiera sobre la alfombra y que se untara *wasabi* en los dedos de los pies. El japonés se los metió uno a uno en la boca, los chupó como un niño de pecho y afirmó que eran más deliciosos que el sushi de salmón. Entonces comenzó a untar la mostaza verde por el cuerpo de la muchacha, mientras ella se reía y soltaba gritos ahogados por las cosquillas. Él juró por el nombre de su madre que el "banquete del cuerpo femenino" estaba basado en una antigua tradición gastronómica japonesa. Borracha, se perdió los detalles del "festín sensual". A la mañana siguiente, cuando él le ofreció dinero, ella lo rechazó. Su abuelo había muerto en la guerra contra los japoneses, recordó de pronto. En vez de aceptar el dinero, cogió vales de restaurante del hotel por el mismo importe.

»Al salir del hotel de cinco estrellas, sintiéndose aún como si caminara sobre las nubes y la lluvia de la noche anterior, la metieron por la fuerza en el interior de un coche de policía. Por aquel entonces era ilegal acostarse con un extranjero. La soltaron tres días después porque no tenía antecedentes, y porque no le encontraron yuanes japoneses encima. Con todo, este incidente supuso una inmensa humillación, así como un claro "error político", aunque ella intentó mantener su dignidad mientras mostraba la carta del servicio de habitaciones y los vales del restaurante a sus compañeras.

»Todo esto sucedió en una época en la que la industria textil de la ciudad ya empezaba a decaer. Shanghai, que antes fuera un centro industrial, se estaba convirtiendo en un centro financiero. Mientras se erigían nuevos rascacielos, las antiguas fábricas cerraban. El director de la fábrica donde trabajaba ella aprovechó la oportunidad para despedirla diciéndole: "Se ha buscado el despido por culpa de los restaurantes".

»Así que se convirtió en una acompañante para comidas a tiempo completo.

Después de hacer una pausa, Rong sorbió con parsimonia un poco de vino, que resplandecía en la copa de cristal tallado como un sueño perdido. A continuación recitó los primeros versos de un poema.

> Los recuerdos de las lágrimas rojas como el colorete,
> de la noche entre copas...
> ¿Cuándo volverá a suceder todo aquello?
> La vida es larga en desventuras
> como el agua que fluye y fluye hacia el este.

Los versos le sonaban. Al parecer, Rong había llegado al final de su narración. Peiqin estaba decepcionada. Tan sólo había relatado la transformación de una chica corriente en una acompañante para comidas. También se preguntó si en cierto modo sería autobiográfica, mientras estudiaba la expresión de su interlocutora.

El camarero se acercó con pasos rápidos portando una gran bandeja de pescado. Quizá fuera el último plato.

–Fíjese en el pescado –comentó Rong, levantando los palillos–. Los ojos aún dan vueltas.

La lubina, cubierta de salsa marrón, tenía la cola dorada y parecía estar bien frita. El camarero utilizó una cuchara larga para servir un filete blanco. La carne de la lubina estaba muy tierna, pero sus ojos parecían parpadear aún.

–Hay una receta especial para cocinar este pescado. Se meten cubitos de hielo en la boca del pez vivo, se fríe en un wok grande sin que el aceite que chisporrotea le cubra los ojos, se saca en menos de un minuto, se coloca en una bandeja y se cubre con una salsa especial. Cada paso tiene que ser preciso y rápido. Luego se sirve muy caliente. Por eso el camarero salió a toda prisa de la cocina.

Así demostró Rong sus conocimientos culinarios, y Peiqin supo de una receta que también podría incluirse en un relato, aunque no era lo que quería saber en realidad.

–Muchísimas gracias, Rong. Es una buena historia –afirmó Peiqin, intentando reconducir la conversación–. Sigo conmocionada por lo que le ha sucedido a Qiao. ¿Cómo es posible que una chica como ella tuviera un final tan trágico?

–Nunca se sabe cómo es en realidad un cliente –contestó Rong, mirando a Peiqin a los ojos–. No estamos hablando de Qiao, ¿verdad?

–No. Sólo la he mencionado como ejemplo.

–No tengo ni idea de lo que le sucedió a Qiao. Nunca había pasado algo así.

–¿Es posible que tuviera enemigos a causa de los servicios que prestaba?

–No, no que yo sepa. De hecho, de los tres tipos de chicas acompañantes, una acompañante para comidas es la que tiene menos probabilidades de meterse en problemas –afirmó Rong–. No es como en un club de karaoke, donde el precio de un reservado puede ser un auténtico timo. Muchos extras no están incluidos, y no sabes el precio hasta que te dan la cuenta. Aquí, todos los precios están impresos en la carta. No quedas mal si dices que no te gusta un plato determinado. Yo he sugerido una especialidad de la casa llamada sesos de mono vivo, por ejemplo, a quién sabe cuántos clientes, pero ninguno lo ha pedido. No les guardo rencor. Es demasiado cruel: un cocinero le corta el cráneo rapado a un mono con una sierra y le saca los sesos con un cucharón delante de los comensales, mientras el mono no deja de forcejear y de chillar de dolor.

–Volviendo a Qiao –interrumpió Peiqin–, ¿estuvieron juntas la noche en que desapareció?

–No. Tenía que venir a trabajar aquella noche, pero no lo hizo.

–¿Podría haber ido a otro restaurante?

–No, no lo creo. La competencia es feroz en todas partes. También entre las chicas. La mayoría prefiere ir a un restaurante en concreto, y de forma más o menos organizada. Para serle sincera, así es como las he ayudado a veces. Las cosas pueden complicarse mucho. Estas chicas tienen que tratar con el dueño del restaurante y con los camareros para dividirse las ganancias; con la oficina de gestión comercial de la zona para obtener una licencia comercial; con los gángsteres para recibir su supuesta protección; y también con los polis, que podrían ponerles las cosas difíciles. Así que si una de estas chicas se presentara en un sitio nuevo sola, puede que los camareros o los gángsteres la echaran, si no la habían echado ya las otras chicas. Es su territorio. También podría meterse en líos de cualquier otro tipo.

–Entonces usted no cree que cayera en manos del asesino mientras prestaba sus servicios.

–No, no en nuestro restaurante.

–Otra pregunta, Rong. ¿Qiao tenía novio?

–No. Para una chica que se dedica a este negocio no es fácil mantener una relación estable. ¿Qué pensaría su novio, como hombre? Ella tendría que mentirle sobre su profesión, y este juego nunca dura demasiado. Cuando las parejas lo descubren todo se acaba, les hiere su ego masculino.

–¿Le contó Qiao sus planes para el futuro?

–Dijo que estaba ahorrando para comprar una floristería, no quería trabajar de acompañante para comidas toda la vida. –Luego añadió–: Dijo que no iba a pensar en nada más antes de comprar la floristería.

–¿Y qué opina usted sobre el caso?

–Tal vez el asesino la conoció en el restaurante, consiguió su número de teléfono y la llamó para pedirle una cita días después. Por otro lado, puede que la muerte de Qiao no guardara relación con su trabajo.

–Eso es cierto.

–No será policía, ¿verdad, Peiqin?

–No, no soy policía –respondió Peiqin–. He trabajado en el Cuatro Mares desde que volví de Yunnan. Nuestro restaurante estatal ha perdido dinero, y el chef cree que deberíamos gestionarlo como un restaurante de lujo, ofreciendo servicios que estén de moda. Usted podría aconsejarnos.

Tal afirmación era cierta: Rong podría serles de gran ayuda. No necesariamente para incluir los servicios de chicas de triple alterne, unos servicios que Peiqin aún no quería contemplar.

–Ahora que hablamos de esto, Peiqin –dijo Rong–, puede que algo me llamara la atención; sobre Qiao, quiero decir. Tres o cuatro días antes de aquella noche fatídica, un cliente llegó solo al Río Ming. No parecía de los que solicitan los servicios de una acompañante, por lo que no le presté ninguna atención. Se dirigió a un camarero para pedir la compañía de una chica y Qiao fue hasta su mesa. No pasó nada esa noche.

–¿Podría describirme a ese hombre?

–Si aún lo recuerdo es porque no se parecía en nada a todos esos advenedizos. Diría que era un caballero. De estatura media. Ah, y una cosa más, quizá. Llevaba gafas con cristales color ámbar. No eran gafas de sol, exactamente. De todos modos, no es habitual que alguien lleve ese tipo de gafas en invierno.

–¿Le contó algo Qiao después?

–No. Trabajó hasta muy tarde. Aquella noche la esperaba otro cliente.

–¿Qiao tenía móvil?

–No, no que yo sepa. Ni tampoco tenía teléfono en casa. Si necesitaba ponerme en contacto con ella, llamaba a su vecina del tercer piso. No había demasiada gente que conociera ese número –añadió Rong, sonriendo mientras se levantaba–. Creo que ya va siendo hora de que empiece a prepararme para esta noche. Puede que también me ponga un vestido mandarín. Hace calor.

12

A primera hora de la mañana Chen recibió en su domicilio un montón de periódicos enviados por correo urgente desde el Departamento, junto a los últimos informes sobre el caso y las cintas de los interrogatorios de Yu.

En lugar de abrir la compilación de relatos de las dinastías Song y Ming, como había planeado la noche anterior, Chen empezó a estudiar el material que le había preparado Yu tras envolverse en un albornoz y reclinarse contra la cabecera de la cama.

Una taza de té frío, casi negro, reposaba sobre la mesa desde la noche anterior. Se supone que nadie debería beberse el té de la noche anterior, pero Chen se lo bebió.

Poco después recibió un segundo envío. Un paquete de libros de la Biblioteca de Shanghai, la mayoría sobre psicología.

En sus años de universidad, Chen leyó algunos textos sobre esta materia, en concreto de Freud y de Jung, para su asignatura de crítica literaria. Ahora se sintió aliviado al descubrir que aún comprendía aquellos términos psicológicos. «Inconsciente colectivo», por ejemplo, le vino de repente a la memoria. Puede que hubiera existido algo parecido a un inconsciente colectivo, cayó en la cuenta, detrás del enfoque deconstructivo de aquellas historias de amor.

¿O detrás del mensaje reconstructivo, si podía denominarlo así, también en el caso del vestido mandarín rojo?

Durante muchos años después de 1949, los problemas psicológicos no se reconocieron en la China socialista. Se suponía que los chinos no tenían problemas, ni psicológicos ni de ningún otro tipo, siempre que siguieran las enseñanzas del presidente Mao. Si admitían tenerlos, los obligaban a cambiar de opinión destinándolos a trabajos forzados. La psicología estaba considerada poco menos que una ciencia falaz. El psicoanálisis ni siquiera existía como tratamiento terapéutico, y era poco sensato acudir a un psicoanalista, si es que había alguno disponible, porque revelar los problemas personales podría convertirse en prueba irrefutable de un «delito político» grave. En años recientes habían reintroducido gradualmente la psicología y, en cierto modo, la habían rehabilitado, pero la mayoría de la gente continuaba mostrándose recelosa. Los problemas psicológicos aún podían acabar convirtiéndose en problemas políticos.

Por consiguiente, en el Departamento se consideraba poco ortodoxo cualquier enfoque psicológico. El subinspector Yu también tenía sus reservas. Creía que una explicación psicológica podría ser útil tras la conclusión de un caso, pero no en plena investigación.

Chen comenzó a leer los informes de Yu con gran atención.

Yu y Liao habían tenido bastantes enfrentamientos. Dejando a un lado la prolongada rivalidad entre las dos brigadas, Liao no aprobaba que Yu centrara la investigación en Jazmín. A su modo de ver, la brigada de homicidios había investigado a fondo todas las pistas. El asesino era un chiflado que elegía a sus víctimas al azar, y sería una pérdida de tiempo buscar una explicación racional.

Pero en el *go,* el ajedrez chino, un jugador experimentado es capaz de aprovechar instintivamente cualquier oportunidad que se le presente en el tablero. Una pequeña pieza blanca o negra, en una posición marginal, apenas importante por sí misma, puede entrañar la posibilidad de cambiar las tornas. Yu acertaba con sus presentimientos en el tablero de *go.* Y también en sus investigaciones.

Después del primer interrogatorio a Weng en el hotel, Yu había continuado investigando en esa dirección. Corroboró los datos sobre Weng en otros lugares, incluyendo el aeropuerto. La fecha de entrada era correcta, pero el subinspector hizo un descubrimiento inesperado al investigar la declaración de aduanas de

Weng. En el formulario, Weng había puesto una cruz en la casilla de «casado». Este dato hacía necesario un segundo interrogatorio.

Chen introdujo la segunda cinta de interrogatorios en el reproductor. Tras saltarse las preguntas preliminares, pasó a la parte en que Yu interrogaba a Weng acerca de su relación con Jazmín aludiendo al estado civil de él.

WENG: Cuando la conocí, aún estaba casado, pero ya me había separado de mi mujer. Estaba esperando a que el divorcio fuera definitivo. Jazmín también lo sabía, aunque puede que al principio no lo supiera.

YU: ¿Se disgustó al descubrirlo?

WENG: Creo que sí, pero también se sintió aliviada.

YU: ¿Por qué?

WENG: Intenté abrir un negocio de antigüedades propio. Gracias a mis estudios de antropología, pensé que lo haría mucho mejor que esos mercachifles de tres al cuarto, sobre todo porque el mercado en China es enorme hoy en día. Quería que Jazmín se mudara a Estados Unidos, donde podría ayudarme a llevar una tienda. Me planteé ingresar a su padre en una residencia de ancianos aquí. Pero Jazmín no parecía tener ninguna prisa en irse, porque su padre la preocupaba. De hecho, todo se podría haber resuelto en un par de semanas. Qué mala suerte tuvo. ¡Es como si estuviera maldita!

YU: Cuando habla de su mala suerte, ¿a qué se refiere?

WENG: Le pasaron muchas cosas malas. Totalmente inexplicables. Por no mencionar lo que le pasó a su padre...

YU: Bien, hábleme primero de su padre. Así tendremos la historia completa, empezando por la infancia de Jazmín.

WENG: Tian perteneció a los Rebeldes Obreros durante la Revolución Cultural. No era un hombre agradable, de eso no hay duda. Recibió su castigo por lo que había hecho en el pasado y lo condenaron a dos o tres años de cárcel. Se lo merecía, pero después de su puesta en libertad, la mala suerte lo persiguió como si fuera su sombra.

YU: Karma, en palabras de sus vecinos.

WENG: Karma, quizá, pero hubo muchos Guardias Rojos y muchos Rebeldes Obreros en aquellos años. ¿Cuántos recibieron su castigo realmente? Sólo Tian, por lo que sé. Su divorcio, la pérdida de su trabajo, los años de cárcel, su fracaso en los negocios de restauración y finalmente la parálisis...

YU: No tan deprisa, Weng. Deme detalles...

WENG: Después de la Revolución Cultural, la mujer de Tian recibió llamadas anónimas sobre los líos de su marido con otras mujeres. Fue la gota que colmó el vaso de su matrimonio y se divorció de él. Está claro que no era un marido ideal, pero nunca se demostró que tuviera líos de faldas, y nadie supo quién hizo las llamadas. A continuación la fábrica en la que trabajaba recibió presiones de las altas esferas y lo despidieron. Y además lo condenaron. Lo que le pasó entonces a su ex mujer fue aún más increíble. Ya divorciada, con treinta y pocos años, empezó a salir con otro hombre. Pronto aparecieron fotos de ella acostándose con él. Esto pasó a principios de los ochenta y fue un auténtico escándalo. La ex esposa de Tian se suicidó, y Jazmín volvió a vivir con su padre. Tian pidió un préstamo para montar un pequeño restaurante, pero en menos de un mes varios de sus clientes sufrieron una intoxicación. Lo demandaron con ayuda de un abogado, y Tian acabó arruinado.

YU: Qué raro. En aquella época, muy poca gente habría puesto una demanda por algo así.

WENG: ¿Sabe cómo se quedó paralítico Tian?

YU: Por un ataque de apoplejía, supongo.

WENG: Estaba tan desesperado que intentó mejorar su suerte en una mesa de *mahjong*. Y lo pilló el policía de barrio la segunda vez que se sentó a la mesa. Una multa elevada y una reprimenda. Lo atacaron allí mismo.

YU: Mal karma, desde luego. ¿Y qué hay de la mala suerte de Jazmín?

WENG: Todo esto fue muy difícil para una niña pequeña, pero resultó ser muy buena alumna. Sin embargo, el día de su examen de acceso a la universidad la atropelló un ciclista. No sufrió heridas graves, y le dijo al ciclista que no se preocupara, pero él insistió en llevarla al hospital para que la examinaran. Cuando acabó la revisión, ya se había perdido el examen.

YU: Fue un accidente. Cualquier ciclista responsable habría hecho lo mismo.

WENG: Quizá. Pero ¿qué me dice de su primer trabajo?

YU: ¿Qué pasó?

WENG: Jazmín no podía permitirse esperar a examinarse al año siguiente, así que empezó a trabajar de vendedora para una compañía de seguros. No era un mal trabajo, y podía cobrar unas comisiones considerables. Los seguros eran entonces algo nuevo en la ciudad. Durante su tercer o cuarto mes en el trabajo, sin embargo, su jefe recibió una carta anónima con quejas sobre su «estilo de vida promiscuo y sus trucos vergonzosos» para vender pólizas de seguros. Su jefe no quería que la imagen de la empresa se viera afectada por un escándalo, así que la despidió.

YU: Bueno, ésa es la versión de Jazmín.

WENG: No tiene sentido inventarse cosas así. Nunca le pregunté nada acerca de su pasado.

YU: ¿Hizo ella algún comentario sobre su mala suerte?

WENG: Parecía haber vivido siempre a su sombra. Incluso llegó a creer que había nacido bajo el influjo de una estrella funesta. Solicitó otros empleos, pero no tuvo éxito hasta que vino a este hotel de mala muerte, donde aceptó un trabajo sin ningún porvenir.

YU: ¿Cómo es que le contó todo esto?

WENG: Tenía cierto complejo de inferioridad. Cuando empezamos a salir y yo le hablaba acerca de nuestro futuro, casi no se creía que su vida pudiera cambiar. De no haber sido por el incidente en el ascensor, nunca habría aceptado salir conmigo. Era un poco supersticiosa, y creyó que ese incidente era una señal. Después de haber tenido tan mala suerte en su corta vida, es fácil de entender.

YU: Una pregunta más. ¿Cuándo planeaba casarse con ella?

WENG: No habíamos fijado la fecha exacta, pero acordamos que sería lo antes posible, después de mi divorcio...

Chen avanzó la cinta hacia el final, pero Yu no había incluido ningún comentario, como hiciera en otras ocasiones. Ni tampoco en el informe escrito.

Chen se levantó para prepararse una taza de café. Aquella mañana hacía mucho frío. Al otro lado de la ventana, una hoja amarilla se desprendió finalmente de la rama, temblando, como en un relato que había leído mucho tiempo atrás.

Volvió a la cama, tras depositar la taza de café sobre la mesilla de noche, y se puso a tamborilear con los dedos en el reproductor.

Chen podía imaginarse a Yu tamborileando a su vez en el tablero de *go* y debatiéndose para decidir cuál sería su primera jugada, que no acababa de entrever, aún no.

Chen recordó de repente la afirmación de Weng sobre la maldición de Jazmín.

Si bien Tian merecía el castigo, la mayoría de gente como Tian no fue castigada después de la Revolución Cultural, y el retrato del presidente Mao continuó colgado en la puerta de Tiananmen. Como reza un proverbio chino, matar a un mono equivale a asustar a las gallinas, y Tian resultó ser el mono. Ésa fue quizá su mala suerte.

¿Y qué sucedió con Jazmín? El incidente de la bicicleta podría haber sido un accidente. Las cartas anónimas, sin embargo, fueron demasiado lejos. Sólo tenía diecisiete o dieciocho años. ¿Cómo podían haberla odiado tanto?

Sonó el móvil, interrumpiendo los sombríos pensamientos de aquella mañana no menos sombría.

–Quedemos para comer en el Mercado del Templo del Dios de la Ciudad Antigua –propuso Nube Blanca, cuya voz sonaba muy cercana–. Sé que te gustan los bollitos de sopa que sirven allí.

Puede que tomarse un respiro fuera una buena idea. Hablar con ella podría inspirarlo, para su trabajo de literatura y para el caso.

–Allí hay varias boutiques que venden vestidos mandarines –siguió diciendo Nube Blanca antes de que Chen respondiera–. De muchos tipos. No son de buena calidad, pero están de moda, y algunos están de moda por cuestiones nostálgicas.

Este detalle acabó de convencerlo.

–Quedemos en el restaurante Bollo de Sopa de Nanxiang.

Iba a encontrarse con ella para que lo ayudara con la investigación, se dijo. Nube Blanca podría hacer las veces de asesora de moda en un estudio de campo, aunque ello le hacía sentirse un poco incómodo.

¿Se debía su incomodidad al concepto de mujer fatal que había estado estudiando para su trabajo de literatura? Parecía existir un extraño paralelismo con el relato que acababa de leer. Según un crítico, en «La historia de Yingying», Yingying era en realidad una mujer de reputación dudosa, como una chica K en la sociedad actual.

Chen comenzó a arreglarse para salir a comer.

Al cabo de unos veinte minutos ya se encontraba bajo el conocido arco de entrada del Mercado del Templo del Dios de la Ciudad Antigua.

Para la mayoría de habitantes de Shanghai el templo no era una atracción en sí mismo sino, simplemente, el nombre del cercano mercado de productos locales, compuesto en su origen por puestos instalados durante las festividades del templo. Para Chen, el atractivo del lugar se debía a esos puestos de comida, donde se vendían platos baratos aunque únicos en cuanto a sabores, como la sopa de sangre de pollo y de pato, los bollos de sopa servidos en pequeñas vaporeras, los pastelillos de rábanos rallados, las bolas de masa con gambas y carne, la sopa de fideos con ternera, el tofu frito con fideos finos... Esos platos que tanto le habían gustado en los tiempos en que la sociedad aún era igualitaria, cuando todo el mundo ganaba poco y disfrutaba de comidas sencillas.

Las cosas también estaban cambiando aquí. Un nuevo rascacielos se elevaba por detrás del Jardín Yu, que originalmente fue el jardín del alcalde de Shanghai en la antigua dinastía

Qing. El edificio estaba construido al estilo tradicional del sur, con grutas y pabellones antiguos. Durante la infancia de Chen sus padres solían llevarlo a ese jardín porque no podían pagar el viaje a Suzhou y Hangzhou.

Dejando atrás el jardín, Chen se dirigió a buen paso hasta el Puente de las Nueve Curvas. Supuestamente, estas nueve curvas impedían que los espíritus malignos pudieran encontrar su camino. Una pareja de ancianos lanzaba migas desde el puente a las carpas doradas, invisibles en el estanque. Los ancianos lo saludaron con la cabeza. Hacía demasiado frío para que los peces salieran a la superficie, pero los ancianos permanecían allí de pie, esperando. La última curva del puente lo condujo al restaurante Bollo de Sopa de Nanxiang.

La primera planta del restaurante no parecía haber cambiado demasiado: una larga hilera de clientes esperaban su turno para entrar. Durante la espera, observaban a través de la gran ventana de la cocina una escena que siempre resultaba entretenida. Los ayudantes de cocina extraían la carne de cangrejo con habilidad y la colocaban sobre una larga mesa de madera para mezclarla con carne picada de cerdo. Chen subió por las serpenteantes escaleras hasta la segunda planta, que estaba muy llena pese a que allí todo costaba el doble. Así que subió otro tramo de escaleras hasta la tercera planta, que cobraba el triple por los mismos bollos de sopa. Las mesas y las sillas eran de caoba de imitación y no demasiado cómodas, pero al menos no había demasiada gente. Chen se sentó a una mesa con vistas al lago.

Mientras se acercaba un camarero para servirle una taza de té, Chen vio a Nube Blanca subiendo por las escaleras. La joven, alta y esbelta, llevaba un abrigo blanco de piel sintética y zapatos de tacón. Al ayudarla a sacarse el abrigo, Chen vio que se había puesto un vestido mandarín rosa modificado que dejaba la espalda al descubierto. El vestido le quedaba muy bien y acentuaba sus curvas. De nuevo recordó la famosa frase de Confucio: «Una mujer se embellece para el hombre que sabe apreciarla».

–Apareces flotando como una nube matutina –comentó Chen antes de pedir cuatro vaporeras con bollos de sopa rellenos de carne picada de cangrejo y de cerdo. El camarero le tomó nota mientras miraba de reojo a Nube Blanca.

–Hoy tienes bastante apetito –dijo ella, colocando sobre la mesa un bolso de seda rosa que hacía juego con el color de su vestido.

–«Una beldad tan deliciosa que la gente quiere devorarla» –respondió Chen, citando a Confucio.

–Estás muy romántico.

Nube Blanca abrió un paquetito con una bola de algodón empapada en alcohol que llevaba en el bolso. Primero limpió los palillos del inspector, y después los suyos. El Nanxiang era uno de los pocos restaurantes de Shanghai que aún se resistían a usar palillos desechables.

–Nostálgico, quizá –respondió Chen, sumergiendo las rodajas de jengibre en platillos con vinagre. Uno de los platillos, mellado como en los viejos tiempos, le recordó aquella tarde que pasó con su primo Peishan.

A principios de la década de los setenta, Peishan fue uno de los primeros jóvenes con estudios que «viajaron al campo para ser reeducados por los campesinos pobres y de clase media baja». Antes de irse de Shanghai Peishan trajo a Chen a este restaurante, al que, como otros restaurantes de la época, en principio sólo acudía gente trabajadora «de acuerdo con la gloriosa tradición del Partido de vivir de forma simple y de trabajar sin descanso». El disfrute culinario estaba considerado una extravagancia burguesa decadente: la gente debía comer platos sencillos para contribuir a la revolución. Varios restaurantes de lujo tuvieron que cerrar. El Bollo de Sopa de Nanxiang sobrevivió como afortunada excepción gracias a sus precios increíblemente bajos: una vaporera de bambú sólo costaba veinticuatro céntimos, cantidad que cualquier obrero podía permitirse. Aquella tarde, Peishan y Chen esperaron pacientemente casi tres horas a que llegara su turno. Estaban tan hambrientos que no dudaron en pedir una gran cantidad de comida: cuatro vaporeras de bambú para cada uno, después de la larga espera y del comentario sentimental de Peishan: «¿Cuándo, cuándo podré volver a Shanghai? ¿Cuándo volveré a probar los deliciosos bollos rellenos de sopa?».

El primo Peishan no volvió. Mientras estaba en el campo, muy lejos de Shanghai, sufrió una crisis nerviosa y se tiró a un pozo sin agua. Tal vez murió de hambre en su interior.

Han pasado veinte años como en un sueño.
¡Qué sorpresa que aún esté aquí hoy!

Chen decidió no contarle a Nube Blanca este episodio de la Revolución Cultural, que él había recordado con nostalgia teñida de amargura. Nube Blanca pertenecía a otra generación y probablemente no lo entendería.

Pero los bollos de sopa aparecieron y sabían igual que antes: recién hechos, muy calientes en las vaporeras de bambú dorado, con su intensa combinación de sabores de tierra y de río, el óvalo de cangrejo escarlata tan apetecible a la luz de la tarde. El bollo se abrió cuando Chen lo rozó con los labios, y de su interior salió la sopa borboteante, con el delicioso sabor que tanto recordaba.

–Según un libro de gastronomía, la sopa que hay dentro del bollo es en realidad la gelatina de la piel de cerdo mezclada con el relleno. Al colocar la vaporera sobre los fogones, la gelatina se convierte en líquido caliente. Tienes que morder con cuidado, o la sopa saldrá de golpe y te quemará la lengua.

–Ya me lo has contado otras veces –dijo ella sonriendo, mientras mordisqueaba con cuidado antes de sorber la sopa.

–Ah, sí, me trajiste una bolsa llena de bollos durante el proyecto del Nuevo Mundo.

–Fue un placer ser tu pequeña secretaria.

–Hoy tengo que pedirte otro favor –dijo Chen–. Sé que eres experta en informática. ¿Podrías buscarme algo en Internet?

–Claro. Si quieres, también puedo llevar a tu casa el portátil de la señora Gu.

–No, no creo que tenga tiempo –replicó Chen–. Habrás oído hablar sobre el caso del vestido mandarín rojo. ¿Podrías hacer una búsqueda sobre el vestido? Una búsqueda exhaustiva sobre su historia, su evolución y su estilo a lo largo de distintas épocas. Cualquier cosa relacionada directa o indirectamente con un vestido así, no sólo en la actualidad, sino también en los años cincuenta o sesenta.

–Lo haré, no te preocupes –aseguró ella–, pero ¿a qué te refieres con cualquier cosa relacionada directa o indirectamente con el vestido?

–Ojalá pudiera ser más específico, pero digamos que podrías buscar cualquier película o cualquier libro en los que un vestido mandarín desempeñe un papel importante, o a alguna persona conocida por llevarlo o por confeccionarlo, o cualquier comentario o crítica sobre el vestido que resulte relevante. Y, por supuesto, cualquier vestido mandarín que se parezca al que llevaban las víctimas. Y quizá necesite también que me hagas un par de recados.

–Cualquier cosa que me pidas, jefe.

–No te preocupes por los gastos. Este año aún no he gastado una parte del fondo del que puedo disponer como inspector jefe. Si no lo gasto pronto, el Departamento lo reducirá el año que viene.

–¿Entonces no vas a dimitir, inspector jefe Chen?

–Bueno... –Chen no pudo acabar la frase, porque un chorro de sopa atravesó la delgada corteza del bollo pese a sus precauciones. Nube Blanca, siempre tan perspicaz, le dio una servilleta de papel rosa. Ser inspector jefe no estaba tan mal, después de todo. Tenía una «pequeña secretaria» sentada a su lado, como una flor comprensiva.

Al final de la comida, Nube Blanca le pidió un recibo al camarero mientras Chen sacaba la cartera.

–No te preocupes –dijo Chen–. Deja que invite yo. No hace falta pedirle al Gobierno que me lo reembolse.

–Lo sé, pero pido el recibo por el bien del Gobierno.

El camarero le dio dos recibos, uno de cincuenta yuanes y el otro de cien.

–Los ingresos por impuestos de la ciudad aumentaron más de un doscientos por ciento el mes pasado, gracias al recibo oficial recién instaurado que lleva impreso un número de lotería –explicó Nube Blanca mientras rascaba el recibo con una moneda–. ¡Mira! Me traes suerte.

–¿A qué te refieres?

–Diez yuanes. Fíjate en el número de lotería impreso en cada recibo.

–Es una idea novedosa.

–El capitalismo en China no se parece al de ningún otro país del mundo. Aquí lo único que importa es el dinero. En los restaurantes, la gente sólo pedía el recibo cuando se trataba de «gastos socialistas», por lo que la mayoría de restaurantes declaraba pérdidas. Gracias a la idea de la lotería, todo el mundo pide recibo. Se dice que una familia ganó veinte mil yuanes.

Chen también rascó un recibo. No tuvo suerte, aunque no podía quejarse: el cabello de Nube Blanca le rozó la cara cuando ésta se le acercó para comprobar el número en el recibo.

A continuación se dirigieron a las boutiques de ropa oriental repartidas por la parte posterior del mercado. Las pequeñas tiendas, una especie de negocio especializado dirigido a los turistas, exhibían una selección impresionante de vestidos mandarines en sus escaparates. Nube Blanca lo cogió del brazo y lo condujo hasta una de ellas.

–El vestido que investigas está pasado de moda, al contrario de los que puedes ver aquí –afirmó ella, echando un vistazo a su alrededor–. Es un hombre perverso, que humilla a sus víctimas poniéndoles un vestido de este tipo.

–Ah, ¿te refieres al asesino? Explícate un poco mejor.

–Quiere exhibirlas como objetos de sus fantasías sexuales. El suntuoso vestido mandarín, elegante pero erótico, con las aberturas desgarradas y los botones sueltos. He visto varias fotos en los periódicos.

–Hablas como un policía –dijo Chen. Ahora todos los habitantes de la ciudad parecían ansiosos por convertirse en policías, pero ella tenía razón–. Seguro que sabes mucho sobre moda.

–Tengo dos o tres vestidos mandarines. A veces me he tenido que poner uno deprisa y corriendo, pero nunca he rasgado las aberturas.

–Puede que el asesino le hubiera puesto el vestido a la víctima después de muerta, cuando ya tenía el cuerpo rígido y costaba moverle los brazos y las piernas.

–Aun así, no tiene sentido que llevaran las aberturas rasgadas. Te lo pongas como te lo pongas, no lo romperías de esa forma –replicó Nube Blanca, volviéndose hacia él–. ¿Te gustaría hacer un experimento... conmigo?

–¿Un experimento? ¿Cómo?

–Es fácil –explicó la muchacha, descolgando un vestido mandarín escarlata de la percha y arrastrando a Chen hasta el probador. Mientras cerraba la puerta le entregó el vestido–. Pónmelo de cualquier manera, sin miramientos.

Tras quitarse los zapatos de una patada, se sacó el vestido y en menos de un minuto sólo llevaba puestas unas bragas blancas y un sujetador de encaje.

«Todo esto forma parte de mi trabajo», se dijo Chen. Conteniendo la respiración, intentó ponerle el vestido con bastante torpeza.

Nube Blanca permaneció rígida e inmóvil, como una víctima inánime, mientras él la asía con manos bruscas. Su rostro perdió toda expresión y sus miembros dejaron de responder, aunque tenía los pezones visiblemente endurecidos. La muchacha se sonrojó mientras Chen le ponía el vestido a tirones.

Aunque empleó mucha fuerza para ponerle el vestido, las aberturas no se desgarraron.

Chen se fijó en que los labios de Nube Blanca temblaban y perdían color. En el probador no había calefacción. No era nada fácil hacerse pasar por una modelo medio desnuda e inerte durante todo ese rato.

Pero Nube Blanca demostró tener razón. El asesino debió de desgarrar las aberturas adrede. Y ése era un dato importante.

Chen insistió en comprarle el vestido.

–No te lo quites, Nube Blanca. Te sienta de maravilla.

–No tienes por qué comprármelo. Lo has hecho por tu trabajo –replicó ella, sacando una pequeña cámara–. Hazme una foto con el vestido.

Chen se la hizo, tras pedirle que posara frente a la tienda. A continuación le puso el abrigo encima del vestido.

–Gracias –dijo ella un tanto apenada por la despedida–. Ahora tengo que irme a clase.

Después Chen decidió volver andando, al menos durante un rato.

Tuvo que hacer un enorme esfuerzo para olvidar la imagen del cuerpo de Nube Blanca resistiéndose a que le pusiera y le sacara por la fuerza el vestido mandarín. La imagen se superpuso a otra en la que estaba de pie, desnuda, en un reservado del club de karaoke Dinastía, en compañía de otros hombres.

Se avergonzó de sí mismo. Nube Blanca se había ofrecido a interpretar el papel de víctima para ayudarlo en su trabajo policial, pero Chen seguía viéndola como una chica K, e imaginándosela en todo tipo de situaciones, llevara puesto un vestido mandarín o no.

Y esos pensamientos lo excitaban.

Pensó en las historias sobre mujeres descritas como monstruos que son causa de problemas. «La subjetividad existe sólo cuando está sujeta al discurso», una idea extraída de un libro de crítica posmoderna que había leído con la intención de deconstruir todas esas historias de amor clásicas.

Quizá las historias lo habían leído a él.

13

A primera hora de la mañana del viernes apareció el cadáver de otra mujer vestida con un qipao rojo. El cuerpo se encontró en otro lugar público: junto a un bosquecillo de arbustos en el Bund, cerca del cruce de las calles Jiujiang y Zhongshan.

Hacia las cinco de aquella madrugada, Nanhua, un maestro jubilado, iba de camino a una plazoleta llamada Rincón del Taichi, construida sobre un terraplén elevado cercano al cruce. Cuando estaba a punto de subir por los escalones de piedra, Nanhua divisó el cuerpo que yacía al pie del terraplén, parcialmente oculto por los arbustos. El anciano empezó a gritar pidiendo ayuda y se formó un corro de gente a su alrededor. Los periodistas llegaron corriendo desde sus oficinas, situadas cerca de allí. No fue hasta después de que todos hubieran sacado fotografías desde diversos ángulos que a uno de ellos se le ocurrió informar a la policía del hallazgo del cuerpo.

Cuando llegó Yu con sus compañeros, la escena recordaba un mercado de agricultores por la mañana: ruidoso y caótico, lleno de gente que hacía comentarios y comparaciones, como si regatearan con vendedores ambulantes.

La zona, atestada de gente y de tráfico durante toda la noche, era además una de esas «zonas especialmente conflictivas» en las que tanto la policía como los comités vecinales habían aumentado sus patrullas. Que el asesino depositara allí el cuerpo era significativo. Era un mensaje aún más desafiante que los anteriores.

El asesino debió de arrojar el cadáver desde un coche en marcha. Le hubiera sido imposible colocar el cuerpo en alguna posición determinada, tal y como hiciera con anterioridad. Ello explicaba la postura distinta de la tercera víctima.

Yacía boca arriba con un brazo sobre la cabeza, vestida con un qipao idéntico al de las otras, con las aberturas rasgadas y los botones sueltos. Tenía la pierna izquierda doblada con la rodilla hacia arriba, dejando a la vista el vello púbico, muy negro contra los pálidos muslos. Parecía tener poco más de veinte años, aunque iba muy maquillada.

–¡Ese hijo de puta! –maldijo Yu con los dientes apretados, mientras se ponía los guantes y se agachaba junto al cuerpo.

Se trataba de otra muerte por asfixia, como las dos anteriores. Yu calculó que se habría producido hacía aproximadamente unas tres o cuatro horas, a juzgar por la pérdida del color rosáceo en las uñas de las manos y de los pies. Salvo el hecho de que no llevara nada debajo del vestido, no se apreciaban signos externos de abusos sexuales. No se veía semen en los genitales, los muslos o el vello púbico, y no había sangre, suciedad ni restos de piel bajo las uñas. No tenía magulladuras, laceraciones ni mordeduras en los brazos ni en las piernas.

Los policías se ocuparon de recoger todo lo que pudieron encontrar en el lugar en que apareció el cadáver: colillas, botones sueltos, trozos de papel... Dado que la escena del crimen ya estaba muy contaminada, a Yu le pareció un esfuerzo bastante inútil.

Entonces se fijó en que en la planta del pie izquierdo de la víctima había una fibra de color claro pegada. Puede que fuera de sus calcetines, o quizá se le había pegado mientras andaba descalza por alguna parte. Yu se agachó para cogerla y la metió en un sobre de plástico.

Después se levantó. Un viento helado soplaba desde el río en ráfagas ululantes. El gran reloj en lo alto de la Aduana comenzó a sonar. La misma melodía, idéntica año tras año, reverberó contra el cielo gris, ajena a la pérdida irreversible de una vida joven aquella misma mañana.

Yu sabía que debía volver al Departamento, así que dejó que sus compañeros inspeccionaran la zona.

El Departamento de Policía de Shanghai también parecía temblar por el frío viento matutino. Incluso el portero jubilado al que habían vuelto a contratar, el camarada Viejo Liang, estaba de pie sacudiendo la cabeza, como una planta indefensa congelada durante la noche.

El Departamento comenzó a recibir una avalancha de llamadas: del Gobierno municipal, de los medios de comunicación, de los ciudadanos... Todos se quejaban de que el asesino en serie aún anduviera suelto, desafiando abiertamente a la policía de la ciudad.

El hecho de que ya se hubieran cometido dos crímenes, y de que probablemente volviera a suceder, supuso un golpe terrible para la policía. Tres víctimas en tres semanas, y dado que la investigación continuaba estancada, posiblemente habría una nueva víctima a finales de la siguiente.

Los compañeros de Yu estaban haciendo todo lo posible para ampliar la búsqueda. La división técnica volvió a inspeccionar la escena del crimen, una línea directa telefónica temporal recibía llamadas de posibles testigos, y todos los coches patrulla se mantenían alerta.

Se envió por fax una fotografía de la víctima y se distribuyó por todas partes. No tenía sentido ocultar el asesinato, y nadie lo intentó. En los periódicos aparecían fotografías mucho más gráficas, junto a escabrosas descripciones. La noticia se estaba extendiendo como un reguero de pólvora que amenazaba con incendiar toda la ciudad.

Tras sacar del paquete el cuarto cigarrillo de la mañana, Yu levantó la vista y vio que Liao entraba en su despacho con paso enérgico sujetando en la mano el informe médico inicial. El informe confirmaba que la causa de la muerte había sido estrangulamiento. La lividez y el rigor también encajaban con la hora estimada por Yu. Como ya sucediera con la segunda víctima, nada indicaba que la chica hubiera mantenido relaciones sexuales antes de morir.

Dado que la segunda víctima era una chica de triple alterne, Liao sugirió que investigaran la identidad de la víctima en el negocio del entretenimiento. Concordaba con su nuevo enfoque, admitió Yu.

Tal y como esperaban, alrededor de las once fue identificada. Se trataba de Tang Xiumei, una acompañante para karaokes, comúnmente conocida como chica K, en el Centro de Karaoke Caja de Música. El director, alertado tras los casos anteriores, la reconoció al ver la fotografía que había recibido por fax.

–¿Qué le había dicho? –exclamó Liao, agitando un fax en la mano.

Cualquier ciudadano de Shanghai sabía lo que hacía una chica K en el reservado de un karaoke. Si un «bolsillos llenos» se encaprichaba de ella, podría exigirle otros servicios además de cantar siempre que pagara la «hora de compañía». Ningún club se negaría a ello. Las compañeras de Tang explicaron que aquella noche no se presentó en el club, pero eso era bastante habitual en ella.

Según el director, Tang no había acudido al trabajo la noche anterior ni la precedente. El club desconocía lo que una chica pudiera hacer en su tiempo libre, y no tenía por qué controlarlo. Tras la declaración del director y el testimonio de varias compañeras más, se descartó que el asesino hubiera contratado sus servicios en el club el jueves por la noche.

Las indagaciones sobre los clientes con los que se había encontrado las noches anteriores no llevaron a ninguna parte; los clientes habituales disponían de coartadas sólidas para esa noche, y ninguno de los nuevos clientes había dejado su nombre ni su dirección.

Yu se puso en contacto con el comité vecinal de Tang. Liu Yunfei, presidente del comité además de vecino de Tang en el mismo edificio, contestó al teléfono.

–¿Qué puedo decir sobre esas chicas? Son materialistas de la cabeza a los pies. Tang tenía un lema favorito: «Trabajar bien no es tan importante como hacer una buena boda». Por eso se fue a trabajar a un club K, esperando conocer a un «bolsillos llenos» y casarse con él.

–¿Vio algo sospechoso en su comportamiento en los últimos días?

–Apenas hablaba con nadie del barrio. Puede que ella no se avergonzara de su conducta, pero nosotros sí que nos avergonzábamos de ella.

–¿Notaron algo raro los vecinos el jueves?

–Bueno, según la tía Xiong, que vive en la misma planta, Tang se marchó un poco antes de lo habitual. Hacia las tres. Normalmente no se iba hasta la hora de la cena, aproximadamente. Ése es su turno. Por supuesto, no sabíamos demasiado sobre su horario de trabajo.

–¿Así que pasaba todo el día en casa?

–No exactamente. Podía estar ocupada con un montón de cosas. Pero cuando salía para hacer su turno, iba vestida como una vampiresa. Siempre con medias y con tacones altos. Por eso sabíamos que iba a trabajar.

–¿Podría redactarme un informe? –preguntó Yu–. Incluya todo lo que usted y los vecinos sepan sobre Tang.

El subinspector telefoneó a algunos de los vecinos de Tang y a sus compañeras de trabajo. Pese a estarse más de una hora al teléfono, después de todas aquellas llamadas no había averiguado prácticamente nada más aparte de la información inicial que le había facilitado Liu.

Poco después llegó un informe de tres páginas por fax. Lo enviaba Liu, e incluía todo lo que le habían contado en el barrio. Era bastante detallado, dado el poco tiempo de que había dispuesto para redactarlo.

Tang perdió a su madre siendo una niña. Cuando despidieron a su padre obtuvo una licencia gubernamental para convertirse en chica K, pese a estar aún en el instituto. Su padre, demasiado avergonzado para continuar viviendo en el callejón, volvió a su antigua casa en Subei. Así que Tang vivía sola, y a veces traía gente a casa. El comité conocía sus actividades, pero, a diferencia de lo que sucedía en los años de lucha de clases, los cuadros vecinales no podían irrumpir en su habitación sin un permiso judicial. Afortunadamente, la mayoría de sus clientes preferían acudir a un hotel antes que ir a su cuartito en el sórdido callejón.

Tang no tenía teléfono fijo, ni tampoco móvil, ya que ambos seguían siendo demasiado caros para ella. A veces usaba el servicio de teléfono público ubicado a la entrada del callejón, pero tenía un mensáfono para recibir mensajes de texto.

Yu preguntó en la empresa de mensáfonos. La respuesta le llegó de inmediato: Tang no recibió ningún mensaje la noche del jueves.

Mientras Yu acababa de leer el informe el secretario del Partido Li convocó otra reunión de emergencia en el Departamento.

–Fíjense en el titular: «Shanghai en crisis» –espetó el secretario del Partido lívido de rabia, atropellándose al hablar–. Nuestro Departamento ha quedado en ridículo.

Ni Yu ni Liao supieron qué responderle. El titular tal vez era exagerado, pero no cabía duda de que el Departamento estaba atravesando una crisis.

–¡La tercera! ¡En el Bund! –siguió protestando Li–. ¿Han descubierto algo?

Yu y Liao aspiraban con fuerza sus cigarrillos, envolviendo el despacho en humo. Hong parecía ruborizada, y se tapaba la boca con la mano por miedo a que la oyeran toser.

–La investigación debe tomar un nuevo rumbo –afirmó Liao–. Dos de las tres víctimas trabajaban en el negocio del entretenimiento. Es decir, en el negocio sexual. Tanto la segunda como la tercera eran blancos fáciles. Puede que el asesino contactara con ellas en un restaurante, o en un karaoke. La mayoría de estas chicas no les contarían nada a sus familias sobre sus actividades, por lo que sería difícil encontrar pistas de su desaparición. Es más, estas chicas suelen creer que cualquiera que les pida una cita es un cliente, así que lo llevan a algún lugar escondido para hacer lo que tengan que hacer. Seguro que no se resistieron hasta que fue demasiado tarde.

–¿Y qué hay de Jazmín? –preguntó Yu.

–Trabajaba en un hotel –respondió Liao–, pero podría habérsela ligado fácilmente. De hecho, su novio la conoció así. Por eso he estado presionando para que adoptemos un enfoque distinto.

–¿Qué quiere decir? –inquirió Li.

–El móvil es evidente. Odio hacia esas chicas. Tal vez el asesino pagara un terrible precio por culpa de alguien procedente de ese mundillo. Quizá le contagiaran una enfermedad de transmisión sexual, por ejemplo, y ahora quiere vengarse. Por eso desnudó a las víctimas sin mantener relaciones sexuales con ellas.

–¿Y qué hay del vestido mandarín rojo? –volvió a preguntar Li.

–Viste a sus víctimas como la mujer que le contagió la enfermedad. Es algún tipo de simbolismo.

–Tal vez hayan otras posible explicaciones sobre su deseo de venganza –sugirió Yu–. Una mujer a la que amó, pongamos, lo dejó por otro. Para él, esa mujer no es mejor que una prostituta.

–Eso explica también por qué elige lugares públicos para abandonar los cuerpos de sus víctimas. Me refiero a la teoría del inspector Liao –interrumpió Hong–. Es una protesta contra la floreciente industria del sexo en la ciudad. Creo que no sólo culpa a esas chicas, sino también al Gobierno municipal por permitir sus actividades.

–No meta a nuestro Gobierno en esto, Hong –ordenó Li–. Sean cuales sean las hipótesis o las teorías que se nos ocurran, los asesinatos continuarán. ¿Y qué vamos a hacer para impedir que el asesino siga matando?

Se produjo un breve silencio en el despacho.

La industria del entretenimiento era cada vez más próspera en la ciudad, por lo que al asesino no le sería difícil encontrar nuevas víctimas. Y cerrar el negocio, como sabían todos los presentes en la habitación, quedaba totalmente descartado.

–Deberíamos investigarlo en los hospitales –propuso Liao–. Guardan todos los historiales de las enfermedades de transmisión sexual.

–La probabilidad de encontrarlo es remota –replicó Li–. Antes de que pudiéramos revisar todos los historiales el asesino ya habría vuelto a matar. Sólo tenemos una semana, inspector Liao. Además, incluso considerando su hipótesis, el asesino podría haber buscado ayuda médica en secreto.

–La mayoría de asesinos sexuales son impotentes –afirmó Yu–. Según Chen, el asesinato es una especie de orgasmo mental, por lo que la teoría de una enfermedad de transmisión sexual podría no ser válida.

–Liao tiene razón –dijo Hong con más firmeza–. De las tres

víctimas, dos prestaban algún tipo de servicio sexual. Eso al menos indica un patrón. A menudo las víctimas responden a cierto estereotipo que desempeña un papel importante en las fantasías sexuales del asesino. Puede que una de estas chicas de triple alterne le hubiera hecho daño, o puede que no, pero es evidente que les guarda rencor.

–Entonces, ¿qué propone usted? –preguntó Li.

–Me gustaría que nos basáramos en el análisis de Liao. Si el asesino va a matar de nuevo, probablemente elegirá a una de esas chicas. Necesitamos un señuelo.

–Hay un sinfín de karaokes, clubes nocturnos y restaurantes en la ciudad –observó Yu–. ¿Cómo vamos a saber en cuál va a escoger a su próxima víctima?

–No creo que se repita.

–Por favor, explíquese. –Li parecía interesado.

–Después de Jazmín, de las dos chicas de triple alterne una era acompañante para comidas y la otra acompañante para karaokes. La siguiente, lógicamente, sería una acompañante para bailes. Todos somos animales de costumbres –afirmó Hong–, por lo que el asesino localiza a sus víctimas frecuentando establecimientos de este tipo. Estas chicas son blancos fáciles, como usted acaba de decir. Pero, lo que es más importante, se trata de un hombre al que le gustan los simbolismos. El vestido mandarín rojo podría ser un ejemplo de lo que digo. Así que lo más probable es que escoja a una acompañante para bailes como la próxima víctima, siguiendo sus elaborados planes.

–Pero ponerle un señuelo podría ser como esperar a que un conejo se dé un golpe contra un árbol viejo, como reza el proverbio –repuso Yu–. Y el asesino es mucho más peligroso que un conejo. He hablado con Chen; él cree que un psicópata de estas características es capaz de todo.

–¿Tiene una idea mejor? –Li se dirigió a Yu con hostilidad mal encubierta–. ¿O la tiene su inspector jefe Chen?

–Quizás el Departamento sea un templo demasiado pequeño para alguien como Chen –añadió Liao.

Yu, sorprendido por la animadversión que mostraron tanto Li como Liao, prefirió no responder.

Nadie presentó más objeciones a la propuesta de Hong. Nadie tenía una idea mejor, como había dicho Li. Así que Hong iría a un salón de baile aquella misma tarde.

Al finalizar la reunión Yu creyó necesario ponerse en contacto con Chen. Después de leer el titular «Shanghai en crisis», no le pareció que Chen quisiera continuar enfrascado en la literatura.

Mientras cogía el teléfono, se le ocurrió la forma de conseguir que Chen le prestara toda su atención.

–Tengo que hablar con usted ahora mismo, jefe. Quedemos delante del Parque Bund.

–¿Por qué en el Parque Bund?

–La tercera víctima vestida con un qipao rojo ha sido hallada allí esta mañana, cerca de la Esquina del Taichi en el Bund, a un tiro de piedra del parque.

–¿Qué? ¿La tercera ha aparecido en el Bund?

–Lo leerá en los periódicos, quizá junto a la carta de un lector preguntándose «¿Qué está haciendo nuestro inspector jefe Chen al respecto?».

–Ahora mismo voy, Yu.

14

Yu volvió al Bund al cabo de veinte minutos.

Echó un vistazo a su alrededor y se sentó en un banco verde frente al parque, desde el que se divisaba el bosquecillo de arbustos en el que había examinado antes el cuerpo. Un grupo de gente permanecía aún allí. El bosquecillo de arbustos se parecía un poco al parterre en el que apareció la primera víctima, pero podría ser una coincidencia. Yu no creía que el asesino hubiera escogido los lugares donde depositó los cuerpos por esa razón.

Debido al denso tráfico en la calle Zhong, no resultaría práctico acordonar la zona. No habían puesto una cinta amarilla para indicar que aquél era el escenario de un crimen, lo que habría atraído a un número aún mayor de curiosos. Y tampoco era necesaria. Cualquier prueba habría desaparecido ya.

Yu no tardó demasiado en ver a Chen salir de entre la muchedumbre y subir el tramo de escaleras. Chen, más alto que la mayoría de personas que lo rodeaban, vestía gabardina y llevaba una cartera en la mano. Sus gafas, de montura de concha con cristales color ámbar, acentuaban su amplia frente. Quizá Chen no quería que la gente lo reconociera, porque aún había reporteros en la zona buscando caras conocidas. Al llegar al último escalón, Chen se detuvo y se quitó las gafas. Entonces vio a Yu y se dirigió hacia él.

Chen se sentó junto a Yu.

–¿Qué piensa del lugar en que ha aparecido el cadáver? –preguntó Yu.

–Es un desafío deliberado. ¿Hay alguna pista?

–No. Como pasó con las dos víctimas anteriores, no se encontraron pruebas.

–¿La víctima ha sufrido algún tipo de agresión sexual?

–No que yo pudiera detectar, pero tampoco llevaba nada bajo el qipao rojo.

–¿La han identificado ya?

–Era una acompañante para karaokes. Esta vez fue más fácil identificar a la víctima –explicó Yu, pensando que no valía la pena entrar en detalles–. Era una chica K.

–Otra chica del negocio del entretenimiento.

–Sí, y por eso Liao se empeña en centrarse en eso –explicó Yu–. Ve un móvil, además de un patrón: el odio contra las mujeres que se dedican al negocio del sexo. Encaja con su análisis del asesino como psicópata, incluyendo el vestido mandarín rojo.

–El vestido mandarín rojo debe de ser importante, no cabe duda. La victimología, el análisis que explora una posible relación entre la víctima y el asesino, también ayuda. Pero la primera víctima no encaja, ¿no le parece?

–Yo planteé la misma cuestión.

–Hay otra cosa que no acabo de entender –añadió Chen, levantándose y lanzando una mirada hacia el bosquecillo de arbustos–. El asesino corrió un riesgo evidente al abandonar el cuerpo en el Bund, sabiendo que por aquí pasa gente durante toda la noche y que el tráfico es continuo.

–Fue un acto de vanidad, sospecho. Para demostrar su desafío, y para provocar y fastidiar a la policía. Como usted ha dicho, un asesino en serie tiene su sello propio, su forma particular de cometer un delito, como abandonar el cadáver en un sitio público. Es una conducta irracional, pero para él tiene cierta lógica.

–Tengo una extraño presentimiento, Yu. No es que el asesino sea tan engreído, es que está muy desesperado.

–¿Qué quiere decir, jefe?

–Que está desesperadamente enfermo. Poner fin a su sufrimiento puede que no le resulte inaceptable. Una pulsión mortal, o algo por el estilo –dijo Chen, pero se negó a explicarlo con más detalle–. ¿Qué van a hacer ahora?

–Hong hará de señuelo, fingiendo ser acompañante para bailes.

–Un señuelo es una buena estrategia, si estás seguro del patrón de conducta del asesino. Presentarse como acompañante para bailes tiene sentido, pero puede que no se obtengan resultados en una semana. Dependerá mucho de las circunstancias. Además, podría ser peligroso para el señuelo.

–Sí, estoy preocupado. Es una agente muy joven.

–Si insiste en hacerlo, envíe a otro agente para que la proteja y ordénele que no se aparte de su lado.

–Se lo comentaré a Liao.

–Procure mantener en secreto la misión de Hong.

–¿Dentro del Departamento?

–No en su brigada, obviamente, pero que no lo sepa nadie más. El criminal podría tener buenos contactos –añadió Chen, frunciendo el ceño–. Por ejemplo, piense que eligió Bund para abandonar el cadáver ayer por la noche. Podría haber obtenido información sobre la patrulla del comité vecinal. El Bund es uno de los pocos lugares públicos, quizás el único, por el que apenas patrullan los comités vecinales. En la calle Zhongshan todo son edificios gubernamentales y de oficinas, no hay ningún comité vecinal. La patrulla policial no bastaba para cubrir la zona.

–Quizá sólo fuera una coincidencia.

–Por una vez, es posible que el secretario del Partido Li tuviera razón. Que el asesino eligiera el Bund añade un significado político a su mensaje, pero dudo que sea una llamada a la acción contra las chicas de triple alterne. Más bien es un mensaje secreto y extraño, lleno de contradicciones. Sin embargo, las contradicciones podrían servirnos para empezar a tirar del hilo, como haría un psicoanalista con los síntomas de su paciente. –Luego agregó–: Por cierto, he adoptado un enfoque similar en mi trabajo de literatura.

–¡No me diga! –exclamó Yu con sorna–. Su trabajo debe de ser muy interesante, pero hábleme primero de las contradicciones del caso.

–Para empezar, deje que le hable sobre mi trabajo, brevemente –repuso Chen–. He leído algunos relatos románticos clásicos, y sus mensajes contradictorios me han confundido. Esto me recordó algo sobre el vestido mandarín rojo.

–O viceversa –gruñó Yu.

Era típico de su jefe, esa rata de biblioteca. Tenían tres víctimas de asesinato y Chen quería ponerse a hablar de su trabajo de literatura.

–En el psicoanálisis, un paciente puede tener problemas o contradicciones que es incapaz de comprender, y en un principio el psicoanalista debe encontrar la causa que se oculta en el subconsciente del paciente. Intenté centrarme en las contradicciones que aparecen también en este caso, sobre todo las relacionadas con el vestido mandarín rojo, así que he confeccionado una lista.

–O sea que ahora tiene otra lista.

Chen no le prestó atención.

–Para empezar, la contradicción entre el vestido elegante y la obscenidad de la postura.

–Creo que ya lo hablamos la última vez. Tal vez alguna mujer que llevara un vestido similar hubiera herido al asesino –apuntó Yu–. Según Liao, quizás alguna chica que trabajara en el negocio del sexo.

–Lo que conduce a otra contradicción relacionada con la teoría de Liao –afirmó Chen–. El vestido tiene un estilo demasiado conservador para una chica de triple alterne. Demasiado pasado de moda. Según el señor Shen, probablemente lo confeccionaron hace más de diez años, en un estilo que se remonta aún más atrás. En aquella época no existía el negocio del entretenimiento, ni había chicas de triple alterne.

–No, creo que no.

–Además hay que tener en cuenta toda la atención prestada a los detalles del vestido. Lo más probable es que una chica de triple alterne no pueda permitirse ese tipo de vestido. Se trata de un vestido exquisito, confeccionado de forma artesanal con materiales de excelente calidad.

–Sí, el señor Shen también lo ha mencionado.

–Y luego están las aberturas desgarradas. Nube Blanca hizo un experimento para mostrarme algo.

–Así que la ha convertido en su ayudante –dijo Yu con sorna, recordando el comentario de Peiqin sobre la posible relación entre Chen y Nube Blanca–. ¿Qué experimento?

–Bien, ella sabe mucho más sobre estos vestidos que yo. Me demostró que es imposible que las aberturas se hubiera desgarrado de forma accidental, por muy bruscamente que le hubieran puesto el vestido a la víctima. En otras palabras, el criminal lo desgarró a propósito. Al no haber agresión sexual, ni penetración ni eyaculación, ¿por qué querría ofrecer esta imagen de las víctimas? Tiene que haber algún motivo.

–¿Quiere decir que no lo ha hecho únicamente para engañarnos a nosotros, sino que existe una razón que sólo él comprende?

–Posiblemente ni siquiera él la comprenda. Se trata más bien de un ritual que sólo puede cumplirse si la víctima lleva puesto el vestido mandarín de una forma determinada: con las aberturas desgarradas, los botones sueltos a la altura del pecho, y la obscenidad de la postura, por supuesto. Para él sólo una parte del placer es fisiológica. La otra parte puede deberse al comportamiento ritualista que acompaña a los actos de perversión sexual. Como he dicho antes, tal y como sucede en esos relatos románticos, puede que ni el propio autor sea consciente de las contradicciones. Entonces, ¿por qué?

–¿Por qué? –repitió Yu, fijándose en que otro grupo de gente se arremolinaba alrededor del bosquecillo de arbustos. Un coche de un canal televisivo que aparcaba cerca de los arbustos estaba causando un embotellamiento–. No he estudiado psicología, pero sé que un paciente tiene que sentarse y hablar delante de un psicólogo. En nuestro caso, dado que no tenemos ninguna pista sobre la identidad del criminal, ¿cómo y qué podemos psicoanalizar?

Era un asunto que Yu ya había planteado en su último encuentro, y Chen no fue capaz de ofrecerle una respuesta convincente.

–Bien, al analizar todas estas contradicciones puede que averigüemos algo.

–¡No me diga, jefe!

–Para empezar, es probable que el estilo y la tela del vestido sean de los años sesenta. Posiblemente de los primeros sesenta, pero no después del inicio de la Revolución Cultural, en 1966. Basándonos en la opinión del señor Shen, podemos suponer que es un estilo conservador pensado para una mujer casada que esté en la treintena. Si la propietaria original del vestido mandarín aún viviera, tendría entre sesenta y setenta años.

–¿Ahora está hablando de la mujer que llevó el vestido mandarín por primera vez hace treinta años? –preguntó Yu.

–¿No cree Liao también que el caso está relacionado con la primera mujer que vistió el qipao? A mi entender, no es más que otra mujer que llevó el vestido, aunque de posición social y edad distintas a las que Liao supone. Y, si seguimos esta pista, nos conducirá al hombre relacionado con esa mujer. Supongamos de momento que él tuviera la misma edad. Si fuera así, ahora tendría unos sesenta y tantos, o posiblemente setenta y tantos.

–¿Sí? –preguntó Yu, confundido y exasperado–. ¿Cómo encaja todo esto en su teoría?

–Pasemos ahora al asesino en serie. Tres víctimas en tres semanas, y los cuerpos arrojados en tres lugares públicos distintos. ¿Cree que un viejo hubiera sido capaz de hacerlo? Hace un momento he pasado unos cuantos minutos junto al bosquecillo de arbustos. Un coche no podría haber circulado a poca velocidad por allí, ni podría haberse detenido ni una sola vez sin que los conductores que tuviera detrás se hubieran puesto a tocar el claxon como locos. O sea que si el asesino arrojó el cuerpo desde su coche mientras conducía, lo más probable es que los conductores que tenía detrás lo hubieran visto, incluso por la noche. Creo que debe de haber dado varias vueltas antes de conseguir su objetivo.

–Eso es cierto. Para deshacerse así de un cadáver es preciso ser muy rápido, y muy ágil.

–Y por eso el asesino tiene que ser un hombre de mediana edad como mucho, pero no mayor. Pero, si esto es cierto, el hombre relacionado con la primera mujer que llevó el vestido mandarín no sería, en aquella época, más que un niño.

–Eso no tiene sentido.

–Está claro que es otra contradicción, pero, por otra parte, en estos estudios psicológicos se habla de algo llamado complejo de Edipo.

–¿Complejo de Edipo? –repitió Yu.

–El deseo sexual subconsciente de un hijo por su madre.

–¿Cómo? ¿Y se supone que eso nos va a ayudar a encontrar a un niño que se convirtió en un hombre de mediana edad capaz de cometer tres asesinatos en tres semanas? –preguntó Yu sin intentar ocultar el sarcasmo en su voz–. No entiendo nada de nada.

Yu no había oído hablar nunca del complejo de Edipo. Por absurdo que pudiera sonar, sin embargo, parecía una de las típicas teorías del inspector jefe, quien era conocido por sus enfoques poco ortodoxos.

–No, yo tampoco creo que sea demasiado probable –admitió Chen sin inmutarse–, pero, según esta teoría, el asesino es seguramente un hombre de mediana edad que vivió una experiencia traumática en su infancia, posiblemente durante la Revolución Cultural. Y debió de albergar sentimientos contradictorios hacia la mujer que llevó el vestido mandarín original.

–Una teoría original, no cabe duda –observó Yu–. Así que después de esperar veinte años, su pasión por su madre de pronto lo empuja a cometer una serie desenfrenada de asesinatos.

–No es mi teoría, Yu –repuso Chen–. De todos modos, explica alguna de las contradicciones.

Yu lamentó haberle hecho un comentario sarcástico a su jefe. Después de todo, Chen había estado pensando mucho en el caso, y buscando información en sus libros. Aun así, su enfoque le parecía demasiado psicológico, demasiado académico.

–Por cierto, circulan algunos rumores sobre las vacaciones que se está tomando durante la investigación –añadió Yu para cambiar de tema.

–Deje que se quejen. Dígales únicamente que estoy demasiado ocupado escribiendo mi trabajo de literatura.

–Incluso el Viejo Cazador opina que usted debería dejar de lado ese trabajo durante un tiempo.

–Es exactamente lo que voy a hacer, pero no tenemos por qué decírselo a los demás.

Una pareja joven se acercó hasta el banco. Después de mirar a su alrededor durante algunos minutos, decidieron sentarse junto a los dos policías. Era algo bastante habitual en el Bund. Aunque la ciudad contaba con un número cada vez mayor de sitios a los que los jóvenes podían acudir, el Bund seguía siendo su lugar preferido. Se veían barcos de vivos colores navegando al fondo, y el pasado romántico de la ciudad aún podía adivinarse en los impresionantes edificios neocoloniales. Además, era gratis. Así que las parejas ocupaban cualquier asiento que estuviera vacío en el Bund. Sin embargo, Chen y Yu no pudieron seguir hablando de los asesinatos.

–Entonces, ¿va a seguir investigando su teoría? –preguntó Yu, levantándose.

–No es más que una teoría que aparece en los libros –respondió Chen–. De hecho, su hipótesis sobre el posible factor desencadenante del asesinato de Jazmín podría ser más acertada. Aunque quizá tengamos que remontarnos más atrás en el tiempo.

Yu no sabía si podrían remontarse mucho más atrás. Con todo, era imposible saber qué nuevas sorpresas le depararía su jefe.

15

El martes por la mañana Chen se despertó cansado, como si no hubiera dormido en toda la noche. Sintió que una migraña punzante amenazaba con aflorar, y empezó a frotarse las sienes.

Tras pasar todo el fin de semana estudiando el caso del vestido mandarín rojo, Chen había logrado avanzar en varios frentes.

Llamó a una amiga que vivía en Estados Unidos para pedirle que le ayudara a investigar el pasado de Weng. Gracias a sus contactos, su amiga no tardó en obtener información. Lo que Weng le contó a Yu era en líneas generales cierto. Había trabajado como comprador particular para una empresa estadounidense. El proceso de su divorcio no había sufrido contratiempos, y debería finalizar en uno o dos meses. De hecho, su esposa ansiaba que llegara ese momento, porque tenía un nuevo novio.

Chen se puso en contacto con Xiong, el cuadro del Gobierno municipal que reveló a los jefes de Tian las acciones de éste durante la Revolución Cultural. Xiong explicó que lo había hecho tras recibir una carta anónima sobre las atrocidades cometidas por Tian. Según Xiong, no intentó presionar en absoluto a la fábrica. Sin embargo, después de que un alto cargo como Xiong hubiera expresado su preocupación, era evidente que todos harían cuanto estuviera en sus manos para congraciarse con él. Esto supuso el fin de Tian. El envío de una carta anónima fue una acción inteligente y no necesariamente sospechosa, ya que permitió a su autor «matar con el cuchillo de otro». Xiong no tenía ni idea de quién había escrito la carta.

Chen también investigó las críticas de las masas relacionadas con los vestidos mandarines durante la primera parte de la Revolución Cultural. Al igual que Peiqin, Chen recordaba la imagen de Wang Guangmei, vestida con un qipao, mientras era humillada y expuesta públicamente a la crítica de las masas. El inspector jefe pensó que otras mujeres podrían haber corrido la misma suerte, por lo que le pidió a Nube Blanca que hiciera una búsqueda por Internet. Después, también con la ayuda de Nube Blanca, se puso en contacto con Yang, una estrella de cine a la que obligaron a ponerse un vestido mandarín para someterla a la crítica de las masas. No obstante, había pequeñas diferencias en relación al vestido que llevaban las víctimas. Por lo que Yang podía recordar, el vestido era blanco, y ella no iba descalza. Llevaba puestos unos zapatos muy gastados, que simbolizaban un estilo de vida promiscuo y burgués. Yang les contó otro detalle distinto. Los Guardias Rojos le habían cortado las aberturas del vestido hasta la cintura con unas tijeras, para que se le vieran las bragas. Por el contrario, las aberturas de los vestidos que llevaban las víctimas parecían haber sido desgarradas, como en una pelea. Chen se lo preguntó inmediatamente a Yu, quien se lo confirmó. Con respecto a la primera víctima, puede que el asesino hubiera desgarrado el vestido en un acceso de ira; en cuanto a la segunda y a la tercera, lo hizo posiblemente para intentar que hubiera similitudes entre las víctimas. Cualquiera que fuera la interpretación, los indicios de violencia sexual eran evidentes.

Aquel lunes Chen habló con Ding Jiashan, el abogado que representó a los clientes en el caso de intoxicación alimentaria contra Tian. Según Ding, fue un asunto muy turbio. Era un caso en el que pocos abogados se habrían interesado. Sus honorarios serían casi con seguridad más elevados que la compensación que sus clientes podrían obtener de un restaurante tan pequeño, pero los afectados parecían tan convencidos que estuvieron dispuestos a pagarle por adelantado. Y venían bien preparados: tenían en su poder el recibo del restaurante y el informe del hospital, y sus declaraciones coincidían. Por consiguiente, el abogado presentó una queja en su nombre ante el Departamento de Comercio, que impuso una multa cuantiosa a Tian y cerró el restaurante por las infracciones cometidas. Los clientes parecieron satisfechos con el resultado inicial pero, al cabo de unos días, cuando intentó ponerse en contacto con ellos para iniciar el siguiente paso, Ding descubrió que habían dado de baja sus teléfonos. El abogado ni siquiera estaba seguro de que le hubieran dado sus auténticos nombres.

Esto confirmaba aún más la teoría de que alguien quería perjudicar a Tian, pero no era necesariamente una pista sobre el caso del vestido mandarín rojo.

Entretanto, Chen leyó con detenimiento todo el material que habían preparado Yu y Hong. Sin embargo, Hong no lo había visitado durante el fin de semana. Debía de estar ocupada preparando su misión como señuelo.

Chen también siguió dándole vueltas a las contradicciones del caso, que a su vez sólo parecían producir más contradicciones.

Sin embargo, el jueves se dio cuenta de nuevo de que no podía obtener mejores resultados que sus compañeros, pese a haberse dedicado por completo al caso.

Cuando, presa de la frustración, estaba a punto de hacer una segunda cafetera, el profesor Bian lo llamó y le preguntó cómo iba su trabajo de literatura.

–Voy avanzando –respondió Chen.

–¿Cree que podría entregarlo al mismo tiempo que los demás estudiantes? –preguntó Bian–. Me parece un trabajo muy prometedor.

–Sí, seguro que lo entregaré a tiempo.

Después de colgar Chen comenzó a preocuparse. Tenía la vieja costumbre de ponerse plazos, pues necesitaba este tipo de presión para completar cualquier proyecto, ya fuera un poema o la traducción de una novela de suspense. Pero esta vez era distinto: ya estaba sometido a demasiada presión. Dado que sus indagaciones no parecían dar fruto, y que ni siquiera se intuía un posible avance en la investigación, Chen decidió que quizá sería mejor acabar primero su trabajo de literatura. Otras veces se le habían ocurrido nuevas ideas sobre un proyecto después de dejarlo reposar un tiempo. Puede que el subconsciente así funcionara.

Sin embargo, ya no le era posible concentrarse en casa. Seguía recibiendo llamadas telefónicas, y desconectar el teléfono no serviría de nada. Ahora que ya había tres víctimas parecía que un montón de gente, periodistas incluidos, de repente sabía su número de móvil. Incluso en la biblioteca un par de personas reconocieron a Chen y lo acribillaron a preguntas sobre el caso. La noche anterior, una periodista de *Wenhui* llamó a su puerta con un paquete de cerdo a la parrilla y una botella de vino Shaoxin, ansiosa por contarle sus teorías durante el festín, como si fuera un apasionado personaje femenino sacado de uno de esos relatos románticos.

Chen decidió ir a la cafetería Starbucks de la calle Sichuan.

Las cafeterías Starbucks, junto a los McDonald's y los Kentucky Fried Chicken, se habían multiplicado por toda la ciudad. Esta cafetería estaba considerada un establecimiento para élites cultivadas, y en ella se respiraba un ambiente tranquilo y sosegado. En la cafetería, donde nadie lo conocía, podría pasar la mañana sin interrupciones y concentrarse en su trabajo de literatura.

Chen eligió una mesa situada en un rincón y sacó sus libros. Había recopilado cinco o seis relatos, pero con tres bastaría para el trabajo. La tercera historia, «El artesano Cui y su mujer fantasma», fue relatada originalmente por narradores profesionales de la dinastía Song en mercados o en casas de té, donde los viejos allí sentados hablaban en voz alta, abrían semillas de sandía, jugaban al *mahjong* y escupían si les venía en gana.

Chen empezó a leer mientras se bebía el café a sorbos. En el relato, Xiuxiu, una hermosa muchacha de Lin'an, era comprada como bordadora por el príncipe Xian'an, jefe militar de tres comandancias. En la casa de Xian'an trabajaba un joven tallador de jade llamado Cui, que se había ganado el favor del príncipe por haber tallado un magnífico Avalokitesvara de jade para el emperador. Como premio, el príncipe había prometido casar a Xiuxiu con Cui en el futuro. Una noche, mientras escapaban de un incendio en la mansión del príncipe, Xiuxiu le sugirió a Cui convertirse en marido y mujer allí mismo en lugar de esperar. Aquella noche los dos partieron hacia Tanzhou como matrimonio. Al cabo de un año se encontraron con Guo, un miembro de la guardia del príncipe. Guo informó del paradero de los fugitivos a su señor, quien ordenó que los obligaran a regresar. En el tribunal de la región, Cui fue castigado y desterrado a Jiankang. Por el camino es interceptado por Xiuxiu, quien le explica que, después de recibir su castigo en el jardín trasero, ha sido puesta en libertad. Casualmente, el Avalokitesvara imperial de jade debía restaurarse, por lo que Cui y su esposa regresaron a la capital, donde volvieron a encontrarse con Guo. El príncipe ordenó de nuevo que apresaran a Xiuxiu, pero cuando el palanquín que supuestamente la transportaba llegó a su destino, se descubrió que nadie viajaba en su interior. Guo recibió una brutal paliza por haber dado una información falsa. A continuación llevaron a Cui ante el príncipe, y entonces el tallador descubrió que Xiuxiu había sido apaleada hasta la muerte en el jardín trasero de la mansión del príncipe. Era el fantasma de Xiuxiu quien había estado con él todo ese tiempo. Cuando Cui volvió a su casa le pidió a Xiuxiu que no lo matase, pero ella le quitó la vida para que pudiera acompañarla en el otro mundo.

Como le sucediera con los relatos anteriores, Chen no tardó en detectar ambigüedades sospechosas en el texto. Era posible adivinar una crítica subyacente incluso en otro de los títulos del relato: «La maldición en la vida y en la muerte del miembro del séquito Cui». Era evidente que el relato presentaba a Xiuxiu como una maldición. Cui estaba condenado porque Xiuxiu, en nombre del amor, nunca le permitió escapar. Esta condena le hizo perder su trabajo, recibir el castigo del tribunal y, finalmente, le llevó a la muerte. Xiuxiu personificaba la contradicción: una hermosa muchacha que ama a Cui con una pasión audaz raras veces vista en la literatura clásica china y que, por otra parte, acaba destruyendo deliberadamente a Cui con sus propias manos. La atracción y la repulsión eran las dos caras de una moneda.

Chen observó que la clasificación genérica contemporánea permitía aunar las dos personalidades contradictorias de Xiuxiu.

El relato pertenecía a la categoría temática denominada *yanfen/linggaui*. El término *yanfen* se refería a aquellos relatos sobre los encuentros amorosos protagonizados por bellas mujeres, mientras que *linggaui* hacía referencia a los relatos de mujeres identificadas como demonios y espíritus.

Existía un término similar en la literatura occidental: *femme fatale*.

En «El artesano Cui y su mujer fantasma», Xiuxiu coincidía exactamente con este estereotipo. Chen sacó un bolígrafo para subrayar los párrafos del final del relato.

> *Cui volvió a casa deprimido. Al entrar en su habitación vio a su esposa sentada en la cama. Cui Ning suplicó:*
>
> *–Por favor, no me quites la vida, ¡oh esposa mía!*
>
> *–El príncipe me mató de una paliza por tu culpa y me enterraron en el jardín trasero –respondió Xiuxiu–. ¡Cómo odio al soldado Guo por irse de la lengua! Finalmente me he vengado: el príncipe le ha dado cincuenta bastonazos en la espalda. Ahora que todos saben que soy un fantasma, ya no puedo quedarme aquí.*
>
> *Tras pronunciar estas palabras, Xiuxiu se levantó de un salto y agarró a Cui Ning con las dos manos. Él gritó y cayó al suelo.*

Casualmente, algo cayó también al suelo de la cafetería mientras Chen leía la última frase. El inspector jefe se dio la vuelta y vio a una muchacha resbalándose del taburete en el que estaba sentada, después de estirarse cuan larga era para besar a un chico que estaba al otro lado de la barra. La muchacha bajó un pie hasta el suelo para tratar de mantener el equilibrio y su sandalia de tacón alto salió volando hacia un rincón.

La cafetería no estaba tan vacía como Chen había esperado. No dejaban de entrar clientes, casi todos ellos jóvenes, modernos y animados. Una muchacha trajo un ordenador portátil y se entretuvo con algún juego. El repiqueteo de sus dedos sobre el teclado le recordó a una bandada de ruidosos gorriones en una mañana de primavera. Varios jóvenes sostenían móviles en la mano, y hablaban como si no hubiera nadie más en el mundo.

Chen pidió otra taza de café.

¿Cómo pudo soportar Xiuxiu el quitarle la vida a Cui? Chen volvió unas páginas atrás, hasta la parte en la que Cui y Xiuxiu corrían uno hacia el otro la noche del incendio.

–¿Recuerdas la noche en que disfrutábamos contemplando la luna desde la terraza? –le preguntó Xiuxiu a Cui Ning–. Estábamos prometidos y tú no dejabas de darle las gracias al príncipe. ¿Lo recuerdas o no?

Cui Ning juntó las manos y sólo pudo responder:

–Sí.

–Aquella noche, todo el mundo te felicitaba diciendo: «¡Qué pareja tan maravillosa!». ¿Cómo puede ser que lo hayas olvidado todo?

Una vez más, Cui Ning sólo pudo responder:

–Sí.

–En lugar de seguir esperando, ¿por qué no nos convertimos esta noche en marido y mujer? ¿Qué te parece?

–¿Cómo iba a atreverme?

–¿No te atreves? ¿Y qué pasaría si empiezo a gritar y destruyo tu reputación? Nunca podrás explicar por qué me trajiste a tu casa. Te denunciaré al príncipe mañana.

Chen empezaba a ver ahora a Xiuxiu «seduciendo» a Cui. Astuta y calculadora, lo cierto es que obligó a Cui a colmar sus deseos.

Aún quedaban preguntas sin responder en la historia, pero Chen creía haber encontrado un nexo común entre todos los relatos. Por fin podría acabar su trabajo de literatura, aunque no fuera un proyecto tan ambicioso como había esperado.

Mientras apuraba el café abrió la tapa de su móvil. Había recibido muchos mensajes, incluido uno de Nube Blanca. Primero la llamó a ella. Le informó como una policía de que había obtenido resultados en su búsqueda por Internet, pero hacia el final de la conversación le hizo una sugerencia digna de una «pequeña secretaria».

–Date un respiro, jefe. Vete a un club nocturno. Allí podrás conocer de primera mano el ambiente en el que se movían las víctimas, y además conseguirás relajarte un poco. Y siempre puedo hacerte compañía, ya lo sabes. Tienes demasiadas cosas en las que pensar, y estoy preocupada. Tus nervios no van a aguantar tanta tensión.

Chen no sabía si tomarse el comentario como una indirecta. Aunque, por su pasado de chica de karaoke, Nube Blanca conocía el negocio y podía contribuir a la investigación.

–Gracias, Nube Blanca. Podría ser una buena idea, cuando acabe mi trabajo de literatura en un par de días.

A continuación Chen llamó al profesor Bian, el cual se encontraba en su casa y contestó al oír el primer timbrazo.

–¿Cómo va su trabajo, inspector jefe Chen?

–He estado analizando otra historia –respondió Chen–. ¿Le parece que el análisis de tres historias bastará para el trabajo?

–Sí, con tres debería ser suficiente.

–Comparten un enfoque común: cada una de ellas contiene algún elemento que contradice el tema amoroso. La heroína se convierte inesperadamente en un demonio o provoca algún desastre. Los cambios se perciben a través de detalles insignificantes: un término médico, un poema ambiguo o una frase incluida al azar. Una vez analizados estos cambios, el tema romántico se ve desde una perspectiva radicalmente distinta.

–Ha escogido un enfoque original. Pero creo que tiene que demostrar qué hay detrás.

–¿Qué hay detrás? –preguntó Chen, repitiendo el comentario de Bian. No existían las coincidencias, como en las investigaciones policiales. O como en el psicoanálisis. Tendría que haber una explicación–. Tiene razón, profesor Bian.

–Los relatos se escribieron durante dinastías diferentes, y los escritores procedían de orígenes sociales diferentes...

–Entonces, se refiere a un sentimiento subyacente que está presente a lo largo de diferentes dinastías, fueran o no conscientes de ello esos escritores.

–Si prefiere verlo así... Un sentimiento muy arraigado en la cultura china, por lo que su proyecto puede que no sea fácil.

–Pensaré en ello. Muchísimas gracias, profesor Bian.

La sugerencia del profesor le pareció muy interesante. Nada más colgar, lo primero que le vino a la mente fue el confucianismo, la ideología predominante en China durante dos mil años, una ideología apenas cuestionada hasta principios del siglo XX.

Sin embargo, Confucio no dijo nada sobre el amor romántico, por lo que Chen podía recordar.

Pese a ello, aún se sentía alterado, como si estuviera a punto de hacer un descubrimiento importante. Había pedido prestados varios cánones confucianos que todavía no había tenido tiempo de leer. Ahora podría extraer una conclusión para su trabajo. Comenzaban a ocurrírsele varias ideas cuando el teléfono volvió a sonar. Era el director Zhong.

–Llevo toda la mañana buscándolo, inspector jefe Chen.

–Lo siento, me había olvidado de encender el móvil –se disculpó–. ¿Alguna novedad en el caso del complejo residencial?

–La fecha del juicio se ha adelantado y ahora se celebrará dentro de unas dos semanas. La decisión viene de Pekín.

–¿Por qué tantas prisas?

–Cuanto más larga es la noche mayor es el número de pesadillas. Nadie quiere que el caso se alargue. Peng recibirá su castigo de todos modos, así que ¿por qué retrasarlo? La gente verá que las autoridades del Partido se ponen de su parte.

–Eso está bien –comentó Chen. Pero, una vez más, la política dictaba el resultado de un juicio–. Entonces no tenemos que seguir preocupándonos.

–Bueno, Jia ha estado presionando mucho. Sostiene que Peng no es el único culpable en este escándalo. ¿Qué le pasa a ese abogado? Puede que Peng conozca a algunos miembros del Gobierno municipal, pero el hecho de que los conozca no significa necesariamente que sean corruptos. ¿Ha averiguado algo sobre él?

–Nada importante –respondió Chen. Si bien era cierto que había estado demasiado ocupado con sus propios asuntos como para ponerse a investigar a fondo, también lo era que nadie le había contado nada relevante sobre Jia–. Pero continuaré investigando.

Cuando colgó el teléfono, Chen ya había perdido el hilo de su trabajo de literatura. Se tomó otra taza de café, pero no le sirvió de mucho.

Lanzó una mirada al reloj de pared y comenzó a marearse.

16

Chen se despertó muy temprano con un terrible dolor de cabeza.

Se hizo una cafetera de café bien fuerte y se bebió dos tazas de un trago para desayunar. Su dolor de cabeza no mejoró.

No se le ocurrió ninguna idea sobre el trabajo de literatura, ni tampoco sobre el caso.

Le llegó otro paquete por correo urgente enviado desde el Departamento, que incluía un informe de Hong sobre sus actividades como señuelo haciéndose pasar por acompañante para bailes.

Chen hizo entonces una segunda cafetera. A continuación se tragó un puñado de pastillas de ginseng coreanas con el café y se fumó un cigarrillo.

Poco después, se sintió mareado y tembloroso y comenzaron a entrarle sudores fríos.

Sintió el impulso incontenible de actuar de forma irracional: dar patadas a la pared, aullar como una lechuza, romper algo, gritar consignas políticas blasfemas.

Sudando, se metió el puño en la boca como si luchara contra un dolor de muelas y se apresuró a cerrar la puerta con llave antes de tragarse un par de pastillas para dormir y desplomarse sobre la cama.

Se despertó un poco más tarde, sintiéndose como un espantajo asustado. Pensó que estaba sufriendo una crisis nerviosa, y recordó el colapso de T.S. Eliot en Suiza. Se alarmó sólo de pensarlo.

¿Qué sucedería si una compulsión irracional volviera a apoderarse de él? Afortunadamente, ahora estaba en su casa, pero era imposible saber dónde podría ocurrirle la próxima vez. Sería desastroso que perdiera la cordura de esta forma en público.

Buscó en el botiquín sin encontrar nada, viéndose a sí mismo como el hombre vacío en el poema de Eliot.

Hacia las nueve, cuando llamó Nube Blanca para ofrecerle el informe de rutina sobre su búsqueda en Internet, Chen apenas tenía fuerzas para hablar.

–No te muevas –le ordenó ella denotando preocupación en la voz–. Ahora mismo voy a tu casa.

Llegó media hora más tarde y, para sorpresa de Chen, vino acompañada de Gu, su antiguo jefe y actual presidente de la Corporación Nuevo Mundo. Gu había traído una gran bolsa de plástico llena de suplementos herbales chinos.

Desde que se conocieran durante la investigación de otro caso de asesinato, el ingenioso empresario se había declarado amigo del inspector jefe. Un contacto como Chen podría ser valioso para su negocio, pero Gu también había ayudado a Chen a su manera.

–Le hacen falta unas vacaciones, inspector jefe Chen –afirmó Gu–. Unas vacaciones en el complejo de la montaña y el lago Ting. Váyase hoy mismo, yo me encargo de todo.

Gu había invertido dinero en varias propiedades, incluyendo el conocido complejo vacacional situado junto a la frontera entre Shanghai y la provincia de Zhejiang.

Era una sugerencia tentadora. A lo largo de los últimos días, los casos del complejo residencial y del vestido mandarín, las intromisiones políticas dentro y fuera del Departamento y la deconstrucción de las historias de amor clásicas habían dejado exhausto a Chen. Unas cortas vacaciones podrían venirle bien.

–Gracias, señor Gu –respondió Chen–. Estoy en deuda con usted.

–¿Para qué son los amigos, jefe? –preguntó Gu–. Le enviaré un coche.

–Yo también podría hacerte de secretaria y ocuparme allí de tu salud –se ofreció Nube Blanca con una sonrisa de complicidad–. Está claro que necesitas tomarte un respiro.

–Gracias por todo, Nube Blanca. Creo que necesito pasar un

par de días solo. Pero si se me ocurre algo que puedas hacer por mí, me pondré en contacto contigo enseguida.

–Estate disponible por si te necesita, Nube Blanca –ordenó Gu–. Házmelo saber.

Nube Blanca había trabajado anteriormente como acompañante para karaokes a las órdenes de Gu, y más tarde empezó a pagarle para que hiciera de «pequeña secretaria». A eso se refería Gu probablemente. No estaba insinuando nada indecoroso.

Después de organizarlo todo, Gu y Nube Blanca se marcharon y Chen empezó a hacer las maletas. Si quería recuperarse rápidamente, tendría que olvidarse de todas sus preocupaciones y responsabilidades durante esas vacaciones. Con todo, si allí se encontraba mejor tal vez intentara acabar su trabajo de literatura, así que decidió llevar consigo un par de clásicos confucianos por si le resultaban útiles para redactar la conclusión del trabajo. Ésta sería probablemente su última oportunidad, pensó, de aspirar a una «realización personal» diferente. Si no se esforzaba, nunca dejaría de ser el inspector jefe Chen.

Se metió un paquete de pastillas para dormir en la cartera, ocultándolas tras la fotografía de Nube Blanca vestida con un qipao en el Mercado del Templo del Dios de la Ciudad Antigua. No llamaría la atención si miraba de vez en cuando la fotografía de una chica, pero necesitaba asegurarse de que los tranquilizantes estaban allí, disponibles detrás de la sonrisa de su amiga.

No iba a llevarse el móvil, o se quedaría sin vacaciones. Tendría que esforzarse para dejar de ser inspector jefe durante un par de días. Además, ahora no sería demasiado útil como policía. Su enfoque psicológico no había dado frutos.

Sin embargo, cuando el conductor que Gu le había enviado tocó la bocina bajo su ventana, Chen metió en las bolsas, casi de forma mecánica, las carpetas con los expedientes del caso.

Ya en el interior del Mercedes, Chen le pidió prestado el móvil al conductor para llamar a su madre y decirle que estaría fuera de la ciudad unos días. Su madre debió de creer que se trataba de una de esas misiones misteriosas a las que solían enviarlo, y ni siquiera le preguntó adónde se dirigía.

Después se puso en contacto con Nube Blanca y le pidió que llamara a su madre de vez en cuando, insistiendo en que no revelara a nadie su paradero.

Al fondo se vislumbraba el contorno de las colinas ocultas tras unas nubes pasajeras.

17

Chen llegó al complejo de vacaciones bien entrada la tarde. Resultó ser un gran complejo formado por un edificio principal a modo de hotel y varios chalés y bungalós, además de una piscina, saunas, pistas de tenis y un campo de golf. Todos parecían incrustados en las colinas, que se recortaban tras un gran lago reluciente.

No le pareció que mereciera la pena alojarse en el chalé que, como invitado especial de Gu, el director le había ofrecido. Chen prefirió una suite en el edificio principal. El director le entregó un talonario de vales.

–Los vales son para sus comidas y otros servicios. No tiene que pagar nada. El director general Pei ofrecerá una cena especial en su honor esta noche: un banquete *bu,* no a base de hierbas aromáticas, sino de exquisiteces.

–¡Un banquete *bu!* –exclamó Chen, divertido.

Bu era una palabra casi imposible de traducir. Podía significar, entre otras cosas, un aporte nutritivo a base de hierbas y manjares especiales, concepto surgido de las teorías médicas chinas, en concreto relacionado con el sistema del yin y el yang. Pero Chen no tenía ni idea de cuáles serían los efectos de un festín de este tipo. Supuso que habría sido una sugerencia de Gu.

La suite que le habían asignado consistía en una sala de estar, un dormitorio y un espacioso vestidor. Chen sacó los libros y los colocó sobre un escritorio alargado situado junto a la ventana, desde la que se divisaban las colinas envueltas en nubes invernales.

Aquel día no abriría los libros, se recordó a sí mismo.

En lugar de eso se dio una larga ducha de agua caliente. Después, reclinado en el sofá, no pudo evitar dormirse.

Cuando se despertó ya era casi la hora de cenar. Quizá fuera un efecto tardío de la dosis adicional de somníferos. O quizá ya había empezado a relajarse en el complejo de vacaciones.

El restaurante se encontraba en el extremo este del complejo. Contaba con una magnífica fachada de estilo chino, con dos leones dorados sentados a ambos lados de una puerta pintada de rojo bermellón. Unas camareras que llevaban chaquetas rojas con brillantes solapas negras lo saludaron a la entrada inclinando la cabeza. Una azafata lo condujo a través de un enorme comedor hasta un reservado separado por cristales esmerilados.

El director general Pei, un hombre corpulento de expresión agradable que llevaba unas grandes gafas de montura negra, lo esperaba en una larga mesa de banquetes junto a otros ejecutivos, incluido el jefe de recepción al que había conocido antes. Todos empezaron a elogiar a Chen, como si lo conocieran desde hacía muchos años.

–El señor Gu no deja de alabar sus magníficos logros, maestro Chen. Se requieren tanta energía y tanta esencia para producir obras maestras como las suyas... Así que pensamos que una cena *bu* podría ayudarlo un poco.

Chen se preguntó qué habría hecho para convertirse en un «maestro», pero le estaba agradecido a Gu por no haberles revelado que era policía y por haber organizado todo aquello.

Como entrante, un camarero trajo una enorme bandeja conocida como Cabeza de Buda. Su parecido a una cabeza humana era más bien remoto: consistía en una calabaza blanca vaciada y cocida al vapor en una vaporera de bambú cubierta por una enorme hoja de loto verde.

–Un plato especial.

Pei, muy sonriente, le indicó al camarero que sostenía un largo cuchillo de bambú que podía empezar a cortar.

Chen contempló cómo el camarero serraba una parte del «cráneo» con el cuchillo, introducía los palillos en los «sesos» y sacaba un gorrión frito de dentro de una codorniz a la parrilla, que a su vez se encontraba en el interior de un pichón estofado.

–¡Cuántos cerebros en una sola cabeza! –exclamó uno de los ejecutivos soltando una risita.

–No es de extrañar –observó Chen, sonriendo–. Se trata de Buda.

–Todas las esencias se mezclan para producir un extraordinario estímulo cerebral –añadió otro directivo–, pensado para los intelectuales que constantemente se devanan los sesos.

–Un equilibrio perfecto entre el yin y el yang –afirmó un tercer directivo–, procedente de una variada selección de aves.

Chen había oído varias teorías sobre la correspondencia dietética entre los humanos y otras especies. Su madre solía cocinar sesos de cerdo para él, pero aquí los platos eran mucho más elaborados de lo que había esperado.

A continuación trajeron una tortuga de lago, cocinada al vapor con azúcar cristalizado, vino amarillo, jengibre, cebolletas y unas cuantas lonchas de jamón *jinhua.*

–Todos sabemos que la tortuga es buena para el yin, pero en el mercado sólo se pueden encontrar tortugas criadas en granja, alimentadas con hormonas y antibióticos. La nuestra es diferente. Viene directamente del lago –recalcó Pei, mientras se bebía el vino a sorbos–. La gente tiene ideas equivocadas sobre el yin y el yang. En invierno devoran carne roja, como cordero, perro y ciervo, pero eso no es dialéctico...

–Se dice que son buenos para el yang, por eso se suelen comer en el frío invierno, según creo –comentó Chen intrigado por el sermón de Pei, que sonaba muy filosófico–, pero nunca he oído hablar de la parte dialéctica.

–Para la gente que tiene la patología de un yang elevado, comer carne roja podría ser perjudicial. En esos casos, la tortuga contribuye a restablecer el equilibrio –explicó Pei, más ruborizado por la respuesta de Chen que por el vino–. Otro error común consiste en creer que el sexo disminuye el yin, y que por tanto es peligroso. La gente se olvida de que el trabajo duro también consume el yin.

–¿De veras? –preguntó Chen, pensando en la «enfermedad

sedienta» que había estado analizando para su trabajo–. Lo que dice es muy profundo.

–Nuestra cena está perfectamente equilibrada. Tan buena para el yin como para el yang. Confucio dice: «No puedes ser demasiado selectivo con lo que comes». ¿Eso qué quiere decir? Está claro que no se refiere únicamente al sabor. Para un sabio como Confucio, es algo mucho más profundo. La comida tiene que proporcionar un auténtico estímulo que nos permita conseguir grandes logros para nuestro país.

Estuviera o no extraído de esos libros clásicos únicamente con objetivos comerciales, no podía negarse que los ecos confucianos aún resonaban en el estilo de vida cotidiano chino.

La elocuencia de Pei no se limitaba a las teorías. El banquete les deparó una sorpresa tras otra. Sopa con una enorme cabeza de pescado, enriquecida con ginseng americano; *hajia,* lagartijas especiales de Guanxi frescas, no desecadas y procesadas como se solía ver en las herboristerías, servidas con orejitas de madera blanca; y *congee* de nido de golondrina espolvoreado con bayas de *gouji* rojo escarlata.

–¡Ah, el nido de golondrina! –exclamó Pei, levantando un cucharón–. Para hacer sus nidos en los acantilados, las golondrinas tienen que hacerse con todo lo que puedan recoger y mezclarlo con su saliva, la esencia de la vida.

El nido de golondrina era un producto *bu* de larga tradición. El delicado cuenco de *congee* dulce le recordó un pasaje de *Sueño de la habitación roja,* en el que el nido de golondrina que toma una delicada joven para desayunar cuesta más que la comida de un agricultor de todo un año.

–¿A qué se debe que la saliva de las golondrinas sea tan especial? –volvió a preguntar Chen.

–De vez en cuando tenemos la boca seca porque nos falta saliva, sobre todo después de las nubes y de la lluvia, ya sabe –explicó Pei con una cálida sonrisa–. Es un síntoma de que nuestro yin es insuficiente.

–Sí, la enfermedad sedienta –respondió Chen. Sin embargo, la gente podía tener sed por razones de todo tipo, reflexionó, no sólo por las nubes o la lluvia.

Para sorpresa de Chen, a continuación apareció un cuenco de tocino estofado en salsa de soja. Un plato casero, en claro contraste con las anteriores extravagancias.

–La especialidad del presidente Mao –explicó Pei, leyendo la pregunta en la mirada de Chen–. En vísperas de una batalla crucial durante la segunda guerra civil, Mao afirmó: «Mi mente está agotada, necesito tocino con salsa de soja para estimular el cerebro». En aquella época no siempre era fácil servir carne en las comidas, pero, tratándose de Mao, el comité central del Partido se las ingenió para servirle a diario un cuenco de tocino. Y, claro está, Mao condujo al Ejército de Liberación del Pueblo de victoria en victoria. ¿Cómo podía equivocarse Mao?

–No, Mao no podía equivocarse nunca –respondió Chen, mientras saboreaba el tocino.

Entonces llegó el momento cumbre del banquete: trajeron a un mono enjaulado que sacaba la cabeza de la jaula, con el cráneo afeitado y los miembros bien sujetos. Un camarero depositó la jaula en el suelo para que inspeccionaran al mono; después, sonriendo, cogió un cuchillo de acero y un pequeño cucharón de latón y aguardó la señal. Chen había oído hablar alguna vez de este plato especial. El camarero le serraría la parte superior del cráneo al mono para que los comensales pudieran saborear el cerebro, vivo y sanguinolento.

Pero Chen comenzó a sudar y se puso muy nervioso de repente, casi tanto como por la mañana. Quizás aún no se había recuperado.

–¿Qué le ocurre, maestro Chen? –preguntó Pei.

–Estoy bien, director Pei –respondió Chen, secándose el sudor de la frente con una servilleta–. El tocino está buenísimo, me recuerda las comidas que mi madre cocinaba en mi infancia. Es una budista devota, por lo que me gustaría hacer una propuesta en su nombre. Por favor, liberen al mono. En la fe budista, esto se denomina *fangsheng:* liberar una vida.

Pei no estaba preparado para una propuesta de este tipo, pero no fue difícil convencerlo.

–*Fangsheng.* No cabe duda de que el maestro Chen es un buen hijo, así que haremos lo que nos pide.

Los demás comensales estuvieron de acuerdo. El camarero volvió a coger la jaula y prometió soltar al mono en las colinas. Chen le dio las gracias, aunque se preguntó si cumpliría su promesa.

Pei era un anfitrión tan amable y servicial que Chen no tardó en olvidar el episodio del mono. Al otro lado de la ventana, la noche se desplegó como el pergamino de un paisaje chino tradicional, ofreciendo un panorama invernal que se extendía hasta el lejano horizonte. A esta altitud, la luz tardaba más en desaparecer. Las cumbres nunca habían tenido un aspecto tan majestuoso: era como si exhibieran su belleza en un intento desesperado por retener el resplandor del día.

Lo invadió una sensación de bienestar mientras sostenía su copa. El banquete *bu* había funcionado, al menos psicológicamente.

Cuando Chen volvió a su habitación horas después, se sintió como una batería recargada de las que aparecen en los anuncios de televisión.

También se sintió relajado. Reclinándose contra la cabecera acolchada, se dejó vencer por una agradable somnolencia. En la ciudad le había costado dormirse, pero esta noche no tenía que preocuparse. ¿Se debía a la cena? El estímulo del yin, o del yang, al que su cuerpo ya había respondido.

Chen se durmió dejándose llevar por estos pensamientos errabundos.

Y continuó durmiendo. Se despertó un par de veces, pero las cortinas impedían que entrara la luz del día y no había ruido de tráfico como en la ciudad. Una sensación de pereza se apoderó de él, y no se levantó. No tenía hambre. Ni siquiera miró el reloj de la mesilla de noche. La experiencia le pareció extraña e inexplicable, pero creyó que le beneficiaría para reponerse.

Volvió a dormirse y perdió la noción del tiempo.

18

Cuando nadie lo esperaba, el Departamento de Policía de Shanghai recibió un soplo.

El soplo, si eso es lo que era, llegó en el *Shanghai Evening News*. Para ser exactos, era un anuncio clasificado recortado del periódico y enviado al Departamento, en un sobre dirigido al inspector Liao:

> Probemos el triple alterne. Después de cantar y de comer, ha llegado el momento de bailar. En cuanto al sitio elegido, ¿dónde mejor que en el club Puerta de la Alegría? A la hora de siempre, ya sabes. Wenge Hongqi

Podría haberse tratado de una broma entre amigos. Pero, al dirigirlo a Liao, el mensaje adquirió un matiz siniestro.

–No es un soplo –dijo Liao, frunciendo el ceño.

De las víctimas que llevaban el vestido mandarín rojo, una era una acompañante para comidas, y otra una acompañante para karaokes, por lo que la siguiente tendría que ser, como había sugerido Hong, una acompañante para bailes.

«A la hora de siempre» sonaba aún más apremiante. El jueves por la noche, o la madrugada del viernes.

Evidentemente, «Wenge Hongqi» no era un nombre auténtico. Podía traducirse como «bandera roja en la Revolución Cultural», un apodo poco habitual en los años noventa.

–Bandera roja en la Revolución Cultural –leyó Yu–. Suena como el nombre de una organización rebelde de aquella época.

–Espere un momento –lo interrumpió Liao–. *Hongqi* también suena como las dos primeras sílabas de *hongqipao,* vestido mandarín rojo.

Liao se puso en contacto de inmediato con el periódico. El director comentó que el anuncio no le había parecido incorrecto. Lo habían pagado al contado y llegó a la redacción por «entrega rápida», uno de los servicios más nuevos de la ciudad. Cualquiera que tuviera un coche o una bicicleta lo podía proporcionar, y posiblemente sin licencia. Era imposible localizar a la empresa de mensajería rápida. El hombre que escribió el anuncio no dejó su dirección ni su teléfono. No solían exigirse cuando se pagaba al contado.

Era evidente que se trataba de un mensaje del asesino. Además de un desafío inadmisible.

No pensaba dejar de matar, pese a todos los esfuerzos de la policía. Además, les había comunicado cuándo sucedería, y también dónde.

Pronto llegó la información sobre el club Puerta de la Alegría. La sala de baile estaba en un edificio de seis plantas situado en la calle Huashan, cerca de la calle Nanjing. Tenía un pasado esplendoroso: en los rutilantes años treinta, los más ricos y modernos de la ciudad acudían en masa a su pista de baile. Después de 1949, sin embargo, el baile fue prohibido como actividad social por considerarse atributo de un estilo de vida burgués y decadente. Convirtieron el edificio en un cine, y como tal sobrevivió a la Revolución Cultural. Durante aquellos años el nombre del club Puerta de la Alegría cayó casi por completo en el olvido, salvo por un incidente. Su enorme letrero de neón en letras inglesas, rotas y apagadas desde hacía muchos años, se desprendió y mató a un viandante que pasaba por debajo. Se consideró entonces que el incidente simbolizaba el fin de una época. Sin embargo, a principios de los noventa el club Puerta de la Alegría fue redescubierto debido a la ola de nostalgia colectiva que invadió la ciudad. Un hombre de negocios de Taiwan quiso devolverle al edificio su antiguo esplendor e intentó conservar el aspecto que tenía en los años treinta. Volvieron a colgarse viejos adornos y carteles amarillentos por el paso del tiempo, se contrató de nuevo a los antiguos músicos de la banda, se restauraron lámparas y candelabros oxidados, y las acompañantes para bailes, jóvenes y guapas, regresaron a la sala ataviadas con vestidos mandarines.

En resumen, el negocio volvía a ser boyante. Las guías turísticas de Shanghai describían el club Puerta de la Alegría como uno de los lugares de visita obligada de la ciudad.

Yu y Liao se miraron. No les quedaba otra alternativa. Hong se había preparado para actuar como señuelo, y ahora había surgido la oportunidad perfecta para pasar a la acción.

Yu seguía reticente a que Hong interviniera, pero sus compañeros habían presionado para que el plan se llevara a cabo. Como dice el proverbio chino, el que esté gravemente enfermo pedirá ayuda a cualquier matasanos. Hong, vestida como una mariposa, había recorrido un club nocturno tras otro luciendo sus encantos y flirteando. Un número considerable de clientes la habían abordado, según sus informes, pero ninguno resultó ser realmente sospechoso. A fin de no ahuyentar a su auténtico objetivo, Hong se vio obligada a seguirles la corriente hasta el último momento. Sus informes no mencionaban, comprensiblemente, las insinuaciones que tuvo que aguantar de todos aquellos clientes libidinosos.

Ahora la situación había cambiado.

–Es un tipo diabólico –se limitó a afirmar Yu.

–Hong lleva dos años en la policía. Ha recibido una excelente formación en la academia, y después con nosotros –murmuró Liao, como si intentara imbuirse de confianza antes de marcar la extensión de Hong–. Es una muchacha lista y muy capaz.

Yu no conocía demasiado bien a Hong, pero tenía muy buena opinión de ella. Era aguda, realista y muy trabajadora, cualidades no siempre habituales en una agente joven. La brigada de homicidios estaba soportando una presión excesiva, por lo que la decisión de Liao se entendía.

–El anuncio también podría ser una trampa –señaló Yu–. Si

enviamos a nuestros agentes al club Puerta de la Alegría puede que cometa un asesinato en otra parte.

Liao asintió con la cabeza sin responder de inmediato. Segundos después, el secretario del Partido Li irrumpió en el despacho jadeando.

–¡Esto es demasiado! –exclamó con voz estridente–. Hay que impedir que siga matando. Cuentan con el apoyo de todo el Departamento. Díganme cuántos agentes necesitan y los tendrán.

Hong también entró en el despacho y se sentó frente a ellos, cruzando las manos sobre el regazo. Iba vestida de «acompañante», con un vestido de tiras finas y aberturas laterales hasta el muslo. No llevaba maquillaje y su rostro parecía sereno y radiante bajo la luz matinal.

–Quiero que entienda que es un trabajo voluntario –comenzó a decir Liao, empujando el recorte de periódico hasta el otro lado del escritorio–. A diferencia de lo que ha hecho hasta ahora, no está obligada a esta misión. Puede negarse, aunque es la persona más cualificada para el trabajo.

Hong le echó un vistazo al recorte, se apartó el pelo de la frente con la mano y asintió, mientras su negro flequillo oscilaba con suavidad sobre sus arqueadas cejas.

–Si va a la sala Puerta de la Alegría esta noche –siguió explicando Liao– nosotros también estaremos allí. Sólo tiene que hacernos saber que el sospechoso se acerca.

–¿Cómo puedo saber si es él? Todos esos hombres emplean las mismas artimañas con las chicas.

–No creo que intente hacerle nada en el interior del club, tendrá que sacarla de allí. Cuando lo intente, se lo impediremos. Estaremos preparados para cualquier eventualidad.

Pero sólo les quedaba medio día para prepararse, pensó Yu. Los policías apenas tendrían tiempo. Quizás Hong no tuviera dificultades para interpretar ese papel, gracias a su anterior experiencia como señuelo.

–Hagámoslo –ordenó Li–. Esta noche me quedaré en el despacho. Manténganme informado en todo momento.

Así que tendrían que ir al club Puerta de la Alegría. Hong tomó un taxi para volver a su casa y cambiarse de ropa. Yu y Liao solicitaron una furgoneta con el letrero «Servicio de calefacción y de refrigeración» pintado en un costado, que serviría como campo de operaciones. Varios agentes se reunirían con ellos más tarde frente al club.

Puesto que el asesino podía tener algún contacto entre el personal del club Puerta de la Alegría, Yu y Liao decidieron entrar sin revelar su identidad y así poder echar un vistazo como si fueran clientes.

Según un folleto muy vistoso que Yu cogió en la entrada, las tres primeras plantas del edificio, destinadas exclusivamente al baile, albergaban salas de distintos tamaños y ofrecían servicios como «parejas de baile masculinas y femeninas», de distintos precios. Además de la entrada, según un particular sistema de tarifas era preciso pagar por cada unidad, equivalente a un baile, de 25 a 50 yuanes. Esta cantidad no incluía la propina, por supuesto.

–Además de esas «parejas de baile profesionales» –dijo Liao–, también hay «acompañantes para bailes», que no ganan dinero bailando, sino con los servicios que ofrecen después de bailar.

Aún era temprano, por lo que sólo estaba abierta al público la primera planta. La sala de baile tenía hileras de mesas a ambos lados y un escenario en el extremo opuesto. Una cantante ataviada con un llamativo vestido mandarín actuaba acompañada de una pequeña orquesta. Las luces de neón producían un espejismo nostálgico de sueños dorados y quimeras de riqueza. La mayoría de las parejas que bailaban eran de mediana edad, y las acompañantes para bailes tampoco parecían demasiado jóvenes.

–En estas fechas es relativamente barato –comentó Liao, examinando la lista de precios en el folleto.

Las parejas que se encontraban ahora en la sala podían bailar hasta las siete. Los bailes de la sesión de noche tendrían lugar en las plantas segunda y tercera. En la tercera planta estaba programada la actuación de un grupo de chicas rusas para esa misma noche, por lo que la mayoría de clientes se encontrarían allí disfrutando del espectáculo. La policía sólo tendría que vigilar la segunda planta. Las plantas cuarta y quinta estaban destinadas a habitaciones de hotel.

–¿Quién querría hospedarse en una habitación aquí, con esta música que te perfora los tímpanos y este ruido insoportable durante toda la noche? –preguntó Yu.

–Bueno, el lugar es muy céntrico –respondió Liao–. Puede que algunos de los huéspedes bajen a bailar, y que se lleven después a una chica a la habitación.

Tanto los clientes de la sala de baile como los del hotel tenían que entrar y salir por la entrada principal, situada en la calle Huashan. Había una cámara de vídeo instalada sobre la entrada, así que no tuvieron que preocuparse de instalar otra.

Cuando volvieron a la furgoneta, Hong y varios agentes más se reunieron con ellos para organizar el plan de acción de esa noche.

Hong se dirigiría a la sala de baile de la segunda planta, enfundada en un vestido mandarín rosa. Llevaría un móvil en miniatura programado especialmente para la ocasión. Si apretaba una tecla, los policías que esperaban en el exterior se mantendrían en estado de máxima alerta, y al apretar otra tecla más, estos mismos agentes entrarían sin dilación. Hong había practicado artes marciales *Shaolin* en la academia de policía para poder enfrentarse a una situación inesperada, al menos hasta que sus compañeros acudieran en su ayuda. También debía llamarlos a intervalos regulares, aunque prefería no tener que hacerlo para no despertar sospechas.

El sargento Qi entraría con ella, haciéndose pasar por un cliente que no la conocía. No se alejaría de la sala de baile, se mantendría en contacto constante con los demás agentes y tendría la doble responsabilidad de protegerla y de detectar cualquier comportamiento que pudiera resultar sospechoso.

También había dos policías emplazados frente a la sala de baile de la segunda planta. Se turnarían para sentarse en el sofá próximo a la entrada, simulando ser clientes que están descansando allí. Tenían la responsabilidad de vigilar la salida de Hong, en compañía de alguien o sola.

Aquella noche no tenía sentido vigilar la tercera planta. Resultaba inconcebible que el asesino se acercara a una chica rusa que no hablaba chino, y que además estaba en el escenario. A instancias de Li, sin embargo, también enviaron a un agente de paisano a la tercera planta.

Finalmente, situaron a varios agentes más alrededor de la puerta de entrada al edificio en la calle Huashan. Uno iba disfrazado de vendedor del periódico vespertino, otra se había vestido de florista, y el tercero simulaba ser un fotógrafo que ofrecía sacar instantáneas de los turistas que paseaban por la calle.

Yu y Liao se quedaron en la furgoneta estacionada frente al club. Ambos esperaban inmóviles con los auriculares puestos, como dos soldados de juguete, intentando prever lo que pudiera salir mal.

La primera hora transcurrió sin incidentes. Aún era demasiado pronto, supuso Yu, mirando hacia el club. Para su sorpresa, vio a una madre joven arrodillarse temblorosa junto a un cartel colocado sobre la acerca cercana a la entrada de la sala de baile. La mujer, desgreñada y harapienta, sostenía en sus brazos a un niño de unos siete u ocho meses. Junto a la madre y al niño había un cuenco mellado con algo de dinero en su interior. La gente entraba y salía del club Puerta de la Alegría sin siquiera mirarlos. Nadie le echó ni una moneda.

La ciudad se estaba dividiendo en dos, una parte para ricos y otra para pobres. La propina que solía pagarse después de un baile podría haber alimentado y proporcionado cobijo a esa mujer y a su hijo durante un día. Yu pensó en salir de la camioneta con algunas monedas en la mano, pero un guardia se acercó a la mujer y la obligó a marcharse.

El sargento Qi continuaba informando desde el interior de que todo iba bien. Yu lo oía silbar de vez en cuando, como un experto, mientras el volumen de la música de fondo subía y bajaba. «Cuándo vas a volver, querido mío», melodía que Yu reconoció como una de las más populares en los años treinta.

Hong sólo se puso en contacto con ellos una vez, para decir que había recibido varias invitaciones.

En el exterior de la furgoneta, las luces comenzaron a encenderse gradualmente y los nuevos clientes, muy animados, fueron entrando en el club Puerta de la Alegría. En los años treinta, Shanghai había sido bautizada «la ciudad sin noche».

Hacia las ocho cuarenta y cinco hubo un silencio de unos veinte minutos. Liao le preguntó a Qi qué sucedía, y éste explicó que se había producido una falsa alarma. Siete u ocho minutos antes, Qi había perdido de vista a Hong en la sala de baile. Comenzó a buscar a su alrededor y la vio sentada con una bebida en un apartado del pequeño bar. Como también debía observar cuanto sucediera a su alrededor, Qi se sentó a una mesa desde la que se divisaban tanto el bar como la sala de baile.

–No se preocupe –lo tranquilizó Qi–. Puedo verlo todo desde aquí.

A continuación tuvo lugar otro lapso de silencio. Yu le encendió el cigarrillo a Liao antes de encender el suyo. Li volvió a llamar, por tercera vez aquella noche. El secretario del Partido no intentó ocultar su preocupación.

Al cabo de unos diez minutos, Qi les llamó para comunicarles con voz aterrorizada que la mujer del bar, pese a llevar también un vestido mandarín, resultó no ser Hong.

Yu marcó el número del móvil de Hong, pero ésta no contestó. Quizá la música que retumbaba en el interior del club era demasiado fuerte y Hong no lo oía sonar. Liao también lo intentó, dos o tres veces más. Hong seguía sin responder. Liao habló entonces con los agentes que estaban apostados fuera del edificio. Respondieron que no la habían visto salir, y que sería imposible no distinguirla en su vestido mandarín rosa.

Yu se puso en contacto con los agentes que hacían guardia a la entrada de la sala de baile. Lo tranquilizaron un poco al asegurarle que ninguno de los dos la había visto salir, por lo que aún debía de estar dentro del edificio. Yu les ordenó que entraran en la sala de baile y se reunieran con Qi.

Entretanto, Liao se dirigió apresuradamente a la sala de cámaras de vigilancia, donde se encontraba otro policía junto al guarda de seguridad del edificio.

Sin embargo, en menos de cinco minutos Yu vio salir de nuevo a Liao, sacudiendo la cabeza confundido. Hong no aparecía en la grabación en vídeo de la cámara que había en la entrada delantera.

Los policías que se encontraban en el interior de la sala de baile también llamaron, para informar de que la habían buscado en todas partes. Hong parecía haberse evaporado.

Sin duda había pasado algo terrible.

Habían transcurrido unos treinta y cinco minutos desde que Qi se percató de la ausencia de Hong.

Yu ordenó bloquear de inmediato la entrada del edificio. No era momento de preocuparse por la reacción de los clientes. Liao solicitó refuerzos con urgencia por teléfono antes de ordenar la evacuación de la sala de baile.

Los policías llegaron apresuradamente y registraron a todas y cada una de las personas que salían del edificio, pero Hong no se encontraba entre ellas.

Cuando la sala de baile quedó finalmente desierta, como un campo de batalla cubierto de copas, botellas y cosméticos, seguía sin haber ni rastro de ella.

–¿Dónde puede estar? –preguntó Qi, abatido.

Todos conocían la respuesta.

–¿Cómo diantre puede haberse escabullido llevándose a Hong? –preguntó Liao.

–Por aquí –exclamó Qi, señalando la puerta de un cubículo en el interior del bar. La puerta apenas se veía desde la sala de baile, a menos que uno se dirigiera a la parte trasera del bar.

Yu se precipitó hacia la puerta y la abrió de un empujón. Conducía a un pasillo. Vio que al fondo del pasillo había un ascensor auxiliar.

–Debe de haberla sacado por la puerta lateral, habrán ido hasta el ascensor, y luego habrán salido por la puerta de entrada –dijo Liao con la voz ronca–. Pero no, no creo que hayan salido aún, nuestros agentes los habrían interceptado.

–Eso es imposible –replicó Yu, sin embargo, de repente, tuvo un presentimiento–. ¡Maldita sea! Registrad todas las habitaciones del hotel.

En recepción les entregaron una lista de inmediato. Aquella noche habían reservado treinta y dos habitaciones. Con la lista en la mano, los policías empezaron a aporrear una puerta tras otra. En la tercera no obtuvieron respuesta desde el interior. Según el registro, estaba previsto que la ocupara una sola persona, y sólo por un día. El camarero sacó la llave y abrió la puerta de la habitación.

Sus peores temores se confirmaron. No encontraron a nadie en la habitación. En medio de un silencio sepulcral, vieron la ropa de Hong esparcida por el suelo. El vestido mandarín rosa, el sujetador y las bragas. Y, en un rincón, los zapatos de tacón. El asesino debía de habérsela llevado por la fuerza a la habitación, donde la desnudó como a las otras, le puso el vestido mandarín rojo y la sacó de allí.

Volvieron a ver la cinta de vídeo. Esta vez se fijaron en algo que, aunque ya habían visto antes, no les había parecido sospechoso. Un hombre vestido con un uniforme del hotel ayudaba a otro a salir a toda prisa. Ambos llevaban gorros y uniformes idénticos. El hombre parecía tener entre treinta y cinco y cuarenta y cinco años. La cámara no había captado una imagen definida de su rostro, medio oculto por un gorro calado hasta las orejas y unas gafas de color ámbar. La otra persona podría ser una mujer: un largo mechón de pelo negro se escapaba por debajo del gorro. Parecía enferma, y se apoyaba pesadamente en el hombro de su acompañante.

Tras acudir a toda prisa a la sala de vigilancia, el director del hotel confirmó que las dos personas que aparecían en la cinta de vídeo no eran empleados de su establecimiento.

El asesino se había registrado con una identidad falsa y había obligado a Hong a entrar en la habitación, donde le cambió la ropa. Después salió con ella del edificio. A juzgar por la cinta, la joven policía ya estaba semiinconsciente. Habría sucumbido a los efectos de alguna droga antes de poder alertar a sus compañeros. Una vez fuera del club, el asesino la habría introducido en un coche aparcado en las inmediaciones, o habría parado a un taxi. Sin embargo, los agentes apostados en el exterior no recordaban haber visto a dos empleados del hotel entrando en un coche.

La policía se puso en contacto de inmediato con los comités vecinales y con las empresas de taxis para recabar información sobre dos personas vestidas con uniformes de hotel, una de ellas probablemente inconsciente.

El secretario del Partido Li profería insultos por varios teléfonos, gritaba como un poseso y recorría la habitación de un lado a otro, como una hormiga que intenta trepar desesperadamente por un wok caliente. Pese a su oposición inicial, Li ordenó vigilar a cualquier familia que tuviera garaje particular, de modo que la policía volvió a solicitar la ayuda de todos los comités vecinales.

Según la hora registrada en la cinta, sólo habían transcurrido unos veinticinco minutos desde que el asesino saliera con Hong del club Puerta de la Alegría. Tal vez los policías aún pudieran interceptar al criminal antes de que llegara a su refugio secreto, o quizá podrían capturarlo cuando entrara en su garaje. Aún tendría que ponerle el vestido mandarín rojo a Hong.

Recibieron una llamada del director del hotel. Según el testimonio de una camarera, un hombre de mediana edad se dirigió a ella para preguntarle si había alguna chica nueva aquella noche, pero la camarera apenas pudo describirlo. Sólo recordaba que llevaba gafas de montura dorada con cristales color ámbar. No pudo calcular su estatura porque el cliente estaba sentado detrás de una mesa.

Un cuadro del comité vecinal también se puso en contacto con ellos. A última hora de la tarde había visto un coche blanco –un modelo lujoso, aunque no pudo distinguir la marca– aparcado en una sórdida calle lateral una manzana al norte del club Puerta de la Alegría. No era habitual que aparcaran un coche así en aquella calle.

Pero toda esa información de poco les servía en aquellos momentos.

Actuaban a contrarreloj; cada minuto que pasaba era más angustiante que el anterior, más insoportable porque no disponían de información, pese a que toda la maquinaria policial de la ciudad se había puesto en marcha.

Finalmente, hacia la una de la madrugada, un policía llamó desde las inmediaciones del cementerio de Liany en el barrio de Hongqiao.

El cementerio llevaba años abandonado. Según un reciente informe de seguridad dirigido al Departamento, se había convertido en un blanco fácil para los ladrones de tumbas, por lo que la comisaría del distrito enviaba una patrulla de vez en cuando.

Hacía alrededor de una hora que un ladrón de tumbas había dado con algo totalmente inesperado: el cuerpo de una mujer joven que llevaba un vestido mandarín rojo. Al igual que otros de su profesión, el ladrón era supersticioso. Comenzó a gritar nada más ver el cadáver y después salió huyendo, hasta que el patrullero lo atrapó. La sola mención del vestido mandarín rojo bastó para que el agente llamara de inmediato al Departamento.

Liao acababa de poner en marcha la furgoneta cuando recibió una segunda llamada del agente.

–También han encontrado allí un uniforme de hotel, no demasiado lejos del cuerpo, y un gorro. –Luego agregó–: Vengan rápidamente. El ladrón de tumbas se ha desmayado. Cree que ha visto a un fantasma.

19

El viernes por la mañana, Chen finalmente se despertó lleno de energía.

Se preguntó cómo había podido dormir tanto durante casi dos días. Tal vez había sido por la fabulosa cena *bu:* alguna hierba especial con un efecto milagroso. El director Pei poseía auténticos conocimientos médicos; debió de haber diagnosticado el problema de Chen al oír la descripción de Gu, y organizó la cena *bu* que resultara más adecuada para Chen. Según la teoría médica china tradicional, recordó Chen vagamente, ciertas hierbas podían agudizar los síntomas, lo cual permitía que el cuerpo se autorregulara. Chen había trabajado demasiado, de modo que la cena especial le ayudó a dormir bien y a compensar todos los años de descanso perdido. Ahora el yin, el yang u otros elementos de su cuerpo se moverían de nuevo en armonía. Cualesquiera que fueran la teoría y la práctica médicas chinas, Chen no se había encontrado tan bien en mucho tiempo.

Pero también se sentía algo inquieto, porque había tenido un sueño extraño poco antes de que amaneciera. Estaba sentado en un jardín exótico observando a una mujer joven que bailaba, cantaba como una sirena y hacía un *striptease,* cuando, de pronto, lo invadió un sentimiento de aversión inexplicable. Agarró con fuerza a la muchacha e intentó estrangularla en el parterre. La mujer que luchaba contra él no era otra que Nube Blanca. Su vestido, que ahora se había convertido en el vestido mandarín rojo, contrastaba vivamente con el verdor del césped.

Chen no había dejado de pensar en el caso del vestido mandarín rojo, pero la aparición de Nube Blanca en el sueño lo molestó, por no mencionar su propio comportamiento. Quizá se debiera a lo que había sucedido en el Mercado del Templo del Dios de la Ciudad Antigua. O al banquete *bu*, un estímulo tan inusual para el yin o para el yang que lo había excitado sexualmente. Por otra parte, podría ser una buena señal. Se había recuperado lo suficiente como para volver a tener sueños propios de un hombre joven.

Decidió no darle más vueltas: no era el momento de ponerse a interpretar sueños. Volvió a pensar en el caso de Shanghai, y entonces se dio cuenta de que era viernes. Se sintió tentado de llamar a Yu, pero se echó atrás. Si lo llamaba se quedaría sin vacaciones, aunque le parecía que sólo acababan de empezar. Ni siquiera había dado un paseo por el pueblo, y tampoco había dedicado tiempo alguno a su trabajo de literatura.

En lugar de ponerse en contacto con Yu decidió llamar a Nube Blanca. La muchacha, que no había leído ni escuchado nada nuevo sobre el caso, lo animó a disfrutar de sus vacaciones. Nube Blanca había visitado a la madre de Chen para asegurarse de que se las arreglaba bien en casa, por lo que no tenía de que preocuparse.

Mientras miraba por la ventana, se le ocurrió que podría dar un paseo junto al lago.

Fuera hacía un poco de frío, y el lago parecía bastante desierto en esa época del año. Sólo había un viejo pescador sentado en la orilla, envuelto en un raído abrigo militar. La cesta de bambú que descansaba a su lado estaba vacía. El anciano parecía absorto en sus pensamientos, o quizás había adoptado una postura de meditación.

El inspector jefe pasó junto a él sin molestarlo.

Chen miró hacia las montañas que se recortaban contra el horizonte y le pareció oír el murmullo de una cascada no demasiado lejana. Miró hacia atrás y vislumbró, a cierta distancia, una débil luz parpadeante en la mano del anciano.

La lucecita brilló frente a los bosques y las colinas, y después se apagó. De pronto se escuchó el susurro de los pinos: un suspiro largo y profundo del viento. Chen se sorprendió de su propia tristeza. A continuación tomó un sendero resbaladizo que serpenteaba entre grupos de alerces y de helechos. Tuvo que andar despacio. Debía de haber llovido mientras dormía. No tardó en llegar a una larga alfombra de pinaza que amortiguaba sus pasos. Entonces el sendero se ensanchó de forma inesperada y lo condujo hasta el mercado del pueblo.

El mercado ya estaba muy concurrido a esa hora, aunque la mayoría de los compradores eran turistas en busca de recuerdos. Chen tardó varios minutos en abrirse paso entre la multitud hasta que por fin se detuvo frente a un puesto que exhibía dinero del más allá, un producto propio de la superstición que no se veía habitualmente en Shanghai.

«Dongzhi se acerca», exclamó con entusiasmo el vendedor ambulante, doblando el papel de plata de modo que pareciera un lingote de plata con forma de *yuanbao.* Al parecer, en el más allá chino la moneda principal seguía siendo el lingote de plata. «Allí la gente necesita dinero para comprar ropa de invierno.»

Obedeciendo a un impulso, Chen compró un puñado de dinero del más allá. Él no creía en estas supersticiones, pero su madre sí. Lo quemaba de vez en cuando en honor a su padre fallecido, en particular durante festividades como Dongzhi o Qingming.

De vuelta en la habitación de su hotel, Chen cogió los libros que había traído y se dirigió a la piscina cubierta.

El pabellón de la piscina tenía una pared de cristal polarizado, para que los nadadores pudieran disfrutar de la privacidad mientras contemplaban las vistas del lago y de las colinas en invierno. Después de unas enérgicas brazadas, Chen se sentó en una silla reclinable colocada junto a la piscina y comenzó a leer.

Quizá por haberse habituado a estudiar inglés en el Parque Bund, Chen había desarrollado la capacidad de leer y de concentrarse en lugares públicos. En aquellos años, el ambiente siempre cambiante del Bund lo distraía. Aquí, además de gozar de las vistas del exterior, disfrutaba contemplando a las muchachas que retozaban en la piscina. Sus cuerpos cautivadores aparecían y desaparecían en el agua azul cada vez que levantaba la vista de los antiguos clásicos confucianos. Resultaba irónico, porque Confucio dice: «Un caballero no debería mirar si no lo hace conforme a los ritos».

Conforme a los ritos o no, ante aquel espectáculo la lectura le parecía menos aburrida. Dado que su difunto padre había sido un erudito neoconfuciano, y que las máximas confucianas seguían formando parte de la vida cotidiana china, como comprobó en el banquete *bu,* la frase «Confucio dice» no le resultaba extraña. Pero nunca había estudiado de manera sistemática el confucianismo, prohibido en las aulas durante sus años de estudiante. Deseaba haber podido hablar más con su padre, cuya muerte temprana impidió que pudiera inculcarle la tradición a su hijo.

Chen sacó su cuaderno. Algunas de sus primeras notas de investigación parecían guardar relación con los ritos confucianos. Según Confucio, los ritos están siempre presentes y en todas partes. Mientras la gente se comportara conforme a los antiguos ritos, como había hecho supuestamente en los viejos tiempos, todo iría bien. Aunque parecía haber ritos relacionados con cualquier cosa, Chen nunca había oído hablar de ningún rito relacionado con el amor romántico.

Aquella mañana no consiguió encontrar ningún dato interesante en los libros que había llevado consigo. Los maestros confucianos habían pasado por alto la pasión romántica: era como si nunca hubiera existido.

Entonces Chen amplió su búsqueda al término matrimonio: *hunli* significaba, literalmente, «ritos matrimoniales» en chino. Encontró varios párrafos sobre los ritos matrimoniales, pero ni una sola palabra referida a la pasión entre parejas jóvenes. Por el contrario, se suponía que los jóvenes no debían conocerse, y mucho menos enamorarse, antes de la boda. Sólo los padres podían concertar su matrimonio.

En el *Libro de los ritos,* uno de los cánones confucianos, aparecía una clara afirmación sobre la naturaleza del matrimonio.

Los ritos del matrimonio existen para establecer una feliz conexión entre dos [familias de distintos] nombres, con la intención, en su carácter retrospectivo, de garantizar los servicios en el templo ancestral, y en su carácter futuro, de garantizar la continuidad del linaje familiar. Por consiguiente, el varón les da mucha importancia...

Los ritos matrimoniales consisten en seis pasos rituales consecutivos, que son, a saber, la visita de la casamentera, las preguntas sobre el nombre y la fecha de nacimiento de la muchacha, el horóscopo de la pareja, los regalos por el compromiso matrimonial, la elección de la fecha de la boda y la bienvenida del novio a la novia el día del casamiento.

Pese a todas estas actividades, continuó leyendo Chen, el hombre y la mujer no tenían ocasión de conocerse hasta el mismo día de su boda. El matrimonio, celebrado por decisión de los padres con el propósito de dar continuidad al linaje familiar, no tenía nada que ver con el amor romántico.

Chen subrayó un párrafo en su ejemplar de Mencio, en el que se condenaba a los jóvenes que se enamoran y actúan por su cuenta sin tener en consideración los matrimonios concertados.

Cuando nace un hijo varón, lo que se quiere para él es que pueda tener una esposa; cuando nace una hija, lo que se quiere para ella es que pueda tener un marido. Este sentimiento paterno lo manifiestan todos los hombres. Si los jóvenes, sin aguardar la orden de sus padres ni la intervención de los intermediarios, hacen agujeros para poder verse, o trepan por un muro para estar juntos, serán objeto del desprecio de sus padres, así como de cualquier otra persona.

Chen sabía que las situaciones que el filósofo Mencio describía como «hacer agujeros y trepar muros» se habían convertido en metáforas habituales para referirse a las citas entre jóvenes amantes.

Chen cerró el libro e intentó poner en orden todo lo que acababa de leer. Los matrimonios concertados reforzaban la estructura social basada en la familia, porque el amor romántico podía impedir que los padres fueran siempre el centro del afecto, la lealtad y la autoridad.

–Disculpe, ¿me puedo sentar aquí?

–¡Ah! –exclamó Chen, levantando la vista para contemplar a una mujer joven que colocaba una silla reclinable al lado de la suya–. Sí, por favor.

La joven se acomodó en la silla junto a él. Era una mujer atractiva de poco más de treinta años y rasgos bien definidos, boca recta y rostro enmarcado por unos rizos delicados. Llevaba sobre el bañador un pareo o sari blanco de tela vaporosa, probablemente un caftán blanco, que flotaba alrededor de sus piernas largas y esbeltas. También tenía un libro en la mano.

–Es tan agradable leer aquí... –La mujer juntó las piernas y encendió un cigarrillo.

Chen no tenía ganas de hablar, pero no le molestó que una mujer atractiva se pusiera a leer a su lado. El inspector jefe sonrió sin decir nada.

–Lo vi en el restaurante hace un par de días –comentó ella–. ¡Menudo banquete!

–Lo siento, no recuerdo haberla visto allí.

–Estaba sentada a una mesa del comedor exterior, mirando el interior a través de las ventanas. Todo el mundo parecía muy ocupado brindando en su honor. Deben de irle muy bien las cosas.

–No, la verdad es que no.

–¿Un «bolsillos llenos»?

Chen volvió a sonreír. Ella no habría creído que era policía y que había venido solo para intentar acabar un trabajo de literatura. No tenía ningún sentido revelar su identidad.

Pero ¿quién era ella? ¿Qué hacía una mujer atractiva sola en una lujoso complejo de vacaciones? Chen se contuvo al percatarse de que estaba pensando como un investigador. Era una turista sin nombre que estaba de vacaciones; él no tenía ninguna obligación de entrometerse en las vidas de los demás.

–¿Qué está leyendo? –preguntó ella.

–Un clásico confuciano –respondió Chen.

–Es interesante –observó la mujer, echando un vistazo a las muchachas que nadaban en la piscina–. Leer a Confucio junto a una piscina.

Chen captó la sutil ironía del comentario. Confucio tenía razón al afirmar lo siguiente: «Nunca he visto a nadie al que los estudios le gusten tanto como las beldades».

Ella también empezó a leer su libro. Su cabello parecía negro como el azabache bajo la luz del sol, y los ojos le brillaban con «olas otoñales», posiblemente una expresión sacada de esas historias de amor. Chen la notó cerca, y se fijó en su axila sin depilar cuando la joven estiró un brazo detrás de la cabeza. Llevaba una esclava hecha con hilo de seda roja que acentuaba su bien torneado tobillo. Chen recordó algunos versos sobre las divagaciones de un hombre ante la visión de las piernas de una mujer, blancas y desnudas pero recubiertas de una leve pelusilla negra visible a la luz del sol.

El inspector jefe se reprendió a sí mismo y comenzó a cuestionarse la necesidad de esas vacaciones. La aterradora experiencia que había tenido en su casa se debió a un exceso de café. Tal vez se dejó llevar por el pánico. Ahora sentía que volvía a ser el de siempre. Entonces, ¿por qué continuar sus vacaciones? Un asesino en serie andaba suelto por Shanghai, pero él estaba leyendo junto a la piscina, en un complejo de vacaciones a cientos de kilómetros de distancia, pensando en imágenes poéticas de carácter romántico.

Al menos debería escribir unas cuantas páginas más de su trabajo de literatura, así que abrió su cuaderno y empezó a anotar algunas frases para la conclusión.

En la sociedad china tradicional, la institución de los matrimonios concertados conllevaba hostilidad hacia el amor romántico. Sin embargo, ¿cómo pudieron surgir todas esas historias de amor? Aunque Chen sólo había analizado tres, había muchas más. La publicación y la difusión de estos relatos contrarios a la norma social de los matrimonios concertados, debería haber sido imposible...

Lo interrumpió un camarero que, tras reconocerlo como el «distinguido huésped» de la sala del banquete, se acercó con una botella de vino en una cubitera.

Quizá forme parte del servicio habitual en el complejo, pensó Chen.

–Lo siento, no llevo encima el vale.

–No se preocupe, señor –respondió el camarero, depositando la cubitera sobre una mesita junto a su silla reclinable–. Invita la casa.

Chen le indicó por señas que sirviera primero una copa a la mujer sentada en la silla de al lado.

–«Un forastero solitario, muy lejos de su hogar» –dijo Chen, citando un verso de un poema de la dinastía Tang.

–Bueno, mi media naranja se ha ido a una reunión de negocios –respondió ella inclinándose hacia Chen por encima de la mesita, lo que acentuaba la turgencia de sus pechos–. Así que me ha dejado aquí sola.

La marea siempre cumple
su palabra de que volverá.
De haberlo sabido,
me habría casado con un joven que surcara la marea.

Era una cita de otro poema de la dinastía Tang, la primera mitad del cual rezaba así:

¡Cuántas veces
me ha decepcionado
este mercader de Qutang tan ocupado
desde que me casé con él!

Una cita sorprendentemente inteligente que revelaba su capacidad de burlarse de sí misma al insinuar que su marido era un hombre ocupado e insensible, y que ella se sentía muy sola aquí.

–Pero un hombre joven que surcara la marea no podría permitirse traerla a un lujoso complejo de vacaciones.

–Eso es muy cierto, y muy triste. Me llamo Sansan. Doy clases de estudios sobre la mujer en la facultad de Magisterio de Shanghai.

–Yo me llamo Chen Cao. Soy estudiante a tiempo parcial en la Universidad de Shanghai.

–Me gusta viajar, por eso me considero afortunada de tener un marido capaz de pagar estas vacaciones. Por cierto, ¿de verdad está interesado en hacer carrera en el mundo académico?

–Bueno, lo cierto es que no lo sé –respondió Chen–. Usted acaba de citar un verso sobre la posición social de una mujer en la dinastía Tang. En aquella época, puede que esa mujer no tuviera la capacidad de elegir. ¿Cree que el problema se debía a su matrimonio concertado?

–¿A un matrimonio concertado? No, creo que es una explicación demasiado simplista. El matrimonio de mis padres fue concertado. Un matrimonio muy feliz, por lo que yo sé –explicó Sansan, sirviéndose otra copa de vino–. Pero piense en la cantidad de divorcios que hay hoy en día entre parejas jóvenes que se han jurado amor eterno junto a mares y montañas.

–¡Menuda afirmación viniendo de una profesora de estudios sobre la mujer! –exclamó Chen–. Los clásicos confucianos no mencionan otro tipo de matrimonio que no sea el concertado, por eso me pregunto cómo pudo vivir el pueblo chino durante dos mil años sin hablar del amor romántico.

–Bueno, todo depende de la interpretación que le dé. Si se la cree, me refiero a la interpretación de que los padres comprenden a los jóvenes y siempre defienden sus intereses, entonces vivirá de acuerdo con esta creencia. Lo mismo sucede en la actualidad: si cree que una base material es esencial para cualquier superestructura, en la que el amor romántico es como un jarrón decorativo sobre la repisa de la chimenea, entonces no le sorprenderán los anuncios clasificados de todas esas mujeres que buscan millonarios en nuestros periódicos.

–Éste es sin duda un tipo de socialismo muy chino.

–Y que lo diga. ¿Cree que el amor es algo que siempre ha existido, desde tiempos inmemoriales? –preguntó Sansan con cinismo–. Según la obra de Denis de Rougemont *El amor y Occidente,* el amor romántico no existió hasta que lo inventaron los trovadores franceses.

Chen sintió un escalofrío al notar el perfume de su cabello. Durante los últimos años, mientras se ocupaba de un caso tras otro, no había tenido demasiado tiempo para leer, mientras que ella, como muchos otros, había leído libros de los que Chen ni siquiera había oído hablar. «Siete años en lo alto de las montañas, miles de años abajo en el mundo.» Quizás era demasiado tarde para ponerse a soñar con otra profesión.

–¿Así que está leyendo clásicos confucianos para un trabajo sobre el matrimonio concertado? –preguntó Sansan.

–He estado leyendo unas cuantas historias de amor clásicas, y todas tienen un aspecto en común. Inevitablemente, las heroínas parecen estar demonizadas de una forma u otra, y el tema amoroso queda así deconstruido. –Después añadió–: Usted es una experta en este campo. ¿Me lo podría aclarar?

–Me gusta su forma de explicarlo: la demonización de las mujeres y la deconstrucción del amor –observó ella–. Hace mucho tiempo, Lu Xun dijo algo al respecto. Los chinos siempre culpan a las mujeres. La dinastía Shang se vino abajo a causa de la concubina imperial Da; el rey Fucha perdió el control, y también su reino, por la hermosa Xishi; el ministro Dong Zhu cayó presa de los encantos de Diaochan. La lista podría ser mucho más larga. Incluso hoy, culpamos a la señora Mao de la Revolución Cultural, aunque todo el mundo es consciente del hecho de que, sin Mao, la señora Mao no habría sido más que una actriz de películas de serie B.

–Eso no sucede únicamente en China –puntualizó Chen–. En Occidente hay un concepto similar, el de la *femme fatale.* Y también existen las historias de vampiros, como ya sabe.

–Tiene razón. Pero ¿se ha fijado en que hay una diferencia? Los vampiros son seres tanto masculinos como femeninos. ¿Se le ocurre algo similar en este caso? Además, la *femme fatale* no es la imagen más habitual de las mujeres en la corriente principal del pensamiento occidental, ni la más importante en el discurso dominante u oficial.

–Eso es cierto. El matrimonio concertado fue sin duda una parte intrínseca del confucianismo. Entonces, ¿cree que todas estas historias acabaron distorsionadas por la influencia de las ideologías dominantes?

–Y todas esas mujeres tan bellas tienen que ser anuladas, de un modo u otro. Es inevitable.

–Es inevitable –repitió Chen, mientras volvía a pensar en el caso.

Puede que los escritores fueran tan incapaces de controlarse como los asesinos en serie. Según la crítica literaria posmoderna, los individuos son hablados por el discurso, más que a la inversa. Una vez un discurso particular ejerce el control, o, como reza una expresión china, una vez el diablo se apodera del corazón, es el diablo el que actúa, sin que el hombre pueda evitarlo. Según la teoría freudiana, las acciones del hombre están dictadas por su subconsciente, o por el inconsciente colectivo. Sería muy fácil tildar al asesino de chiflado, pero sería difícil, aunque necesario, descubrir qué sistema discursivo le dictaba llevar a cabo los asesinatos, y cómo se había implantado dicho sistema en él.

–Por ejemplo, en *Flor de ciruelo en un jarrón dorado* –siguió diciendo Sansan, creyendo que la expresión absorta de Chen se debía a su explicación–, Ximenqin tiene que morir porque ha mantenido relaciones sexuales con demasiadas mujeres, y la historia acaba con una imagen final de su semen manando sin cesar en la boca de Pan Jinlian, la furcia desvergonzada que, literalmente, se lo sorbe hasta dejarlo seco.

–Sí, me acuerdo de esa parte.

–Y en otra novela, *Almohadón de carne,* el héroe acaba castrándose porque no puede resistir la atracción sexual de las mujeres.

Por lo que se veía, el trabajo de Sansan se centraba en la representación injusta de las mujeres. La conversación estaba resultando muy productiva para su trabajo de literatura, porque indirectamente apoyaba su tesis.

–Sí, se me ocurren varias expresiones frecuentes que respaldan esa idea –apuntó Chen–. *Hongyan huoshui,* funesta agua de belleza, y *meiren shexie,* guapa mujer mitad serpiente y mitad araña.

Esos razonamientos le parecieron alentadores. De hecho, tal vez aquel tema no se hubiera investigado antes. No de manera específica, al menos. El suyo era un trabajo original, tal y como había dicho el profesor Bian.

–Las expresiones tienen un significado más que evidente –afirmó Sansan, y entonces cambió de tema–. Usted citó una frase de Wang Wei. Un forastero solitario. ¿Así que ha venido hasta aquí para escribir su trabajo de literatura?

–Bueno, en parte he venido por esa razón. –Y añadió–: Estaba algo estresado, y pensé que me vendrían bien unas vacaciones.

Después la conversación derivó hacia otros temas.

–Cuando el único criterio para sopesar la valía de un hombre es su dinero, ¿cuánto tiempo puede uno esperar ocultarse en algo como la poesía de la dinastía Tang? Durante una mañana romántica, quizá. Por eso mi marido, que siempre ha ganado dinero, puede ser tan importante para mí. –Después agregó–: No sea tan duro consigo mismo. Reprimirse no le irá nada bien.

Aquel comentario no se lo esperaba. Parecía un eco freudiano, y se sentía un tanto incómodo con ella. No porque se mostrara algo cínica, ni porque fuera feminista. La mirada de Chen se posó en la esclava de hilo de seda roja con cascabeles de plata que Sansan llevaba alrededor de su bonito tobillo.

Aspirando profundamente, consiguió disipar las ideas que lo confundían. No era un erudito, y puede que ése no fuera su destino, ni tampoco un «bolsillos llenos» que tenía una aventura en un hotel de lujo. No era el hombre que Sansan imaginaba.

Sólo era un policía que viajaba de incógnito y disfrutaba de unas vacaciones pagadas por otra persona.

Chen se fijó en que la piscina comenzaba a vaciarse. Quizá ya era hora de cerrarla al público.

–Esta noche habrá un baile aquí. ¿Asistirá usted? –Su voz sonó suave bajo el sol de la tarde.

–Me encantaría –aseguró Chen–, pero puede que tenga que hacer varias llamadas.

¿Era una excusa profesional o su trabajo lo mantenía tan ocupado como al marido de ella?

–Nos alojamos en el mismo edificio, creo. Mi número de habitación es el ciento veintidós. Muchas gracias por el vino –dijo Sansan–. Hasta pronto.

–Adiós.

Chen contempló cómo se mecía su larga melena al alejarse. Al llegar a la curva del sendero, Sansan miró hacia atrás y saludó ligeramente con la mano.

–Adiós –dijo Chen de nuevo, y después, en voz tan baja que sólo él pudo oírla–: que se divierta esta noche.

20

Fue el peor golpe que Yu había sufrido en toda su carrera como policía.

Después de pasar la noche entre el cementerio y el Departamento, Yu se frotó los ojos inyectados de sangre y decidió volver al club Puerta de la Alegría, donde habían raptado y asesinado a una joven compañera mientras él esperaba fuera con el deber de protegerla. No podía pensar en otra cosa.

En el club Puerta de la Alegría los policías seguían registrando una y otra vez todas las habitaciones, sin perder la esperanza de encontrar alguna prueba que se les hubiera pasado por alto. Yu no creyó que unirse a ellos pudiera servir de nada.

Se dirigió al mostrador de recepción y pidió una lista de clientes habituales. Para poder elaborar un plan así el criminal debía de conocer muy bien el edificio. Ante su insistencia, el director del turno de día sacó un listado impreso.

–En realidad no significa na... nada –tartamudeó el director, tragando con dificultad–. No son más que buenos clientes, clientes que nos visitan con frecuencia.

–Buenos clientes, ya veo –dijo Yu–. ¿Y con qué frecuencia les visitan?

–La tarifa básica no es cara, pero con bebidas y propinas es fácil gastar quinientos o seiscientos yuanes en una noche. Un cliente habitual viene al menos una vez a la semana.

–¿Se ha alojado en el hotel de arriba alguno de los clientes habituales?

–El hotel no es tan lujoso. Muy pocos quieren alojarse aquí, con tanto ruido durante toda la noche. Y tampoco es muy buena idea. La gente suele especular sobre lo que hacen los clientes y las acompañantes para bailes en las habitaciones de arriba, así que muchos prefieren irse a otro sitio.

–Es comprensible –admitió Yu, asintiendo con la cabeza.

En la lista aparecían nombres, direcciones y números de teléfono. Algunos clientes también indicaban su profesión o sus preferencias. Puede que se tratara de una lista elaborada por el departamento de relaciones públicas del club.

–Cuando celebramos actos especiales –explicó el director–, nos gusta notificárselo a los clientes.

Yu pensó que valdría la pena llamar por teléfono a algunas de las personas que aparecían en la lista. Uno de los nombres le llamó la atención: Jia Ming, abogado de profesión. Yu recordaba ese nombre. Chen le había pedido que lo investigara en relación a un caso importante sobre un complejo residencial.

Le pareció raro que Jia, un célebre abogado ocupado con un caso polémico, tuviera tiempo para acudir al club con regularidad.

–¿Me puede decir algo acerca de este hombre?

–Jia Ming –respondió el director con una sonrisa de disculpa–. Me temo que no puedo decirle mucho. No viene con demasiada frecuencia.

–¿Qué quiere decir?

–La mayoría de hombres de esta lista son «bolsillos llenos». Vienen aquí para «quemar el dinero», lo despilfarran en chicas y en servicios. Jia viene algunas veces, pero se limita a pagar la entrada, se sienta en un rincón y observa lo que sucede a su alrededor mientras se toma un café. Casi nunca baila, y nunca le pide a ninguna chica que salga con él. Viene sólo una o dos veces al mes.

–Entonces, ¿por qué aparece en su lista?

–No nos habríamos fijado en él de no ser por una llamada del Gobierno municipal hace algunos meses. Alguien nos pidió que avisáramos si Jia se comportaba aquí de forma indecorosa. Pero la verdad es que nunca se ha pasado de la raya. Nunca lo hemos visto salir con ninguna de las chicas, así que hemos dicho la verdad. Una petición extraña, podríamos decir, pero nosotros siempre cooperamos con las autoridades.

Al parecer, las autoridades habían estado siguiendo a Jia con la esperanza de encontrar alguna prueba contra él que desbaratara el caso del complejo residencial. Puede que las visitas de Jia al club no significaran nada. Los intelectuales solían ser excéntricos. El inspector jefe Chen, por citar a uno de ellos, aún se veía con una antigua acompañante para karaokes.

Yu volvió a preocuparse al pensar en su jefe. Había intentado ponerse en contacto con Chen repetidamente desde el miércoles, pero no lo había conseguido. La noche anterior Yu clasificó su llamada como «urgente» y solicitó que se la devolvieran de inmediato, y tampoco obtuvo respuesta. Aquella mañana, a primera hora, Yu le pidió a Pequeño Zhou que lo llevara en coche hasta el piso del inspector jefe, pero no había nadie allí.

¿Cómo podía desaparecer en un momento así?

Yu decidió volver al cementerio, aunque estaba seguro de que no iba a encontrar nada nuevo. Con todo, en pleno día quizá viera algo más.

Habían precintado el cementerio como el escenario del crimen. A lo lejos, una cabaña cubierta de barro se recortaba contra las escarpadas colinas. Nadie parecía ocuparse del cementerio. Yu se dirigió al lugar en el que habían encontrado el cuerpo. Encendió un cigarrillo resguardándose del viento helado sin dejar de temblar, como si estuviera reviviendo la pesadilla. La imagen lo acompañaría siempre: Hong yacía con la parte superior del cuerpo semioculta por la maleza y las piernas, muy abiertas, estiradas sobre la tierra húmeda. Tenía la piel levemente azulada, y su negro cabello le cubría la mejilla. Iba descalza, y llevaba un vestido mandarín que se le había subido hasta la cintura, revelando los muslos desnudos...

Un cuervo solitario volaba en círculos en lo alto, graznando, sin un hogar al que acudir en invierno.

En el Departamento circulaban diversas teorías descabelladas sobre el escenario del crimen. A diferencia de los lugares en que fueron abandonadas las tres primeras víctimas, el cementerio se encontraba lejos del centro de la ciudad. El secretario del Partido Li afirmó que el criminal había arrojado allí el cadáver debido a la presión policial. Pequeño Zhou añadió una historia de fantasmas de la dinastía Qing a su teoría anterior. Yu no creyó ninguna de esas dos versiones, pero tampoco se le ocurrió una teoría mínimamente convincente.

Para su sorpresa, vio a un chico que se le acercaba con una bolsa de periódicos en la mano. El chico gritaba «¡Edición especial! ¡Otra víctima vestida con un qipao rojo hallada en este cementerio!». Yu le dio un puñado de monedas y cogió varios periódicos.

El guarda que vigilaba el cementerio resultó ser supersticioso y muy locuaz. Aunque informó de inmediato a la policía, después se dedicó a difundir la noticia. La mención del vestido mandarín rojo era como una ruidosa sirena que resquebrajaba el cielo nocturno, y la gente se echó a temblar.

Como Yu se temía, la noticia sobre la última víctima del caso del vestido mandarín rojo había aparecido en todos los periódicos. Los periodistas aún no habían descubierto su identidad, pero algunos comenzaban a sospechar que algo extraño estaba sucediendo tras el alboroto desatado en el club Puerta de la Alegría la noche anterior. Un periodista llegó a insinuar que existía una conexión entre la sala de baile y el cementerio.

En los periódicos, Yu leyó varias supersticiosas interpretaciones sobre el último giro del caso.

Wenhui, por ejemplo, incluía un reportaje especial titulado «¡Cementerio Lianyi!». El periodista ofrecía una interpretación supersticiosa y macabra, narrada desde la perspectiva colectiva de algunos vecinos de la zona.

> *En los años sesenta y setenta era un cementerio caro, bien conservado y dotado de vigilancia. Se consideraba un emplazamiento propicio por tener una colina en forma de dragón al fondo, de acuerdo a la creencia popular de que un cementerio con un* feng shui *tan excelente traería buena suerte a los hijos de los fallecidos. En aquella época, sólo los habitantes ricos de Shanghai podían permitirse un lugar donde descansar en paz en ataúdes caros, rodeados de ropas lujosas, edredones, joyas de oro y plata..., según se creía, para disfrutar de todo ello en el más allá.*
>
> *Pese a su* feng shui, *el cementerio se vio tan afectado por la Revolución Cultural como cualquier otro lugar. La práctica de enterrar*

a un muerto en un ataúd fue declarada feudal y, de la noche a la mañana, casi todos los muertos enterrados en este cementerio fueron catalogados como «negros» en su clase social. A fin de denunciar «a los espíritus y a los monstruos negros», los Guardias Rojos ordenaron demoler sus tumbas y extraer sus cuerpos, como en una ópera de Pekín, «para ser flagelados trescientas veces». Algunos ataúdes fueron profanados en busca de supuestas pruebas criminales como parte de la «campaña para barrer a los Cuatro Viejos»: viejas ideas, vieja cultura, viejas costumbres y viejos hábitos. El cementerio fue destruido casi en su totalidad.

Después de la Revolución Cultural rehabilitaron el estatus político de algunos de los muertos, pero no restauraron sus tumbas. Sus desconsolados familiares no quisieron volver al cementerio para celebrar los ritos religiosos ancestrales. Algunas familias sacaron los restos que aún quedaban en las tumbas y los trasladaron a otros lugares. Los perros callejeros comenzaron a merodear por las ruinas del cementerio, escarbando y sacando huesos blancos de vez en cuando. Algunos vecinos de la zona afirmaron haber visto fantasmas rondando por las noches, pero según un informe policial, tales rumores fueron propagados por los supersticiosos ladrones de tumbas.

Un perspicaz promotor inmobiliario se aprovechó de esta situación. Dado que el cementerio estaba abandonado y no ofrecía una buena imagen de la ciudad, el terreno podría destinarse a la construcción de nuevos edificios comerciales. El promotor le compró el cementerio al Gobierno municipal con la intención de convertirlo en un campo de golf.

Pese a todas las novedades científicas y tecnológicas de nuestra época, mucha gente continúa siendo supersticiosa. La transformación comercial del cementerio fue considerada una profanación imperdonable. Algunos ancianos que vivían cerca de allí temían que los muertos pudieran salir de sus tumbas para perseguir a los vivos. A fin de tranquilizarlos, el promotor encendió toneladas de petardos y le pidió a un experto en feng shui *que escribiera un artículo afirmando que, después del desastre de la Revolución Cultural, el* feng shui *se había restablecido, y que gracias al nuevo metro que se construiría cerca, «la energía del dragón» aumentaría considerablemente el valor de la zona.*

El cuerpo vestido con el qipao rojo hallado en el cementerio ha vuelto a recordar a la gente todas estas historias de superstición. Un anciano profesor de historia local ha argumentado que el asesinato del vestido mandarín rojo tiene su origen en el cementerio profanado. Varios meses atrás, algunos vieron a una mujer enfundada en un vestido mandarín rojo paseando entre las tumbas por la noche. Según sus investigaciones, allí estaba enterrada una estrella de cine vestida de esta forma, aunque el profesor prefirió no revelar su identidad. Fueron terriblemente injustos con ella en vida, y más aún después de su muerte: sacaron su cuerpo sin miramientos del ataúd, y un grupo de Guardias Rojos le quitó el vestido mandarín rojo. Ésta es la razón por la que la muerta se aparece con un anticuado vestido mandarín.

El artículo era largo, y Yu no tuvo paciencia para leerlo entero. Podría suponer un problema adicional tanto para el Departamento como para el Gobierno municipal. Mientras el caso estuviera por resolver, continuarían apareciendo historias descabelladas como ésa.

Aunque, en cierto modo, era comprensible. Incluso para un policía como él, el caso había adquirido una especie de dimensión sobrenatural. Pese a los esfuerzos de la policía, un criminal había asesinado sin piedad a cuatro mujeres jóvenes dejando en cada caso su retorcida «firma». Parecía tan invisible como un fantasma, sobre todo en el club Puerta de la Alegría, donde cualquier paso que diera suponía un riesgo enorme. El que pudiera salir por la puerta lateral, por ejemplo, pese a que la camarera que trabajaba detrás de la barra podría haber vuelto en cualquier momento y haberlo visto. Y su escapatoria vestido con un uniforme del hotel, llevando a rastras a una Hong inconsciente, podría haber despertado las sospechas de los empleados y que éstos le interceptaran el paso. A pesar de todo ello, el asesino logró salirse con la suya.

Yu abrió otro periódico, *La Mañana Oriental,* que se mostraba muy crítico con el Departamento. «Ayer por la noche la policía irrumpió en el club Puerta de la Alegría con la intención de hacer una redada contra las chicas de triple alterne, mientras esa misma noche aparecía otra víctima vestida con un qipao rojo lejos de allí, en un cementerio.»

Sólo era cuestión de tiempo, pensó Yu, que los periodistas descubrieran la identidad de la última víctima. Mientras leía el artículo, el subinspector recibió una llamada del técnico del laboratorio del Departamento.

–Las fibras que encontró entre los dedos de los pies de la tercera víctima –explicó el técnico– son lana. Posiblemente de sus calcetines. Unos calcetines de lana roja, creo.

–Gracias –respondió Yu. No le sorprendía demasiado. También Peiqin llevaba calcetines de lana. Era un invierno muy frío, y en aquel restaurante de mala muerte en el que trabajaba no había calefacción. Pero cuando apagó el móvil, Yu recordó algo. Según la descripción que les había proporcionado la vecina de la acompañante para comidas, ésta se puso aquel día un vestido, medias y zapatos de tacón alto. Entonces, ¿de dónde habían salido los calcetines de lana?

–Hola, subinspector Yu.

Yu levantó la mirada y vio a Duan Ping, un periodista del *Wenhui* que tiempo atrás había entrevistado al inspector jefe Chen en el Departamento.

–¿Lo ha leído? –preguntó Duan, señalando el artículo sobre el cementerio Lianyi en el periódico que Yu sostenía en la mano.

–Es increíble.

–Son las vicisitudes propias de este mundo, y también del más allá –comentó Duan–. Últimamente el presidente Mao no puede descansar en paz en su ataúd de cristal.

–No mezcle a Mao en sus historias rocambolescas.

–Se trata de una historia rocambolesca, le guste o no. Este momento, este lugar... ¿Por qué? La gente cree que la raíz de todo esto se encuentra aquí. Creen que los fantasmas han salido para vengarse, y que los asesinatos son una represalia del mundo sobrenatural. ¿Quién si no podría haber cometido estos crímenes y haber arrojado los cuerpos en todos esos lugares consiguiendo escabullirse después? Me parece incomprensible. ¿Tiene alguna pista, subinspector Yu?

–Eso no son más que gilipolleces propias de gente supersticiosa. Todas esas atrocidades pasaron durante la Revolución Cultural. Si realmente hubiera fantasmas en busca de venganza, podrían haberla buscado hace más de veinte años. ¿Por qué esperar tanto?

–Eso es algo que usted no entiende. En aquella época, mientras la estrella de Mao brillaba en el firmamento, esos fantasmas no se atrevieron a aparecer para causar problemas. Pero ahora que Mao ya no está, les ha llegado el turno –explicó Duan–. También circula una teoría nueva, de la que me he enterado hace sólo veinte minutos. Al parecer, todas las víctimas vestidas con el qipao rojo son hijas de Guardias Rojos.

Así que algunos situaban la historia en un nivel más colectivo. En lugar de una mujer infeliz enterrada en el cementerio, como sostenía aquel viejo profesor de historia local, ahora se trataba de todos los fantasmas del cementerio profanado, los cuales se estaban vengando en las hijas de quienes los persiguieron durante la Revolución Cultural.

–Estas interpretaciones son totalmente infundadas –señaló Yu.

–Permítame hacerle una pregunta, subinspector Yu. ¿Significa algo para usted el nombre de Wenge Hongqi?

–¿A qué se refiere?

–¿Se fijó en un extraño anuncio que apareció en el *Shanghai Evening News?* Lo publicaron bajo ese nombre. Si piensa en las otras víctimas que llevaban un vestido mandarín rojo, una acompañante para karaokes y una acompañante para comidas, el mensaje del anuncio tiene sentido –sugirió Duan–. El grupo de Guardias Rojos que «llevaron la revolución» al cementerio se llamaba Wenggehongqi. La conexión es obvia. Estas interpretaciones no son tan infundadas.

–Son especulaciones descabelladas y simples coincidencias –observó Yu con tono enfático, aunque no creyera en las coincidencias–. ¿Cómo es que se fijó en ese anuncio?

–No existe ninguna pared que no permita pasar el aire. Su gente preguntó en el *Shanghai Evening News,* con el que compartimos el mismo edificio de oficinas. Creo que los asesinatos son una llamada de atención a las atrocidades cometidas en la Revolución Cultural, particularmente contra alguna mujer vestida con un qipao rojo. ¿Su interés en el anuncio forma parte de la investigación?

–Venga ya. Hubo muchas organizaciones de Guardias Rojos con nombres así. Se lo advierto, Duan. Si estas historias tan descabelladas salen a la luz usted será el responsable.

–Tonterías, camarada subinspector Yu. Si el caso no se resuelve, cada vez saldrán a la luz más historias. Creo que ahora vienen algunos de mis colegas –comentó Duan señalando una furgoneta que aparcaba junto a la entrada del cementerio–. Por cierto, ¿cómo es que el inspector jefe Chen no está hoy aquí con usted? Por favor, salúdelo de mi parte.

Al comprobar que se acercaba un tropel de periodistas, Yu prefirió marcharse. Mientras se dirigía apresuradamente hacia la salida del cementerio, decidió llamar a la madre de Chen.

–Es muy amable por llamar, subinspector Yu, pero estoy bien. No tiene que preocuparse –le aseguró la anciana, como si hubiera estado esperando su llamada.

–Llevó días buscando a Chen, tía. ¿Sabe dónde está?

–¿No sabe dónde está? Vaya, estoy muy sorprendida. Hará dos o tres días me llamó diciendo que tenía que irse por algo importante. Fuera de Shanghai, creo. Pensé que se lo habría dicho. ¿Qué ha pasado?

–No, no ha pasado nada. Seguro que habrá tenido que irse a toda prisa. No se preocupe, tía. Chen se pondrá en contacto conmigo.

–Llámeme cuando tenga noticias suyas –dijo la mujer, obviamente preocupada. Al parecer, ella también pensaba que, a menos que hubiera sucedido algo inusual, su hijo habría mantenido informado a Yu.

–La llamaré –prometió Yu.

Yu recordó que Chen se había mostrado algo distinto últimamente. Demasiado estrés, en opinión de Peiqin, pero Yu no pensaba lo mismo. ¿Quién no estaba estresado?

–¡Ah! Nube Blanca me llamó ayer –añadió la anciana, musitando como si hablara sola–. Dijo que Chen estaba muy bien.

–Sí, Chen debe de haberla telefoneado –respondió Yu–. La llamaré más tarde.

Pero Yu tenía problemas más urgentes de los que preocuparse. El secretario del Partido Li lo llamó para ordenarle que se encargara de la conferencia de prensa que debía celebrarse ese día.

–Nunca me he ocupado de eso, secretario del Partido Li.

–Venga hombre, el inspector jefe Chen lo ha hecho muchas veces. Sin duda habrá aprendido las tácticas necesarias de él. –Luego añadió–: Por cierto, ¿dónde diantre está Chen?

–Acabo de dejarle un mensaje –repuso Yu sin entrar en detalles–. No tardará en devolverme la llamada.

Mientras volvía al Departamento, llamó a Peiqin y le pidió el teléfono de Nube Blanca.

Ser el compañero de Chen no era tan envidiable como pudiera parecer, pensó Yu.

21

Chen, consternado por la noticia de la muerte de Hong, viajaba en un taxi que apenas avanzaba entre el denso tráfico de Shanghai.

Miércoles por la mañana. Una semana antes, el inspector jefe iba de camino al complejo de vacaciones en el coche que le había enviado Gu, preocupado por su crisis nerviosa; ahora volvía a su casa, angustiado por los últimos acontecimientos en el caso de los asesinatos en serie. Habían sucedido tantas cosas en Shanghai... Entretanto, él había pasado la mayor parte del tiempo durmiendo como un idiota y elucubrando sobre historias de amor de miles de años de antigüedad.

Chen se estremeció al pensar en el dinero del más allá que había comprado en el mercado el viernes por la mañana. No era supersticioso, pero la coincidencia lo enervó.

Nube Blanca no fue consciente de lo desesperado de la situación hasta que Yu consiguió contactar con ella. Aun así, le preocupaba demasiado la salud de Chen como para comunicarle el mensaje de inmediato. No era policía, así que no tendría que dar cuentas por ello. Aquella mañana, después de que Chen le hablara de su recuperación en el complejo de vacaciones, Nube Blanca le dio la noticia sobre lo que había sucedido en el club Puerta de la Alegría. Chen interrumpió de inmediato sus vacaciones y tomó el primer autocar de largo recorrido con rumbo a Shanghai, sin siquiera despedirse de su anfitrión.

Mientras viajaba en el taxi no dejó de pensar en Hong. No empezó a conocerla un poco hasta que coincidieron en el caso del vestido mandarín rojo.

Al parecer, el novio de Hong, un cirujano que operaba en un Hospital para la Amistad Sinojaponesa, la había presionado para que dejara la policía. El novio argumentaba que el sueldo de Hong no compensaba todo lo que él se preocupaba por ella. Pero Hong creía en su trabajo. Durante una fiesta organizada por la comisaría para celebrar el Fin de Año chino, Hong leyó un poema sobre el hecho de ser «una policía para el pueblo». El poema no era demasiado bueno, pero expresaba la pasión de una joven agente que patrullaba la ciudad. Uno de sus estribillos, recordó Chen, rezaba así: «El sol es nuevo cada día».

No para ella, no hoy.

Mientras contemplaba el atasco en la calle Yan'an por la ventanilla del taxi, Chen supo que no recuperaría el sosiego hasta que no la vengara.

Chen abrió su maletín y sacó la carpeta con los documentos sobre el caso del vestido mandarín rojo. Mientras permaneció en el complejo de vacaciones había conseguido no mirarlos. Pero ahora, al sacar la carpeta, descubrió asombrado que su móvil había quedado escondido al fondo del maletín. Desconectado, por supuesto, pero reposando allí todo el tiempo. Antes de irse de vacaciones Chen había decidido no llevárselo, lo recordaba perfectamente. Por otra parte, era incapaz de recordar cómo había ido a parar el móvil al interior del maletín. Puede que los argumentos sobre el olvido de Freud no estuvieran tan desencaminados, pero Chen decidió no preocuparse de Freud en aquellos momentos.

Al escuchar todos los mensajes que había recibido, Chen descubrió que, además de los mensajes detallados de Yu, Li y varios altos cargos también habían llamado repetidamente, instándolo a volver al trabajo. Incluso el Viejo Cazador había empezado a inquietarse por su ausencia, tal y como le comunicaba en otro mensaje. Una joven agente había arriesgado su vida para atrapar a un asesino en serie que estaba desafiando a toda la policía. Esta crisis era mucho peor que cualquier otra que el Departamento hubiera experimentado antes.

Además, no podían investigar abiertamente. Como dice el proverbio chino, tenían que tragarse el diente caído sin escupir la sangre. Si la gente se enteraba de la identidad de la última víctima –asesinada durante una misión fallida en la que actuaba como señuelo– no sólo supondría una terrible humillación para la policía, sino que provocaría nuevas oleadas de pánico entre la población.

Aunque la identidad de la víctima todavía «se desconocía», nadie en el Departamento creía que pudieran seguir ocultándola durante mucho tiempo. Según uno de los mensajes que le había dejado Yu, los periodistas ya comenzaban a sospechar. Pero, en estos momentos, Yu y sus compañeros tenían preocupaciones aún más serias. ¿Qué sucedería esta semana? Ahora nadie tenía ninguna duda. Y nadie creía que pudieran detener al asesino en menos de dos días.

Chen miró su reloj: eran casi las diez. Decidió no ir al Departamento, ni siquiera pensaba ponerse en contacto con Yu por ahora.

Un detalle en particular sobre el caso lo había alarmado. El diabólico golpe maestro, todo el episodio del club Puerta de la Alegría desde la publicación del anuncio en el periódico hasta la huida por la puerta trasera, quizás hubiera sido planeado por el asesino desde el primer día en que Hong actuó como señuelo. Lo había organizado con excesiva perfección. Cuanto más pensaba en ello Chen, más sospechaba que el anuncio del periódico no había aparecido inesperadamente. Con toda probabilidad, se trataba de una contratrampa tendida gracias al uso de información privilegiada.

Así que, hiciera lo que hiciera, Chen no se lo mencionaría a nadie del Departamento. Se decía que el inspector jefe estaba demasiado enfrascado en su trabajo de literatura, o que no tenía las suficientes agallas como para resolver el caso de los asesinatos en serie. No le importaban estos rumores. Chen tenía la intención de continuar manteniéndose al margen.

–Lo siento, he cambiado de opinión –le dijo al conductor–. Vayamos al club Puerta de la Alegría.

–¿El Puerta de la Alegría? Los polis hicieron una redada allí la semana pasada.

Puede que se tratara de una advertencia bienintencionada. Con su gabardina, su bolsa y su maletín, Chen parecía un turista interesado en uno de los lugares de visita obligada de la ciudad, o al menos eso aseguraban las guías turísticas.

–Sí, el club Puerta de la Alegría.

Haría cuanto estuviera en su mano porque se sentía más responsable de la muerte de Hong que ningún otro miembro del Departamento. De no haber sido por sus vacaciones, podría haber dirigido la investigación y haber impedido que Hong fuera al club Puerta de la Alegría, o al menos podría haberla obligado a quedarse en el exterior con los otros policías.

Chen sacó el ejemplar de *Mañana Oriental* que había comprado en la terminal de autobuses. En el periódico aparecía una fotografía de Hong tomada en el cementerio, entre las tumbas en ruinas. Hong yacía con las piernas y los brazos extendidos y llevaba un vestido mandarín rojo desgarrado. Bajo la fotografía habían incluido el siguiente pareado:

> Apareció con un vestido mandarín rojo,
> como pétalos sobre una rama negra y mojada.

Parecía una parodia de un poema imaginista, pero ¿era la poesía relevante en un momento en el que varias jóvenes inocentes estaban muriendo, una tras otra?

El coche logró salir finalmente del atasco y llegó hasta la fachada art déco restaurada del club Puerta de la Alegría.

Puede que los clientes habituales aún no hubieran empezado a llegar. Sólo había dos o tres personas frente al edificio, sacando fotografías. Posiblemente periodistas, o policías de paisano. Chen entró con la cabeza gacha. El hombre de mediana edad sentado tras el mostrador de recepción ni siquiera lo miró.

Sus compañeros ya habrían peinado el local, por lo que no esperaba encontrar nada nuevo. Sin embargo quería entrar, como si así pudiera establecer un vínculo entre los vivos y los muertos.

Al subir por las escaleras de mármol vio carteles de estrellas de cine de los años treinta en las paredes. Todas habían bailado aquí, dejando a su paso historias o fotografías que perduraban en el tiempo.

En una sala de la segunda planta Chen creyó ver un rostro que le resultaba familiar. Entonces giró hacia la derecha y subió hasta un balconcito que tenía detrás una oscura recámara. Permaneció allí varios minutos contemplando la sala de baile, ahora vacía, donde Hong había bailado como una nube radiante. Chen susurró su nombre.

Varios empleados colocaban mesas y sillas para la sesión de noche. El negocio seguiría adelante, como era habitual. Chen decidió marcharse.

Cuando salía del club vio, no demasiado lejos, un magnífico templo budista con baldosas vidriadas y aleros inclinados que resplandecían bajo el sol. Era el monasterio Jin'an, al parecer construido cientos de años atrás y reformado recientemente. En su infancia, sus padres solían ir con él al monasterio para participar en servicios religiosos ancestrales. A veces alquilaban una habitación dividida por una mampara, traían una variedad de alimentos especiales a modo de ofrenda y contrataban a los monjes para que salmodiaran los escritos sagrados budistas.

Obedeciendo a un impulso, Chen compró un tíquet y entró en el templo que no había visitado en tantos años.

El patio delantero apenas había cambiado, aunque lo habían adoquinado de nuevo. Chen recorrió el templo como si fuera un peregrino, poniendo en orden sus fragmentados recuerdos de la infancia: la habitación minúscula con resplandecientes instrumentos religiosos, los monjes con sus amplias mangas flotantes, la comida vegetariana que imitaba diversos pescados y carnes, la huida de los fantasmas imaginados por los pasillos, la salmodia de los escritos sagrados que sonaba como el zumbido de los mosquitos en una noche de verano...

Chen volvió a sentirse un poco aturdido, como si caminara a tientas por un pasillo largo y oscuro esperando encontrar algo en el otro extremo, sin saber exactamente qué. No tardó en ver una hilera de habitaciones a lo largo de la pared del ala oeste. En las pequeñas celdas había gente sentada o postrada junto a sus ofrendas tradicionales, colocadas entre velas encendidas. Entonces entró un grupo de monjes en fila, golpeando instrumentos de madera con forma de pez y llevando a cabo ritos religiosos contra la vanidad de este mundo trivial. Sin embargo, todo parecido con sus recuerdos infantiles acababa aquí.

Un monje joven se dirigió hacia él con paso firme. El monje, que llevaba unas gafas de montura dorada y sostenía un teléfono móvil, saludó a Chen con mirada expectante tras sus gafas fotocromáticas.

–Bienvenido al templo, señor. Puede donar cuanto le plazca, y su nombre perdurará aquí para siempre. Guardamos todas las ofrendas en el registro del ordenador. Eche una mirada al panel.

Chen vio un panel con una imagen impresionante de un gran buda de oro. El buda alargaba la mano, como si instara a los creyentes a hacer donativos. Por mil yuanes, el nombre del donante aparecería grabado como benefactor en una placa de mármol, y por cien, su nombre se guardaría en el registro electrónico. Junto al panel había un despacho con la puerta entreabierta, a través de la que se podían ver los ordenadores que garantizaban la gestión eficaz de los donativos para la imagen del Buda de oro.

Sacando un billete de cien yuanes, Chen lo introdujo en la caja de donativos sin firmar en el registro.

–Ah, aquí tiene mi tarjeta. De ahora en adelante también puede enviar talones –sugirió el joven monje en tono agradable–. Mucha gente quema incienso en aquel quemador. La verdad es que funciona.

Chen cogió la tarjeta y se dirigió hacia el enorme quemador de incienso de bronce situado en el centro del patio del templo. Allí vio a gente que metía incienso y dinero de papel del más allá en el quemador.

Una anciana estaba echando una bolsa entera de dinero de papel del más allá, tras haber doblado cada pieza en forma de lingote de plata. Chen no había tenido tiempo de doblar el dinero, por lo que se limitó a echar su montón de papel de plata en el quemador. Lentamente, el papel de plata empezó a arder con una llama oscura, pero una bocanada de aire hizo que las cenizas se arremolinaran hacia lo alto como una figura danzante, antes de desaparecer.

–Una señal –murmuró la anciana con voz atemorizada, aludiendo a la creencia de que los espíritus se llevan el dinero en una ráfaga repentina de viento–. No tiene que preocuparse por la ropa que ella lleva en invierno.

¿Cómo podía saber la anciana que la ofrenda era para una mujer? Hizo la ofrenda pensando en Hong, vestida con aquel qipao de seda roja.

Chen no creía en el más allá. Como muchos chinos, se sentía levemente reconfortado cuando cumplía con algunas convenciones religiosas. En alguna parte, de algún modo, era posible que existiera algo que escapara al conocimiento humano. Confucio dice: «Un caballero no habla de los espíritus». Según el sabio, los caballeros tienen tantas cosas que hacer en este mundo que carece de sentido preocuparse por el más allá, del que nada se sabe con certeza. Aun así, Chen no creía que tuviera nada de malo encender una vela, sostener incienso o quemar algo de dinero del más allá. Quizá podría conducir a una especie de comunicación con los muertos.

Chen compró un puñado de varas largas de incienso y las encendió, como hacían los demás. Rezó para que Buda lo guiara en su persecución del asesino, y así Hong podría descansar en paz.

Como si no bastara con sus rezos, Chen hizo una promesa, sosteniendo las varas de incienso: si conseguía capturar al criminal, sería policía toda su vida, y olvidaría todos los planes y ambiciones que albergaba. Un policía concienzudo y satisfecho con su trabajo.

Después se dirigió a la parte trasera del templo, desde donde subió un tramo de escaleras de piedra hasta llegar a un patio elevado. Apoyándose en la barandilla de piedra blanca, intentó pensar mientras observaba el contraste entre los antiquísimos aleros del templo y los rascacielos posmodernos.

Entonces se dio cuenta de que otro monje se dirigía con sigilo hacia él. Era un anciano con el rostro curtido y la frente surcada de arrugas que llevaba una larga sarta de cuentas negras en las manos.

–Parece preocupado, señor.

–Sí, maestro –respondió Chen, esperando que el monje no quisiera pedirle otro donativo–. Soy un hombre normal y corriente, perdido en el mundo trivial del polvo rojo. Soporto la carga de mis preocupaciones como un caracol que arrastra su caparazón.

–Le parece que el caracol arrastra su caparazón porque usted quiere verlo así. Es sólo una apariencia.

–Lo ha explicado muy bien, maestro –repuso Chen con tono reverencial, porque el viejo monje le pareció erudito. Chen recordó historias de iluminación repentina acaecidas en templos antiguos. Ésta podría ser una oportunidad para su investigación–. Los budistas hablan de ver más allá: más allá de la vanidad que reina en el mundo. Lo intento con todas mis fuerzas, pero no lo consigo.

–Usted no es un hombre corriente, eso está claro. ¿Ha leído el poema sobre la iluminación repentina de Liuzhu?

–Lo he leído, pero de eso hace mucho tiempo. Una metáfora sobre un espejo de bronce, ¿verdad?

–Sí y no –respondió el viejo monje–. Cuando el anciano abad iba a nombrar a un sucesor, decidió poner a prueba a sus discípulos. Al primer candidato se le ocurrió un poema. «Mi cuerpo es como un árbol Bodhi, / mi corazón, un espejo de bronce, / que no dejo de frotar, / para sacar todo el polvo.» No estaba mal, podríamos decir. Pero el elegido para sorpresa de todos, Huineng, un monje que limpiaba el templo, demostró ser el más sensato al recitar su poema: «Bodhi no es un árbol, / y el espejo no es el corazón. / Allí no hay nada. / ¿De dónde viene el polvo?».

–Sí, ésa es la historia. Sin duda Huineng fue más riguroso, y por ello resultó vencedor.

–Nada más que apariencias. El árbol, el espejo, usted o el mundo.

–Pero todavía vivimos en el mundo, maestro.

–Mientras tenga aún muchas cosas que hacer, puede que no sea capaz de ver más allá de este mundo tan rápidamente. Un antiguo proverbio dice: «Deshazte de tu cuchillo y conviértete inmediatamente en un Buda». Es un proverbio porque eso no resulta nada fácil.

–Tiene muchísima razón. Lo que pasa es que yo soy muy estúpido.

–No, no es fácil alcanzar la iluminación. Pero puede intentar vaciar su mente de cualquier pensamiento perturbador durante algún tiempo. Tiene que avanzar paso a paso.

–Se lo agradezco mucho, maestro.

–La suerte nos ha reunido hoy aquí –afirmó el viejo monje, juntando las palmas de las manos como gesto de despedida–. Entonces, ¿por qué tiene que darme las gracias? Adiós. Volveremos a encontrarnos si el destino así lo quiere.

Según el budismo, todo sucede por una especie de karma: beber un vaso de agua, el picoteo de un pájaro o un encuentro con un viejo monje; todas estas acciones son el resultado de lo que ha sucedido antes, y todo conduce a su vez a algo más.

Entonces, ¿por qué no intentar, como le ha sugerido el viejo monje, olvidar todas las ideas que ha tenido sobre el caso para poder verlo desde una nueva perspectiva?

Chen permaneció de pie junto a la barandilla y cerró los ojos para vaciar su mente. Al principio no lo consiguió. Quizá la gente sólo es capaz de percibir algo dentro de un marco de ideas o de imágenes preconcebidas. Nadie vive en un vacío.

Chen aspiró profundamente y se concentró en el *dantian,* un minúsculo punto situado por encima del ombligo. Era una técnica que había aprendido en la época en que solía ir al Parque Bund. De manera gradual, su energía empezaba a moverse en armonía con el entorno singular del templo.

De repente, vio la imagen del vestido mandarín rojo. Se le apareció, sin embargo, de una forma que nunca había experimentado. Parecía como si lo viera en los años sesenta, contra un fondo de banderas rojas del Movimiento de Educación Socialista. Él llevaba un pañuelo rojo y coreaba eslóganes revolucionarios junto a las «masas revolucionarias». Se le ocurrió que un vestido mandarín de aquel estilo, ya fuera en una película o en la vida real, resultaría polémico en aquella época, pese a ser bastante recatado en comparación con las tendencias actuales.

Chen sacó el móvil y llamó al presidente Wang de la Asociación de Escritores Chinos. Wang no cogió el teléfono, por lo que Chen le dejó un mensaje recalcando que, además de todo lo que ya habían comentado, la imagen del vestido mandarín rojo podría haber sido polémica a principios de la década de los sesenta.

Animado, Chen intentó repetir su experimento, pero la segunda vez no obtuvo resultados. Lo modificó de nuevo bajando hasta el patio, donde se sentó en la posición del loto con las piernas cruzadas y comenzó a repasar el caso desde el principio. No como un investigador, sino como un hombre sin la mente obstruida por años de formación policial. Seguía sin obtener resultados, aunque ahora era capaz de pensar con mayor claridad. Sacó del maletín el expediente del caso y empezó a leer allí mismo, como un monje, mientras la campana del templo comenzaba a tocar.

Al pasar una página, Chen dio con lo que buscaba: la mala suerte de Jazmín. Los budistas hablan siempre del castigo merecido. «El justo castigo llega, pero a su debido tiempo.» En una especie de versión budista secular, los chinos creen que los individuos son castigados o recompensados por lo que hacen en la vida presente, o incluso por lo que han hecho en una vida anterior.

La terrible suerte de Tian podría explicarse así. Sin embargo, el castigo fue inmerecido y desproporcionado en el caso de Jazmín. Chen no creía en el castigo por las acciones de una vida anterior. Y tampoco le parecía una coincidencia que tanto el padre como la hija hubieran tenido tan mala suerte.

Chen pensó en una novela que había leído en sus años de instituto: *El conde de Montecristo*. Detrás de una serie de desastres inexplicables se escondía el cerebro de Monte Cristo, planificando su venganza implacable.

¿Le había sucedido algo así a Jazmín?

A Jazmín, y también a su padre. Tian, miembro de la Escuadra de Mao en aquella época, podría haber perseguido o herido a alguien que luego diera rienda suelta a su venganza. De ser así, tanto el estilo como la tela del vestido tenían una explicación.

Sin embargo, ¿por qué la larga espera, si es que la venganza guardaba relación con algo que sucedió durante la Revolución Cultural?

¿Y por qué asesinaron a las otras chicas?

Chen no encontró una respuesta inmediata. Con todo, la última pregunta le permitió ver lo que diferenciaba a Jazmín de las otras víctimas bajo otra perspectiva.

Tal vez esas chicas no tuvieran relación alguna con Jazmín.

El viento trajo de nuevo el tañido de la campana. La idea que comenzaba a acariciar lo estremeció.

Había llegado el momento de volver al Departamento. Hablaría con el subinspector Yu, cuya frustración ante sus vacaciones no anunciadas era más que evidente en los mensajes que le había dejado en el móvil. No sabía si podría ofrecerle a su compañero una explicación satisfactoria. No le parecía buena idea mencionar su crisis nerviosa, ni siquiera a él.

Cuando salía del templo recibió una llamada del presidente Wang en respuesta a su mensaje.

–Siento no haber descolgado a tiempo, inspector jefe Chen. Estaba en el baño, pero he oído su mensaje sobre la posible controversia. Me ha recordado algo. Xiong Ming, un periodista jubilado de Tianjin, ha estado compilando un diccionario de controversias relacionadas con la literatura y con las artes. Es un viejo amigo, así que me puse en contacto con él de inmediato. Según Xiong Ming, años atrás se publicó una fotografía ganadora de un premio en la que aparecía una mujer joven vestida con un qipao, y esa fotografía más tarde fue muy controvertida. Éste es su número de teléfono: 02-8625252.

–Gracias, presidente Wang. Me ha sido de gran ayuda.

Chen introdujo otro billete en la reluciente caja de donativos de la salida y marcó el número de Xiong.

Después de presentarse, Chen fue al grano.

–El presidente Wang me ha dicho que usted podría hablarme de cierta fotografía controvertida en la que aparece una mujer vestida con un qipao rojo. Ha estado compilando un diccionario de controversias, ¿verdad?

–Sí, así es –respondió Xiong desde el otro lado de la línea, en Tianjin–. Hoy en día la gente apenas recuerda o comprende las absurdas controversias que se produjeron durante aquellos años en que todo podía distorsionarse a través de las interpretaciones políticas. ¿Recuerda la película *Primavera temprana en febrero*?

–Sí, la recuerdo. La prohibieron a principios de los sesenta. Entonces yo aún era un alumno de la escuela elemental, y tenía una fotografía de aquella bella heroína escondida en mi cajón.

–La fotografía creó polémica por la supuesta elegancia burguesa de la heroína –explicó Xiong–. Lo mismo sucedió con la fotografía de la mujer vestida con el qipao.

–¿Podría decirme algo más acerca de esa foto? –preguntó Chen–. ¿Se trata de un qipao rojo?

–Es la fotografía de una mujer hermosa vestida con un qipao elegante, junto a su hijo, un Joven Pionero que lleva un pañuelo rojo. El niño le tira de la mano y señala hacia el horizonte lejano. La fotografía se titula «Madre, vayamos allí». El fondo parece un jardín particular. Es una fotografía en blanco y negro, por lo que no estoy seguro del color del vestido, pero es muy elegante.

–¿Cómo pudo causar controversia una foto así? –preguntó Chen–. No es una película, no tiene ninguna trama.

–Permítame que le haga una pregunta, inspector jefe Chen. ¿Cuál era el prototipo ideológico para las mujeres en la época de Mao? Chicas de hierro, masculinas, militantes, vestidas con los mismos trajes Mao que los hombres. Estos trajes, holgados como sacos, no permitían adivinar las formas femeninas, ni reflejaban ningún tipo de sensualidad o de pasión romántica. Por tanto, el ambiente político no era el más propicio para el mensaje implícito de la fotografía, particularmente cuando fue nominada para un premio nacional.

–¿Qué mensaje implícito?

–Para empezar, representaba a la madre ideal como una mujer femenina, elegante y burguesa. Además, el fondo del jardín también era muy sugerente.

–¿Podría describir la foto con más detalle?

–Lo siento, es todo lo que recuerdo. No la tengo delante. Pero la puede encontrar fácilmente. Se publicó en 1963 o 1964 en la revista *Fotografía de China.* Era la única revista de fotografía en aquella época.

–Gracias, Xiong. Su información podría ser muy relevante para nuestra investigación.

Tras despedirse de Xiong, Chen decidió ir a la biblioteca, que no se encontraba demasiado lejos de allí.

En la biblioteca, con la ayuda de Susu, encontró un ejemplar de aquel número en concreto de *Fotografía de China* en sólo diez minutos. Normalmente llevaba horas encontrar una revista publicada en los años sesenta.

Era una fotografía en blanco y negro, tal y como la había descrito Xiong. La mujer que llevaba el vestido mandarín en la foto era toda una belleza. Chen no podía saber el color exacto del vestido, pero no parecía de color claro.

La mujer estaba de pie en un jardín, descalza, frente a un minúsculo arroyo serpenteante donde tal vez acabara de mojarse los pies. El niño que le daba la mano tendría unos siete u ocho años, y llevaba el pañuelo rojo de un Joven Pionero. En la fotografía no salía nadie más.

Chen le pidió prestada una lupa a Susu y estudió cuidadosamente el vestido mandarín.

Parecía un diseño idéntico a los que llevaban las víctimas de los asesinatos: mangas cortas y aberturas bajas, con un aspecto convencional. Incluso los botones de tela en forma de peces invertidos parecían iguales.

Si había alguna diferencia, ésta radicaba en que la mujer llevaba el vestido con elegancia, abotonado de forma recatada. Iba descalza, pero el hecho de que estuviera de pie al fondo del jardín, en compañía de su hijo, indicaba que se trataba de una joven madre feliz.

El fotógrafo se llamaba Kong Jianjun. En el índice de la revista, Chen descubrió que Kong también era miembro de la Asociación de Artistas de Shanghai.

Una sílfide venía desde el extremo este de la calle Nanjing cuando Chen salió de la biblioteca con la revista en la mano. Estuvo a punto de pensar que había sido Hong –su alma, o lo que fuera– quien lo había guiado.

El inspector jefe Chen llamó por teléfono a la Asociación de Artistas de Shanghai.

–Kong Jianjun falleció hace unos cuantos años –le explicó una joven secretaria desde la oficina–. La expusieron públicamente a la crítica de las masas durante la Revolución Cultural, según tengo entendido.

–¿Tiene la dirección de su domicilio particular?

–La que conservamos en nuestro registro es antigua. No tenía hijos, y sólo le ha sobrevivido su mujer. Tendrá unos setenta y pico años. Puedo enviarle el expediente por fax a su despacho.

–A mi casa. Estoy de va... Espere, envíelo a este número –indicó Chen, dándole el número de fax de la biblioteca.

–Muy bien. También podría hablar con el comité vecinal, si la mujer aún vive allí.

–Gracias, eso haré.

Chen volvió a la biblioteca para recoger el fax. Susu le entregó las páginas, además de una taza de café recién hecho y un pastel de crema de nueces.

–Es difícil deberle favores a una belleza –dijo Chen.

–Ya vuelve a citar a Daifu –respondió ella con una dulce sonrisa–. A ver si se le ocurre algo nuevo la próxima vez.

Lo que le vino a la memoria fue, inesperadamente, una escena de años atrás, en otra biblioteca, en otra ciudad...

> Sólo la luna de primavera
> permanece comprensiva, brillando aún
> para un visitante solitario, que medita
> sobre los pétalos caídos
> en un jardín desierto.

El tiempo fluye como el agua. Chen se bebió el café de un trago. Era negro y amargo, quizá tendría que haberlo rechazado. Susu no sabía nada acerca de su reciente problema de salud.

El inspector jefe empezó a estudiar el expediente. Kong había trabajado como fotógrafo en Wangkai, uno de los célebres estudios estatales de Shanghai. También fue miembro de la Asociación de Artistas, y ganó varios premios. Murió poco después de la Revolución Cultural. Le había sobrevivido su esposa, que ahora vivía sola en el distrito de Yangpu. No se mencionaban las dificultades que aquella fotografía causó a Kong. Como otros «artistas burgueses», el fotógrafo fue objeto de una crítica de las masas durante la Revolución Cultural. Tampoco aludía a la fotografía premiada de la mujer vestida con el qipao.

Mientras se levantaba del escritorio, Chen tuvo que resistirse a la tentación de tomar otra taza de café.

22

Era casi la una y media cuando Chen llegó a la casa de Kong en la calle Jungong.

Al ver los buzones de madera descolorida al pie de la agrietada escalera de cemento, Chen supuso que sería uno de los «nuevos hogares para trabajadores» construidos en los años sesenta. Ahora el edificio tenía un aspecto viejo y descuidado, y estaba abarrotado de gente. Encontró el nombre de la viuda de Kong en uno de los buzones.

Chen subió por las escaleras y abrió una puerta de un empujón. Resultó ser una vivienda de tres dormitorios compartida por tres familias. Vio una cocina común atestada de hornillos, lo cual confirmó su hipótesis: la viuda debía de vivir en una habitación individual dentro de la vivienda.

Chen llamó a la puerta número 203. Una mujer de cabello blanco le abrió y lo miró a través de sus gafas de montura plateada.

–¿Es usted la señora Kong?

–Todo el mundo me llama tía Kong aquí –dijo la anciana, invitándolo a entrar.

Vestía chaqueta y pantalones de algodón guateado y calzaba un par de zapatillas de color rojo escarlata con jazmines bordados. La habitación era tan pequeña como un pedazo de tofu, y estaba atiborrada de todo tipo de objetos de dudosa utilidad. Una única silla, de tres patas, se apoyaba contra la pared. A los pies de la escalera había un anticuado recipiente de paja para conservar caliente el arroz, que quizá le servía de escabel. En la habitación hacía frío, pese a que la ventana estaba sellada con papel.

–Puede sentarse en la silla –ofreció la anciana.

–Gracias –respondió Chen, sentándose con cuidado en el borde de la silla–. Siento molestarla, tía Kong.

Chen le explicó el propósito de su visita, tras sacar su tarjeta y la revista.

La mujer estudió la fotografía de la revista con expresión inescrutable. Durante dos o tres minutos no dijo ni una palabra.

Mientras esperaba, Chen comenzó a percibir el olor que invadía la habitación. Se fijó en una pequeña lata que hervía sobre el fogón de gas colocado en un rincón. Posiblemente la comida del gato. La mayoría de habitantes de Shanghai tenían gatos para cazar ratas, como en la conocida frase del camarada Deng Xiaoping: «No importa que el gato sea negro o blanco; siempre que cace ratas, será un buen gato». Si bien los habitantes más jóvenes y modernos de Shanghai habían empezado a introducir el concepto de «mascota» en la ciudad, en un edificio tan viejo como éste un gato todavía servía, por encima de todo, para cazar ratas. La lata de arroz sobrante hervido con espinas de pescado era quizá la única comida para gato que la tía Kong podía permitirse, pero cocinar en la habitación podía ser peligroso para una anciana que vivía sola. La bombona de propano estaba colocada junto a una minúscula mesa de madera, sobre la que reposaba una palangana de plástico que contenía tazas y cuencos enmohecidos.

–Sí, es una fotografía que sacó mi marido. En los sesenta –dijo la tía Kong con voz algo trémula–, pero falleció hace muchísimo tiempo. ¿Cómo iba a acordarme yo de nada?

–Le concedieron un premio nacional por esta fotografía. Debió de habérselo mencionado. Intente recordar, tía Kong. Cualquier cosa que se le ocurra puede ser importante para nuestro trabajo.

–¡Un premio nacional! Sólo le trajo mala suerte. Esta foto fue como una maldición.

–Una maldición –repitió Chen. Una palabra sin duda extraña. Y sin embargo, se repetía una y otra vez en la investigación. La anciana debía de recordar algo sobre la foto. Algo siniestro–. Por favor, dígame a qué tipo de maldición se refiere.

–¿Y quién quiere hablar de cosas relacionadas con la Revolución Cultural?

Chen comprendió que los recuerdos de aquellos años aún podían ser demasiado dolorosos. Y a la viuda tampoco le sería fácil abrirse ante un desconocido. No obstante, él estaba más que dispuesto a ser paciente.

–¿Se refiere a que las personas relacionadas con la foto fueron víctimas de una maldición, tía Kong?

–Criticaron mucho a mi marido por esta foto, por el delito de «defender el estilo de vida burgués». Ahora, después de tantos años, le pido por favor que lo deje descansar en paz.

–Es una fotografía magnífica –siguió diciendo Chen con tono imperturbable mientras sacaba otra tarjeta, la de la Asociación de Escritores Chinos–. Soy poeta. En mi opinión, es una obra maestra. Un poema fotográfico.

«Un poema fotográfico» había sido el mayor elogio posible en la crítica tradicional china, pero Chen creyó ser sincero al usar el cliché.

–Puede que lo sea, o puede que no. Pero ¿qué más da? Míreme. Me han dejado aquí sola, como si fuera un trapo sucio y gastado. –La tía Kong señaló la bombona de propano–. Ni siquiera puedo usar la cocina comunitaria. Todo el mundo se mete conmigo. Hábleles de esta supuesta obra maestra. ¿De qué me va a servir?

La anciana se levantó, se dirigió hacia el hornillo arrastrando los pies y comenzó a remover la comida que hervía en la lata con un palillo de los que se utilizan para comer. De repente, se volvió hacia el recipiente de paja, canturreando como si no hubiera nadie más en la habitación.

–*Negrito.* La comida está lista.

La tapa del recipiente de paja se levantó, y de debajo salió un gato. El animal empezó a restregar la cabeza contra la pierna de la anciana.

Chen se levantó para irse, muy a su pesar. La señora Kong no le pidió que se quedara.

Mientras abría la puerta, Chen echó una última mirada a la cocina. Había dos mesas destartaladas, cubiertas de verduras sin preparar, sobras, tofu fermentado y palillos y cucharas sin lavar.

Al salir del edificio, Chen vio el letrero de madera del comité vecinal al otro lado del callejón y se dirigió con paso firme hasta el despacho. Era casi un acto reflejo para un policía.

Chen mostró su tarjeta al entrar en el despacho. Para su sorpresa, la tarjeta no impresionó al presidente del comité, un hombre demacrado de cabello gris apellidado Fei. Chen le habló de la tía Kong, recalcando que su marido había sido un artista galardonado, e instó al comité a ayudarla a mejorar sus condiciones de vida.

–¿La tía Kong es pariente suya? –preguntó Fei con sequedad, pasándose la mano por el pelo. Chen se fijó en que tenía los dedos quemados por el frío.

–No. La he conocido hoy, pero creo que debería tener acceso a la cocina comunitaria.

–Permítame que le diga una cosa, camarada inspector jefe Chen. Las peleas entre vecinos por el uso de la zona común son difíciles de resolver. Por lo que yo sé, el hombre que ocupaba la habitación que ahora ocupa la tía Kong no disponía de espacio en la cocina común. Era un cuadro del Partido que prácticamente trabajaba y vivía en su fábrica. Además, los vecinos de la tía Kong aún usan cocinas con briquetas de carbón. Sería peligroso para ella tener la bombona de propano en la misma habitación.

–Está bien –dijo Chen después de reflexionar unos segundos–. ¿Puedo usar su teléfono?

Chen llamó al jefe de la comisaría del distrito, que era a su vez jefe de seguridad del comité vecinal. Después de pedir que le pusieran con el director, Chen le pasó el teléfono a Fei, quien escuchó con expresión sorprendida.

–Ahora lo recuerdo, inspector jefe Chen –dijo Fei con otro tono de voz–. Tendrá que disculpar a un hombre de mi edad. Como dice el refrán, a un viejo los ojos sólo le sirven para no reconocer la montaña Tai. Claro, lo he visto por la tele, y también he oído hablar de usted.

–Tal vez usted haya oído alguno de los rumores que circulan

sobre mí –repuso Chen–. Según dicen, siempre devuelvo los favores.

–No tiene que devolverme ningún favor, inspector jefe Chen. Es difícil mediar en las disputas de los vecinos, aunque deberíamos esforzarnos al máximo. En eso tiene razón. Vayamos a la habitación de la tía Kong.

Chen no se molestó en preguntar qué le había dicho el director a Fei. Los dos volvieron juntos al edificio de la viuda.

Todos los vecinos de la vivienda salieron de sus habitaciones al ver que Fei y Chen se detenían en el estrecho pasillo. Fei anunció que el comité vecinal y la comisaría del distrito habían acordado de forma conjunta habilitar un pequeño espacio en la cocina común para la tía Kong. No tenía por qué ser muy grande, bastaría con que cupiera una bombona de gas propano. Por razones de seguridad, el comité levantaría un tabique entre la bombona y las cocinas de carbón. No hubo ni una sola protesta.

Tras anunciar esta decisión, Chen se disponía a marcharse cuando la tía Kong se le acercó con sigilo.

–¿Camarada inspector jefe Chen? –preguntó la anciana.

–¿Sí, tía Kong?

–¿Podemos hablar un momento?

–Por supuesto. –Chen se dirigió a Fei y agregó–: Márchese, yo me quedaré un rato más. Gracias por su gran ayuda.

–Así que es usted alguien importante –repuso ella, cerrando la puerta tras entrar ambos en la habitación–. Llevo más de diez años cocinando en esta habitación, y usted me ha solucionado el problema en media hora.

–No tiene importancia. Soy un gran admirador del trabajo del señor Kong –afirmó Chen–. El despacho de la comisión vecinal está al otro lado del callejón, así que entré un momento y les conté sus problemas.

–Supongo que quiso granjearse mi agradecimiento –dijo ella–, y la verdad es que le estoy agradecida. No caen bollos blancos desde el cielo azul, ya lo sé.

El gato negro entró de nuevo. La tía Kong lo cogió y se lo puso en el regazo, pero el gato bajó de un salto y salió corriendo hasta el alféizar de la ventana, donde se ovilló contra el cristal.

–No, no se preocupe por eso. Era mi deber como policía.

–Tengo que hacerle otra pregunta. No va a usar la foto para perjudicar a otras personas, ¿verdad? Ésa era la peor pesadilla de mi marido.

–Déjeme contarle algo, tía Kong –respondió Chen poniendo la mano en la pared. Le pareció que estaba muy pringosa: quizá fuera de tanto cocinar en la habitación–. Esta tarde, hace un rato, he estado en el templo Jin'an, y le he hecho una promesa a Buda: ser un buen policía, un policía concienzudo. Me crea o no, poco después de hacer la promesa me he enterado de la existencia de la fotografía.

–Le creo, pero ¿realmente es tan importante para usted esta fotografía?

–Podría arrojar luz sobre una investigación de asesinato. Si no fuera importante no me habría presentado en su casa sin avisar.

–¿Una fotografía tomada hace casi treinta años guarda relación con un caso de asesinato ocurrido en la actualidad? –preguntó la viuda con tono de incredulidad.

–Ahora mismo no es más que una posibilidad, sin embargo no podemos permitirnos pasarla por alto. Se lo aseguro: no creo que tenga nada que ver con usted ni con su marido.

–Si aún recuerdo algo sobre esta foto –empezó a decir la tía Kong con voz vacilante– es por la pasión que sentía mi marido por ella. Dedicó todos sus días de vacaciones a ese proyecto, trabajó como un poseso. Yo llegué a sospechar que se había enamorado de alguna modelo desvergonzada.

–Un buen artista tiene que involucrarse totalmente en su proyecto, lo sé. Requiere mucha energía producir una obra maestra como ésta.

–La modelo resultó ser una mujer decente de buena familia. Y mi marido se burló de mis sospechas: «¿Enamorarme de ella? No, sería como un sapo del color del fango que babea por un inmaculado cisne blanco. Si estoy tan entusiasmado es porque ningún fotógrafo se ha puesto en contacto con ella todavía. Para un fotógrafo, es como descubrir una mina de oro».

–¿Le contó cómo la descubrió?

–Creo que fue en un concierto. Ella era violinista, y estaba en el escenario. Al principio se negó a posar para él. A mi marido le costó dos semanas conseguir que cambiara de opinión. Finalmente accedió, con la condición de que en la foto apareciera también su hijo. Esto inspiró aún más a mi marido: una madre y un hijo en lugar de una mujer hermosa.

–Esa mujer debía de querer mucho a su hijo.

–Yo también lo pensé. Al mirar la fotografía, la gente no podía evitar conmoverse.

–¿Le dijo su marido el nombre de la mujer?

–Debió de decírmelo, pero ahora no lo recuerdo.

–¿Sabe algo acerca de los preparativos de la sesión fotográfica? Por ejemplo, ¿cómo se eligió el vestido mandarín?

–Bueno, a él le entusiasmaba la idea de fotografiar a una belleza oriental, y pensaba que el vestido mandarín realzaría sus encantos, pero supongo que ella ya debía de tener el vestido en su casa. Mi marido no podría habérselo permitido. Lo siento, no sé a quién se le ocurrió la idea de elegir ese vestido.

–¿Dónde tomó la fotografía?

–Ella vivía en una mansión, así que probablemente la sacó en el jardín trasero. Mi marido pasó un día entero allí. Usó cinco o seis carretes, y después se pasó una semana en el cuarto oscuro, como un topo. Estaba tan entusiasmado que una noche trajo todas las fotografías a casa y me pidió que eligiera una. Para el concurso.

–Usted eligió la mejor.

–Sin embargo, después de ganar el premio empezó a preocuparse. Al principio no quería decirme por qué. Al encontrar unos recortes de periódico escondidos en un cajón me enteré de que la fotografía había provocado muchas controversias. Algunos hablaban del «mensaje político» que transmitía.

–Sí, en aquella época se le podía dar una interpretación política a cualquier cosa.

–Y durante la Revolución Cultural, mi marido fue sometido a las críticas de las masas por esta foto. El presidente Mao sostenía que había quien atacaba al Partido a través de novelas, por lo que los Guardias Rojos afirmaron que Kong había atacado al Partido a través de la foto. Como les sucedió a otros «monstruos», tuvo que permanecer de pie con una pizarra colgada al cuello, en la que habían escrito su nombre tachado.

–Fueron muchos los que sufrieron. Mi padre también tuvo que permanecer de pie, doblado por el peso de una pizarra.

–Para colmo, lo obligaron a revelar la identidad de la mujer de la fotografía, y eso lo afectó muchísimo.

–¿Quién lo presionó? –preguntó Chen–. ¿Le contó algo al respecto?

–Una organización de Rebeldes Obreros, creo. Revelar la identidad de la modelo iba en contra de su ética profesional, pero la presión fue demasiado fuerte y finalmente cedió, pensando que posar para una foto no era ningún delito. Después de todo, no salía nadie desnudo ni tenía nada de obsceno.

–¿Supo qué le pasó a ella?

–Al principio no. Pero al cabo de un año, más o menos, se enteró de su muerte. Lo sucedido no tuvo nada que ver con él, en aquella época moría muchísima gente. Y quizá no fue demasiado sorprendente que le pasara a alguien que venía de una familia como la suya, siendo ella además una «artista burguesa». A pesar de todo, la incertidumbre lo corroyó a partir de entonces.

–No debió ser tan duro consigo mismo. Habrían descubierto la identidad de la mujer de todos modos –afirmó Chen, pensando que el viejo fotógrafo quizás estuviera enamorado de ella. No le pareció que tuviera sentido mencionar eso, por lo que cambió de tema–. Veamos, usted ha mencionado que su marido usó cinco o seis carretes para sacar esta foto. ¿Guardó las demás copias?

–Sí, las guardó en una carpeta aun sabiendo que corría un riesgo, e incluso me las ocultó a mí. También guardó una libreta. «La carpeta del vestido mandarín rojo», la llamaba. Después de su muerte descubrí las fotografías por casualidad. No me atreví a deshacerme de ellas, porque debieron de significar mucho para él.

La señora Kong abrió un cajón del armario y sacó un sobre grande que contenía un cuaderno y un sobre más pequeño. En el interior del segundo sobre había un puñado de fotografías.

–Aquí las tiene, inspector jefe Chen.

–Muchísimas gracias, tía Kong –respondió Chen, levantándose–. Se las devolveré en cuanto las haya visto.

–No se preocupe, no me sirven de nada. –Luego añadió–: Pero no se olvide de la promesa que hizo en el templo.

–No me olvidaré.

Era una selección hecha al azar. Chen empezó a leer el cuaderno en un taxi nada más salir del edificio de la tía Kong. Su marido había incluido muchas anotaciones sobre la sesión fotográfica. Descubrió a la modelo en un concierto, tras sentirse hechizado por «su sublime belleza durante el conmovedor clímax musical». Después, un Joven Pionero corrió hasta el escenario, llevándole un ramo de flores. El niño resultó ser su hijo, y ella lo abrazó tiernamente. Después del concierto, pasó una semana intentando persuadirla de que posara para él. Le costó mucho conseguirlo, porque a ella no le interesaban ni el dinero ni la fama. Finalmente, logró hacerla cambiar de opinión al prometerle que la fotografiaría junto a su hijo. Sacó la fotografía en el jardín trasero de la mansión familiar.

Chen se saltó las notas técnicas sobre luz y ángulos y llegó a una página en la que había anotada la dirección del lugar de trabajo de la modelo: el Instituto de Música de Shanghai. Debajo de la dirección había un número de teléfono. Por alguna razón, Kong escribió su nombre en el cuaderno una sola vez: Mei.

Chen comenzó a examinar las fotografías. Había un número considerable de ellas, y, como le sucediera al viejo fotógrafo, se sintió cautivado por la belleza de la mujer.

–Lo siento, he cambiado de opinión –le dijo al taxista, levantando la vista de las fotografías–. Por favor, lléveme al Instituto de Música de Shanghai.

23

Su visita al instituto no empezó con buen pie.

El camarada Zhao Qiguang, actual secretario del Partido en el instituto, aunque se mostró respetuoso con Chen no fue de gran ayuda. Zhao tuvo que buscar los datos en el registro antes de poder decirle algo sobre Mei. Según Zhao, tanto Mei como su marido Ming habían trabajado en el instituto. Ming se suicidó durante la Revolución Cultural, y su esposa murió en un accidente. Zhao desconocía la existencia de la fotografía.

–Llegué al instituto hará unos cinco o seis años –dijo Zhao a modo de explicación–. La gente no tiene demasiadas ganas de hablar sobre la Revolución Cultural.

–Sí, el Gobierno quiere que el pueblo mire hacia delante, no hacia atrás.

–Debería intentar hablar con algunos de los empleados más antiguos. Puede que sepan algo, o puede que conozcan a alguien que lo sepa –sugirió Zhao, mientras garabateaba varios nombres en un trozo de papel–. Buena suerte.

Sin embargo, los empleados que conocieron a Mei o se habían jubilado o habían muerto. Después de dar unas cuantas vueltas por el instituto, Chen localizó al profesor Liu Zhengquan del Departamento de Instrumentos.

–¡Ésa es Mei! –exclamó Liu, examinando la fotografía–. Pero nunca había visto esta foto.

–¿Me podría decir algo sobre ella?

–La flor del instituto, caída demasiado pronto.

–¿Cómo murió?

–La verdad es que no lo recuerdo. Tendría treinta y tantos años entonces, y su hijo unos diez. ¡Qué tragedia!

–¿Qué le pasó a su hijo?

–No lo sé –respondió Lu–. No estábamos en el mismo departamento. Tendría que hablar con otra persona.

–¿Podría decirme a quién puedo preguntárselo?

–Bueno, podría hablar con Xiang Zilong. Ahora está jubilado y vive en el distrito de Minghang. Ésta es su dirección. Creo que aún lleva una foto de Mei en la cartera.

Era una indirecta sobre la admiración que Xiang había sentido por Mei. Xiang era un romántico que aún llevaba una foto suya al cabo de tantos años.

Chen le dio las gracias a Liu, miró el reloj y salió de inmediato en dirección a Minghang. No había tiempo que perder.

El distrito de Minghang, zona industrial en el pasado, estaba a una distancia considerable del centro de la ciudad. Afortunadamente, el metro paraba ahora allí. Chen tomó un taxi para llegar lo antes posible al metro, y después de veinte minutos salió de la estación y tomó otro.

Shanghai se había expandido rápidamente. En Minghang también habían construido numerosos edificios de viviendas nuevas que relucían bajo el sol de la tarde. El taxista tardó bastante en encontrar el edificio de Xiang.

Chen subió las escaleras de cemento y llamó a una puerta de imitación de roble en la segunda planta. Alguien abrió con cautela. Chen entregó su tarjeta a un hombre alto y demacrado con el rostro surcado de arrugas, que llevaba un albornoz de algodón guateado y zapatillas de fieltro. El hombre examinó la tarjeta con sorpresa.

–Sí, soy Xiang. ¿Así que usted es miembro de la Asociación de Escritores Chinos?

Chen le había entregado su tarjeta de la Asociación de Escritores Chinos, un lapsus inexplicable.

–Vaya, me he confundido de tarjeta. Soy Chen Cao, del Departamento de Policía de Shanghai, y también soy miembro de la asociación.

–Creo que he oído hablar de usted, inspector jefe Chen –dijo

Xiang–. No sé qué viento le ha traído hoy hasta aquí, pero entre, como poeta o como policía.

Xiang sacó un termo con té y le sirvió a Chen una taza; después añadió un poco de agua en la suya. Chen observó que el anciano cojeaba un poco al andar.

–¿Se ha torcido el tobillo, profesor Xiang?

–No. Parálisis infantil a los tres años.

–Siento haberme presentado sin avisar. Se trata de un caso importante. Tengo que hacerle algunas preguntas –explicó Chen, sentándose en una silla plegable de plástico junto a un escritorio extraordinariamente largo, al parecer hecho a medida. El escritorio era el mueble principal en un salón lleno de estanterías–. Preguntas sobre Mei. ¿Fue colega suya?

–¿Preguntas sobre Mei? Sí, fue colega mía, pero hace muchísimos años de eso. ¿Por qué?

–El caso no tenía, ni tiene, que ver con ella, pero la información sobre Mei podría arrojar algo de luz sobre nuestra investigación. Todo lo que diga será confidencial, por supuesto.

–No va a escribir sobre ella, ¿verdad?

–¿Por qué lo pregunta?

–Hará un par de años, un hombre se puso en contacto conmigo para pedirme información sobre ella. Me negué a decirle nada.

–¿Quién era? –preguntó Chen–. ¿Recuerda su nombre?

–He olvidado su nombre, pero no creo que me enseñara su carné de identidad. Dijo que era escritor. Cualquiera podría haber afirmado serlo.

–¿Puede darme una descripción detallada de aquel hombre?

–Entre treinta y treinta y cinco años. Educado, pero bastante esquivo al hablar. Es todo lo que recuerdo. –Xiang bebió un sorbo de té–. Ahora que la nostalgia colectiva se ha apoderado de esta ciudad, están teniendo mucho éxito todas esas historias sobre familias que fueron ilustres, como *La desventurada beldad de Shanghai*. ¿Por qué habría de permitir que cualquiera explote su recuerdo?

–Hizo bien, profesor Xiang. Sería horrible que un supuesto escritor se aprovechara del sufrimiento de Mei.

–No, nadie puede volver a arrastrar su recuerdo por el fango de la humillación.

Chen percibió un ligero temblor en la voz de Xiang. Dada su admiración por Mei, esta reacción no resultaba demasiado sorprendente. Pero la frase «el fango de la humillación» indicaba que sabía algo más.

–Le doy mi palabra, profesor Xiang. No he venido en busca de ninguna historia.

–Ha mencionado un caso... –Xiang parecía indeciso.

–En este momento, no puedo darle detalles. Bastará con que le diga que varias personas han muerto, y que más van a morir si no detenemos al asesino. –Chen sacó la revista y las otras fotografías–. Puede que haya visto esta revista.

–Sí, y también las otras fotografías –dijo Xiang, mientras empezaba a examinarlas. Pálido y con el semblante muy serio, se levantó, se dirigió a una de las estanterías y cogió un ejemplar de *Fotografía de China*–. La he guardado todos estos años.

De la revista sobresalía un punto de libro con una borla roja, que señalaba la página de la fotografía. Era un punto de libro nuevo con una imagen de la Perla Oriental, un famoso rascacielos construido al este del río en la década de los noventa.

–Hace muchísimo tiempo de todo esto –afirmó Chen–. Tiene que haber alguna historia detrás.

–Sí, una larga historia. ¿Qué edad tenía usted cuando comenzó la Revolución Cultural?

–Todavía estaba en la escuela elemental.

–Entonces tiene que saber algo del contexto histórico.

–Por supuesto. Pero, por favor, cuéntemelo todo desde el principio, profesor Xiang.

–En mi opinión, las cosas empezaron a cambiar a principios de los sesenta. Me acababan de enviar al Instituto de Música, donde Mei ya llevaba trabajando unos dos años. Con su belleza y talento, allí era la reina. No me malinterprete, inspector jefe Chen. Yo la veía como una fuente de inspiración más que otra cosa. Me sentía frustrado por no poder ensayar los clásicos; nada estaba permitido, salvo dos o tres canciones revolucionarias. De no ser por su presencia, que iluminaba la sala de ensayos de un extremo a otro, yo habría dimitido.

–Como ha mencionado –señaló Chen–, Mei era la reina. Debió de haber muchas personas que la admiraban y que querían acercarse a ella. ¿Qué me puede contar de eso?

–¿A qué se refiere? –preguntó Xiang, lanzándole una mirada desafiante.

–Tengo que hacerle preguntas de todo tipo para la investigación. No estoy faltándole al respeto a Mei, profesor Xiang.

–No, no sé nada de lo que me pregunta. Una mujer que provenía de una familia como la suya tenía que vivir con el rabo entre las piernas, por así decirlo. Cualquier chismorreo sentimental podía tener consecuencias desastrosas. Era una época comunista y puritana, tal vez fuera usted demasiado joven para entenderlo. No sonaba ni una sola canción romántica en todo el país.

–El presidente Mao quería que la gente dedicara su vida a la revolución socialista. El amor romántico no tenía cabida. –Chen se interrumpió al recordar inesperadamente que en su trabajo de literatura se hacía una afirmación similar, aunque relacionada con el confucianismo–. Su marido también trabajaba en el instituto, ¿verdad?

–Su marido, Ming Deren, también daba clases allí. Ming no tenía nada de especial. Su matrimonio fue, al menos en parte, creo, un matrimonio concertado. Antes de 1949 el padre de Ming era un banquero de éxito, mientras que el de Mei no era más que un abogado de poca monta. La mansión Ming era una de las más lujosas de la ciudad.

–Sí, he oído hablar de la mansión. ¿Tenían problemas en su matrimonio? –Chen se preguntó por qué habría sacado Xiang el tema del matrimonio concertado.

–No que yo sepa, pero la gente creía que Ming no estaba a la altura de su esposa.

–Ya entiendo –dijo Chen, consciente de que, a ojos de Xiang, nadie habría sido digno de ella–. Entonces, ¿cómo supo usted de la foto? Debió de decírselo Mei, o quizá le enseñó la revista.

–No. Compartíamos despacho, y casualmente la oí hablar

por teléfono con el fotógrafo. Así que compré un ejemplar de la revista.

–En cuanto al vestido mandarín de la foto, ¿la había visto llevarlo puesto alguna vez?

–No, nunca. Ni antes ni después de la foto. Tenía varios vestidos mandarines, que a veces se ponía para las actuaciones, pero no el de la foto.

–¿Cree que la fotografía le causó problemas?

–No lo sé. Poco después comenzó la Revolución Cultural. Su suegro murió y su marido se suicidó, lo que fue considerado un grave delito contra el Partido. Ella se vio convertida en «miembro de la familia negra de un contrarrevolucionario», y la obligaron a salir de la mansión e instalarse en el desván que había sobre el garaje. La mansión fue ocupada por una docena de «familias rojas». Mei sufrió la más humillante de las persecuciones.

–¿Todo eso fue la causa de su trágica muerte?

–En cuanto a las circunstancias de su muerte –explicó Xiang, tomando un largo sorbo de té, como si intentara beberse a sorbos su memoria–, puede que mis recuerdos no sean demasiado fiables después de todos estos años, como podrá imaginar.

–Lo comprendo, todo esto sucedió hace más de veinte años. No tiene que preocuparse por la exactitud de los detalles. Comprobaré varias veces cualquier cosa que me cuente –le aseguró Chen, también bebiéndose el té a sorbos–. Échele un vistazo a la foto. Es como en el refrán: la suerte de una belleza es tan fina como un papel. Creo que tendría que hacer algo por ella.

Este comentario convenció definitivamente a Xiang.

–¿Lo dice en serio? –preguntó Xiang–. Sí, ustedes los policías deberían haber hecho algo por ella.

Chen asintió con la cabeza, sin decir nada por temor a interrumpirlo.

–Habrá oído hablar de la campaña de las Escuadras Obreras para la Propaganda del Pensamiento de Mao Zedong y lo que hicieron en las universidades, ¿no? –Xiang continuó hablando sin esperar una respuesta–. Representaban la corrección política durante aquellos años de Revolución Cultural. Una de esas escuadras vino también a nuestro instituto, y amedrentó a todo el mundo con la excusa de reeducar a los intelectuales. El jefe de la escuadra no tardó en recibir un mote que susurrábamos entre nosotros: camarada Actividades Revolucionarias. Se lo pusimos porque hablaba continuamente de su «actividades revolucionarias»: golpearnos, criticarnos y maldecirnos a nosotros, los supuestos «enemigos de clase». ¿Qué podíamos hacer salvo ponerle un mote a sus espaldas?

–¿Fue Mei el objetivo de algunas de esas «actividades revolucionarias»?

–Bueno, siempre le estaba dando «charlas políticas». Circularon bastantes rumores sobre esas charlas a puerta cerrada, pero, para ser justos con él, nunca vi nada realmente sospechoso. Sus conversaciones no eran demasiado largas, y la puerta no siempre estaba cerrada. De todos modos, Mei se encogía como un ratón delante de un gato. Me refiero a cuando estaba en su compañía, que hacía todo lo posible por evitar.

–¿Le comentó usted que le preocupaba lo que sucedía?

–No. Habría sido un delito sospechar de esta forma de un miembro de una Escuadra de Mao –respondió Xiang con una sonrisa amarga–. Entonces sucedió algo. No pasó en el instituto, sino en casa de Mei. Apareció un eslogan contrarrevolucionario escrito con tiza en la tapia del jardín. Por aquel entonces había más de diez familias viviendo en la casa, pero el comité vecinal lo consideró un ataque contra el Partido por parte de otro contrarrevolucionario de la familia de Mei. Uno de sus vecinos afirmó haber visto a su hijo con una tiza en la mano, y otro declaró que Mei lo había orquestado todo. Así que el comité se presentó en nuestro instituto. El camarada Actividades Revolucionarias los recibió y formaron un comité investigador conjunto. Una de las tácticas de la investigación consistió en mantener incomunicado al chico: lo encerraron en el cuarto trasero del comité vecinal hasta que estuviera dispuesto a confesar su delito.

–Es horrible –exclamó Chen–. ¿Lo torturaron durante el tiempo que estuvo incomunicado?

–No sé exactamente lo que hizo el comité investigador. El

camarada Actividades Revolucionarias pasaba mucho tiempo en el barrio de Mei, iba allí cada día. Sin embargo, a ella no la sometieron a un interrogatorio en una celda de aislamiento, como habían hecho con su marido y como hicieron con su hijo. Mei continuaba viniendo al instituto, y parecía muy preocupada. Hasta que una tarde, inesperadamente, salió corriendo del desván desnuda, tropezó, se cayó por las escaleras y murió allí mismo. Hubo quien dijo que debió de volverse loca. Otros dijeron que se estaba bañando, y que salió corriendo al enterarse del retorno inesperado de su hijo.

–¿Liberaron a su hijo aquel mismo día?

–Sí, volvió a casa aquella tarde, pero cuando llegó a la puerta del desván, se dio la vuelta y bajó a toda prisa por las escaleras. Según uno de los vecinos de Mei, ésta se cayó al salir corriendo tras él.

–Qué raro. Incluso si la hubiera encontrado en la bañera, el niño no tenía por qué huir, ni ella tenía por qué salir corriendo desnuda.

–Mei estaba muy unida a su hijo. Puede que, loca de contento, perdiera el control.

–¿Qué dijo el miembro de la Escuadra de Mao sobre su muerte?

–Dijo que había sido un accidente, eso es todo.

–¿Alguien hizo alguna pregunta sobre las circunstancias en que ocurrió?

–No, al menos no en aquel momento. Yo me había metido en problemas por «envenenar a los alumnos con decadentes clásicos occidentales». Como una figura de arcilla que cruza el río, apenas podía protegerme a mí mismo –explicó Xiang–. Después de la Revolución Cultural, pensé en acercarme a la fábrica en la que había trabajado el camarada Actividades Revolucionarias. Nunca explicó qué hacía en el barrio de Mei. Como jefe de una Escuadra de Mao, se suponía que debía estar en nuestro instituto, no en el barrio de Mei. Entonces, ¿por qué iba allí? Pero vacilé porque no tenía ninguna prueba de peso, y porque mi denuncia podría volver a arrastrar el recuerdo de Mei por el fango. Además, me enteré de que a él también le fueron mal las cosas.

Sufrió una sucesión de desgracias, desde perder el empleo hasta ir a la cárcel.

–Un momento. ¿Recuerda el nombre del camarada Actividades Revolucionarias?

–No, pero puedo enterarme –respondió Xiang–. ¿Va a investigarlo?

–¿Le llamó la atención algo más sobre él?

–Sí, me fijé en otra cosa. Normalmente, la Escuadra de Mao que enviaban a una escuela estaba integrada por obreros de una misma fábrica, pero, en nuestra escuela, el jefe de la escuadra, el camarada Actividades Revolucionarias, venía de una fábrica distinta.

–Sí, parece raro –admitió Chen, sacando un cuadernito–. ¿En qué fábrica trabajaba?

–En la fábrica de acero Número Tres de Shanghai.

–¿Qué edad tenía él entonces?

–Treinta y muchos, o cuarenta y pocos.

–Lo investigaré –dijo Chen. De todos modos, fuera lo que fuese lo que hubiera hecho aquel miembro de la Escuadra de Mao, ahora tendría unos sesenta años, y, según Yu, el sospechoso que aparecía en la cinta del club Puerta de la Alegría tendría probablemente unos treinta y tantos–. ¿Alguien hizo algo después de la muerte de Mei?

–Yo quedé destrozado. Pensé en mandar un ramo de flores a su tumba, era lo menos que podía hacer. Pero enviaron su cuerpo al crematorio, y aquella misma noche se deshicieron de las cenizas. No hubo ataúd, ni tampoco lápida. No hice nada por ella mientras vivía, ni tampoco después de su muerte. ¡Qué cobarde tan patético!

–No se torture así, profesor Xiang. Todo esto pasó durante la Revolución Cultural. Hace ya mucho tiempo.

–Hace ya mucho tiempo –repitió Xiang, sacando un disco de una funda nueva–. Musiqué un poema clásico chino en su memoria.

Chen examinó la funda, en la que aparecía un poema de Yan Jidao impreso al fondo. En primer plano se veía una figura difuminada que bailaba ataviada con un vaporoso vestido rojo.

Me despierto con resaca, levanto la vista
y veo la alta balconera
cerrada, con la cortina
corrida. La primavera pasada,
aún reciente el dolor de la separación,
permanecí un buen rato de pie, solo,
entre los pétalos que caían:
un par de gorriones revoloteaban
bajo la llovizna.

Aún recuerdo el momento en que
apareció la pequeña Ping por primera vez
vestida con sus ropas de seda bordadas
con dos corazones,
derramando su pasión
por las cuerdas de una pipa.
La luna brillante iluminaba su retorno
como una nube radiante.

–Mei lo habría agradecido... desde el más allá –sugirió Chen–, si es que el más allá existe.

–Se lo habría dedicado –afirmó Xiang con inesperado rubor–, pero nunca le he hablado de Mei a mi esposa.

–No se preocupe, todo lo que me ha contado será confidencial.

–Va a volver pronto –dijo Xiang, guardando de nuevo el disco en el estante–. No es que sea una mujer poco razonable, ¿sabe?

–Sólo una pregunta más, profesor Xiang. Ha mencionado al hijo de Mei. ¿Se supo algo más de él?

–No se descubrió nada sobre el eslogan contrarrevolucionario. Quedó huérfano y se fue a vivir con algún pariente. Me dijeron que después de la Revolución Cultural ingresó en la universidad.

–¿Sabe en qué facultad?

–No, eso no lo sé. Han pasado ya algunos años desde la última vez que supe de él. Si es importante, podría hacer algunas llamadas.

–¿No le importa? Se lo agradecería mucho.

–No tiene por qué agradecerme nada, inspector jefe Chen. Por fin un policía está haciendo algo por ella. Soy yo el que le está agradecido –dijo Xiang con sinceridad–. Aunque hay algo que quiero pedirle. Cuando acabe su investigación, ¿podría darme una copia de esas fotografías?

–Por supuesto, le enviaré las copias mañana mismo.

–«Diez años, diez años, / la nada / entre la vida y la muerte» –añadió Xiang, cambiando de tema–. Creo que podría averiguar más en el barrio de Mei.

–¿Tiene su dirección?

–Es la famosa mansión antigua de la calle Hengshan. Cerca de la calle Baoqing. Cualquiera que viva en aquella zona podrá indicarle cómo encontrarla. La han convertido en un restaurante. Fui una vez y cogí una tarjeta –explicó Xiang, levantándose para alcanzar una caja de cartón–. Aquí está. La Antigua Mansión.

24

Chen llegó a la calle Hengshan pasadas las ocho.

Tuvo que recorrer la calle de un extremo a otro varias veces hasta encontrar el comité vecinal. Hacía frío. Debía encontrarlo, se dijo, combatiendo un repentino amago de mareo.

Tras haber establecido la identidad de la primera mujer vestida con un qipao rojo, Chen pensó en enfocar el caso desde una nueva perspectiva.

Pese a la respuesta negativa de Xiang, no se podía descartar la posibilidad de que Mei hubiera tenido otros admiradores, incluso durante la época comunista y puritana que le había descrito. Al fin y al cabo, tal vez el profesor jubilado no fuera un narrador del todo fiable.

El miembro de la Escuadra de Mao podía ser otra vía para la investigación. Quizás el camarada Actividades Revolucionarias se había unido a la escuadra con tal de acercarse a Mei, y eso lo convertía en un posible causante de la tragedia posterior.

Cualesquiera que fueran las posibles hipótesis, Chen tendría que conseguir más información sobre Mei a través del comité vecinal.

El despacho del comité vecinal resultó estar escondido en una sórdida calle lateral situada detrás de la calle Hengshan. La mayoría de casas de la calle eran idénticas: dos plantas de cemento descolorido, casi todas sin reformar, como hileras de cajas de cerillas. Un letrero de madera señalaba un mercado de verduras y hortalizas a la vuelta de la esquina. El despacho del comité estaba cerrado, pero un vendedor ambulante de cigarrillos que esperaba agazapado cerca de allí le dio el nombre y la dirección de la presidenta del comité.

–Weng Shanghan. ¿Ve la ventana del segundo piso que da al mercado? –preguntó el vendedor, tiritando a causa del frío viento invernal mientras Chen le ofrecía un cigarrillo–. Ésa es su habitación.

Chen se dirigió al edificio y subió las escaleras hasta la segunda planta, donde se encontraba la habitación. Weng, una mujer baja y enérgica de cuarenta y tantos años, lo miró desde la puerta frunciendo mucho el ceño. Debió de confundirlo con algún vecino nuevo que buscaba ayuda. La presidenta del comité sostenía una bolsa de agua caliente en la mano y no llevaba zapatos: andaba por el suelo de cemento gris con los pies enfundados en medias de lana. Era una habitación multiuso, poco apropiada para recibir a visitantes inesperados.

Casualmente, Weng estaba ocupada doblando dinero del más allá a los pies de la cama. Su marido la ayudaba a alisar el papel de plata. Era una actividad supersticiosa, impropia de la presidenta de un comité vecinal. Pero Weng lo hacía para celebrar la noche de Dongzhi, cayó en la cuenta Chen. Él también había comprado dinero del más allá, aunque había quemado el suyo en el templo en honor de Hong. Quizás esto explicara la reticencia de Weng a recibir visitas.

–Siento molestarla a estas horas, camarada Weng –se excusó Chen, entregándole su tarjeta. A continuación le explicó el propósito de su visita, haciendo hincapié en que estaba investigando a la familia Ming.

–Me temo que no podré decirle demasiado –replicó Weng–. Cuando nos mudamos a este barrio, hará unos cinco años, los Ming ya no vivían aquí. En los últimos años ha habido muchos cambios de residentes, sobre todo en la calle Hengshan. Según la nueva normativa, las casas en propiedad se han devuelto a sus antiguos propietarios. Así que algunos volvieron a sus casas, y muchos otros tuvieron que marcharse.

–¿Por qué no regresó la familia Ming?

–Existía un problema con la nueva normativa. ¿Qué pasaba con los residentes que estaban viviendo en las casas? Es cierto que algunos las habían ocupado de forma ilegal durante la Revolución Cultural, pero seguían necesitando un sitio donde vivir. Así que el Gobierno intentó comprarles los edificios a los antiguos propietarios. Éstos podían negarse, pero Ming, el hijo del antiguo propietario, aceptó. Ni siquiera volvió para echarle un vistazo a la casa. Más tarde la mansión fue reconvertida en restaurante, pero ésa es otra historia.

–Perdone que la interrumpa –dijo Chen–. ¿Cuál es el nombre completo de Ming?

–Déjeme comprobarlo –respondió Weng. Sacó una libreta de direcciones y revisó varias páginas–. Lo siento, no aparece aquí. Le van muy bien las cosas, por lo que recuerdo.

–Gracias –respondió Chen–. ¿Cuánto sacó con la venta de la mansión?

–Las autoridades del distrito organizaron todas las transacciones, nosotros no tuvimos nada que ver en el asunto.

–¿Consta en alguna parte lo que le sucedió a la familia Ming durante la Revolución Cultural?

–Ya casi no quedan registros de aquella época en nuestra oficina. Durante los primeros años, nuestro comité estuvo prácticamente paralizado. Al parecer, mi predecesora se deshizo del único libro de contabilidad que hubo entre 1960 y 1970.

–¿Se refiere a la antigua presidenta del comité vecinal?

–Sí, falleció hará cinco o seis años.

–Es fácil olvidar estas cosas –dijo Chen–, pero tengo que hacerle una pregunta. La madre de Ming, Mei, murió durante la Revolución Cultural. Posiblemente a causa de un accidente. ¿Sabe algo al respecto?

–Hace muchísimos años de eso. ¿Por qué me lo pregunta?

–Podría ser relevante para una investigación de asesinato.

–¡Vaya!

–He oído hablar del inspector jefe Chen –interrumpió el marido de Weng por primera vez, dirigiéndose a su esposa–. Ha participado en varios casos importantes.

–Si sabemos alguna cosa acerca de la familia Ming –explicó Weng–, se debe a una estratagema de Pan, el propietario del restaurante Antigua Mansión.

–Eso puede interesarnos. Cuéntemelo, por favor.

–En cuanto Ming vendió su mansión al Gobierno, Pan le echó el ojo a la casa. Ninguno de los residentes quería trasladarse, y tal vez también había varios compradores potenciales. Así que Pan hizo circular el rumor de que la mansión estaba embrujada, y esas supersticiones se extendieron muy deprisa. Tuvimos que intervenir.

–Tiene muchas responsabilidades, camarada Weng.

–Descubrimos que esas patrañas se remontaban a la época de la Revolución Cultural. Las había difundido la familia Tong, que vivía bajo el desván del garaje. Después de que muriera Mei, los Tong afirmaron haber oído ruidos en la habitación que tenían encima, y pasos en las escaleras. Incluso después de que el hijo de Mei se marchara de allí. Los vecinos de Mei se hacían muchas preguntas sobre su extraña muerte y pensaban que había sido víctima de una injusticia, así que era comprensible que creyeran que su espíritu había vuelto para rondar por la casa, al menos por el desván. Y por eso los Tong consiguieron que les cedieran el «desván embrujado», que nadie más quería.

–Siento interrumpirla de nuevo. Ha mencionado algo acerca de la extraña muerte de Mei. ¿A qué se refiere?

–No conozco los detalles. Su familia sufrió mucho durante la Revolución Cultural: tanto su marido como su suegro murieron. Ella y su hijo fueron expulsados de la mansión y tuvieron que alojarse en el desván que había encima del garaje. Un año o dos después de haberse instalado allí, el chico también se metió en líos. Y un día Mei salió corriendo del desván completamente desnuda, se cayó por las escaleras y se mató. Es posible que todas estas penalidades la superaran, y que se viniera abajo. De todos modos, la forma en que murió fue bastante sospechosa.

–¿Esto ocurrió en verano?

–No, en invierno. Según decían algunos, Mei había salido corriendo de la bañera, pero eso no es cierto. Era imposible que se bañara allí, porque no había ninguna estufa en el desván –explicó Weng, sacudiendo la cabeza–. Pan consiguió asustar a mucha gente con sus historias de fantasmas. No tardó en convencer a todos los residentes, incluidos los Tong, de que la mansión estaba embrujada. Allí habían tenido lugar varios accidentes, y la gente estaba aterrorizada. Pan llegó a un acuerdo con los residentes para que se marcharan a cambio de una compensación económica.

–¿Descubrió algo más sobre la muerte de Mei durante su investigación?

–Supersticiones aparte, una de sus vecinas aseguró haber oído gruñidos, gemidos y otros ruidos raros en el desván en plena noche, un par de noches antes de que liberaran al chico: antes, pero no después. Los Tong lo confirmaron, y añadieron que además la oían llorar por las noches, aunque contestaron con evasivas cuando les preguntamos qué había pasado después de la liberación del chico.

–¿Vieron a alguien con Mei en la habitación, a alguien entrando o saliendo de allí?

–Los Tong dijeron haber oído algo que sonaba como el gruñido de un hombre, pero, después de tantos años, no estaban seguros.

–¿Hay alguien en el barrio que sepa algo sobre la familia Ming, alguien con quien pueda hablar directamente?

–Bueno, la mayoría de residentes de aquella época ya se han trasladado a otras viviendas, como le he explicado. Pero lo investigaré. Con algo de suerte, puede que tenga una lista para usted a principios de la semana que viene. Algunos aún viven aquí, creo.

Puede que Weng encontrara a alguien o puede que no, y quizá le llevara varios días. Y el día siguiente era jueves. Habría una nueva víctima antes del fin de semana.

De todos modos, era evidente que la presidenta del comité vecinal le había contado todo lo que sabía. No tenía nada más que hacer en el barrio esa noche. Se levantó a regañadientes, pero entonces el marido de Weng volvió a intervenir.

–Hay un hombre con el que debería hablar, camarada inspector jefe. Me refiero al camarada Fan Dezong. Antes era el policía de este barrio, ahora está jubilado.

–¿Ah sí? ¿Cree que podría verlo esta noche? –preguntó Chen. Al igual que los cuadros del vecindario, los policías de barrio solían vivir en la zona.

–Aún conserva una pequeña habitación aquí, pero casi siempre está en casa de su hijo, cuidando a su nieto. Vuelve por las mañanas y durante los fines de semana. Patrulla el mercado por las mañanas.

–¿Tiene la dirección o el teléfono de su hijo?

–No, no lo tenemos aquí –respondió Weng–, pero seguro que encontrará a Fan mañana a primera hora.

–Entre las cinco y las siete y media –apuntó el marido–. Es muy puntual cuando tiene que patrullar, incluso en invierno, cuando hace más frío. Un policía a la antigua usanza.

–Estupendo. Muchísimas gracias por su ayuda.

El móvil de Chen empezó a sonar. El inspector jefe hizo un gesto de disculpa y pulsó la tecla para hablar.

–Soy Xiang. Aún no sé nada del hijo de Mei, pero recuerdo que ella lo llamaba «Xiaojia». Así que su nombre podría ser Mingjia. A la gente le gusta añadir «xiao», o «pequeño», a los nombres de pila para convertirlos en diminutivos cariñosos, como ya sabe. Además, he encontrado un cuaderno. El nombre del camarada Actividades Revolucionarias es Tian. No trabajaba en la fábrica de acero Número Tres de Shanghai, sino en la Número Uno.

–Es un dato muy importante. No sé cómo agradecérselo, profesor Xiang.

–Haré un par de llamadas más sobre su hijo mañana. Me pondré en contacto de nuevo tan pronto como sepa algo.

Al cerrar de golpe el teléfono móvil, Chen casi olvidó que estaba en compañía de la presidenta del comité vecinal. Se volvió hacia ella, aún confuso.

–Muchísimas gracias, camarada Weng.

–Es un gran honor que nos haya visitado –dijo Weng, acompañándolo hasta la puerta–. Me pondré a buscar lo que me pide mañana a primera hora. Sé que es urgente. Ahora será mejor que pare un taxi en la calle Hengshan, hace frío fuera.

25

Fuera la noche era fría.

Mientras torcía por la calle Hengshan, Chen volvió a mirar el reloj. Casi las nueve y media.

La calle Hengshan era como una cinta interminable de luces de neón que se extendía a lo lejos, iluminando los restaurantes y los clubes nocturnos. No hacía mucho que Chen había estado con Nube Blanca en uno de los bares nostálgicos de esa zona. ¿Dónde estaría ella ahora? En otro bar, o en compañía de otro hombre, posiblemente.

Chen no tenía prisa por volver a casa.

Algunas de las piezas del rompecabezas parecían encajar. Tenía que asegurarse de que convergieran en un todo antes de que sus pensamientos inconexos se desvanecieran en la fría noche.

La Antigua Mansión quedaba cerca de allí. Estaba magníficamente iluminada a esa hora avanzada de la noche, como si quisiera evocar el recuerdo de la ciudad insomne. Chen se preguntó si habría sido tan ostentosa en la época de Mei.

El inspector jefe entró en la mansión, y esperó en un espacioso vestíbulo a que una camarera lo condujera hasta una mesa. Era evidente que el restaurante gozaba de éxito.

De las paredes colgaban varias fotografías antiguas. En una de ellas aparecía un hombre de mediana edad, posando junto a varios extranjeros frente a la mansión recién construida. La habrían sacado en los años treinta. La imagen llevaba un breve pie de foto: el señor Ming Zhengzhang, primer propietario de la mansión. Chen no encontró ninguna foto de Mei. No parecía buena idea evocar el recuerdo de la Revolución Cultural, tema que en la actualidad despertaba escaso interés.

El propietario del restaurante había reformado con gusto el local. Los paneles de roble de color oscuro, el piano de cola –una pieza de anticuario–, los cuadros al óleo en las paredes y el clavel en un jarrón de cristal tallado, por no mencionar la reluciente cubertería de plata en las mesas, contribuían a evocar un ambiente de época. Los clientes podían imaginarse que estaban en los años treinta en lugar de en los noventa.

Pero ¿y qué había del periodo transcurrido entre ambas décadas?

La historia no es como una mancha de salsa de soja, fácil de limpiar con la servilleta rosa que llevaba en la mano la bonita camarera que lo conducía a una mesa junto a una cristalera. Chen le preguntó si sabía cómo había llegado a convertirse la mansión en un restaurante.

–Nuestro director general pagó una gran cantidad de dinero a los inquilinos antiguos, más de diez familias, y después reformó la casa entera. Es todo lo que sé –respondió la camarera con una sonrisa de disculpa.

Chen abrió la carta, que era casi tan gruesa como un libro. Al llegar a las dos últimas páginas, que incluían las «Especialidades de la Mansión», se fijó en un plato llamado «Sesos de mono vivo», probablemente similar al que quisieron servirle en el complejo de vacaciones. También había un plato denominado «Ratas blancas vivas». No podía creer que Mei hubiera servido jamás esos platos vestida con su elegante qipao.

La camarera esperó junto a su mesa, observándolo con una atenta sonrisa.

–¿Puedo pedir una taza de café?

–El café sólo se sirve después de la cena. Aquí el gasto mínimo son doscientos yuanes –explicó la camarera–. ¿No le parece que es un poco tarde para tomar café?

La camarera tenía razón. Después de aquella terrible mañana, tendría que ser más precavido con el café.

–Una tetera, entonces. Y un par de platos fríos para cubrir el gasto mínimo. Veamos: lengua de cerdo en vino Shaoxin, raíz de loto rellena de arroz glutinoso, pies de ganso deshuesados en salsa especial de la casa y tofu frío mezclado con cebolleta troceada y aceite de sésamo. No traiga los platos enseguida, de momento sólo el té.

–Como usted prefiera –respondió la camarera–. Aquí tiene el té.

Chen se dio cuenta de que aquí lo verían como a uno de esos clientes de poca monta que eligen los platos más baratos. Le pareció detectar un deje de esnobismo en la voz de la camarera.

Se sirvió una taza de té. No era demasiado fuerte. Empezó a mascar una hoja de té, pensando en la información que había recopilado a lo largo del día.

Según la tía Kong, el viejo fotógrafo se metió en problemas a causa de la fotografía, así que lo mismo podría haberle sucedido a Mei. El vestido mandarín que llevaba en la foto parecía ser idéntico a los de las víctimas del caso. Según el profesor Xiang, el camarada Actividad Revolucionaria, posible responsable de la muerte de Mei, no era otro que Tian, cuya hija Jazmín había sido la primera víctima. Y según la camarada Weng, Mei murió en circunstancias sospechosas, en las que posiblemente un hombre estuvo involucrado.

Ahora al menos comprendía mejor la conexión entre el vestido mandarín original de Mei y los vestidos mandarines rojos de las víctimas. Como le dijo a Yu, Jazmín, la primera víctima, podría haber sido el auténtico objetivo, mientras que las demás posiblemente fueran elegidas por alguna otra razón. El asesino podría ser alguien relacionado con Mei, alguien que conociera las circunstancias de su muerte y la implicación de Tian.

También tenía respuestas parciales para algunas de sus otras preguntas, como el porqué de la prolongada espera entre la muerte de Mei y la de Jazmín: puede que el asesino quisiera disfrutar de los largos años de sufrimiento de Tian en lugar de acabar con él de un solo golpe.

Por todo ello, hablar con el policía de barrio podría ser crucial para la investigación. Probablemente era la única persona que conocía las circunstancias exactas de la muerte de Mei, así como la relación entre esta muerte y las actividades revolucionarias de Tian.

Sólo tras resolver esta cuestión podría continuar formulando nuevas hipótesis.

La camarera empezó a colocar los platos fríos en la mesa.

–También tenemos platos especiales para la noche de Dongzhi –explicó–. ¿Le gustaría probar alguno?

–Ah, platos para la noche de Dongzhi –dijo Chen–. Ahora no, gracias.

No tenía apetito, aunque la combinación de colores del tofu blanco y la cebolleta verde parecía muy apetecible. Probó una cucharada sin saborearla, y a continuación volvió a sacar su cuaderno.

Era demasiado tarde para llamar a Yu a su casa, de modo que marcó el número de su móvil. Nadie contestó.

Tampoco había llamado a su madre desde el día en que se fue al complejo de vacaciones. Su madre solía acostarse tarde, así que marcó su número.

–Sabía que llamarías. Tu compañero Yu ya se ha puesto en contacto conmigo –le explicó su madre–. No te preocupes por mí, pero tú cuídate mucho. Para mí sigues siendo el Pequeño Cao.

«Pequeño Cao» era un nombre que no había oído en mucho tiempo. Ella también se volvía sentimental en la víspera de la festividad de Dongzhi.

Chen era vagamente consciente de una idea que iba cobrando forma en los recovecos de su mente.

–Intentaré ir a verte lo antes posible, madre.

–Mañana será la noche de Dongzhi. Sería estupendo que pudieras venir –dijo al final de la conversación–, pero no importa si no puedes.

Chen se acabó el té y le hizo un gesto a la camarera para que añadiera más agua caliente. La chica trajo una bandeja con la cuenta también.

–¿Podría pagar la cuenta ahora, señor? Es muy tarde ya.

Chen sacó doscientos cincuenta yuanes.

–Quédese con el cambio.

En principio, la gente no tenía que dar propina en la China socialista, pero el restaurante era propiedad de un «capitalista».

Chen intentó elaborar un plan de trabajo para el día siguiente. Sólo le quedaba un día, y debía estar preparado para cualquier imprevisto.

Cuando volvió a levantar la vista, Chen observó que la camarera estaba recogiendo las otras mesas del comedor. Era el último cliente en el restaurante. A causa de la propina, quizá, la camarera no intentó meterle prisa.

Le vino a la cabeza el estribillo de un poema que había leído hacía mucho tiempo. «Date prisa. Por favor, es la hora.»

Chen se levantó, sin haber probado la mayoría de los platos.

–Buenas noches, señor –saludó otra camarera en la puerta, temblando un poco.

–Buenas noches.

Una vez más, Chen dudó si volver a su casa.

Tenía que estar ahí a primera hora del día siguiente. Al fin y al cabo, con tanto ir y venir no podría dormir demasiado. Tampoco sabía si encontraría un taxi a las cinco de la madrugada para acudir a un encuentro que no podía perderse de ningún modo.

Quizás alguno de esos cafés que abren toda la noche fuera una buena alternativa: le permitiría ir andando hasta el mercado hacia las cinco y media.

Las luces de neón centelleaban en el cielo azul metálico de la noche. Chen sacó un cigarrillo, consciente de que una mujer surgida de entre las sombras del restaurante se dirigía hacia él.

–Soy una madama del club nocturno Hengshan –dijo en un dialecto pequinés–. Venga conmigo, señor, allí hay cientos de chicas para usted. Sólo cien yuanes por la habitación. Sin gasto mínimo obligatorio.

Chen la miró desconcertado. Parecía como si lo hubieran arrastrado hasta una escena de una película sobre los prostíbulos del antiguo Shanghai. Nunca se hubiera imaginado que algo así pudiera sucederle a él.

Por una vez, Chen no rechazó la oferta de inmediato.

Los servicios de las chicas de triple alterne no le resultaban desconocidos. En compañía de algunos «bolsillos llenos», sin embargo, Chen nunca había «llegado hasta el final», sintiéndose obligado a mantener la imagen de policía decente ante hombres como Gu, que se empeñaban en pagarlo todo.

Pero esta noche era distinto. No pensaba llegar hasta el final, pero conocer más a fondo la profesión de las víctimas podría ser útil para la investigación.

Y podría pasar el resto de la noche cómodamente en el club nocturno en compañía de una chica, en lugar de deambular como una mofeta sin hogar, corriendo de aquí para allá en una noche tan fría.

–Por favor, jefe –siguió insistiendo ella con una sonrisa suplicante–. Usted es un hombre distinguido, no le tomaría el pelo.

Probablemente atribuía su distinción al hecho de haber salido del restaurante Antigua Mansión, uno de los más lujosos de la ciudad. Con todo, Chen pensó que aún le quedaban algo más de mil yuanes en la cartera, sin contar las monedas que llevaba en los bolsillos. Lo suficiente para pasar una noche en el club.

–Nuestras chicas son muy bellas, y además tienen un enorme talento. No hará falta que cante si no le apetece. Algunas son muy cultas, tienen licenciaturas o másters. Hablan como flores comprensivas.

–Lléveme hasta allí entonces –ordenó Chen en el dialecto de Shanghai. Puede que alguna de esas chicas le explicara cosas que nunca se hubiera atrevido a preguntar a Nube Blanca.

Varios hombres con aspecto de tipos duros aguardaban de pie frente a la entrada del club. Algunos bostezaban y otros miraban con desconfianza a Chen, quien no tenía aspecto de cliente habitual.

La mujer lo condujo hasta una habitación de la segunda planta. Acababa de sentarse en un sofá funcional de cuero negro cuando varias muchachas, en combinación o en bikini, irrumpieron en la habitación. Sus hombros y sus muslos, desnudos, resaltaban contra la pared que tenían a sus espaldas, como si fuera una pantalla de jade de cuerpos femeninos.

–Elija a una –sugirió la madama con una amplia sonrisa.

Chen señaló con la cabeza a una chica que llevaba una combinación negra muy corta. La muchacha, de ojos almendrados y labios color cereza, le dirigió una dulce sonrisa. Tendría probablemente unos veinticinco o veintiséis años, por lo que era un poco mayor que las demás. Se sentó junto a él y apoyó la cabeza en su hombro con naturalidad, como si se conocieran desde hacía mucho tiempo.

Después de que las otras chicas salieran de la habitación entró un camarero, depositó una bandeja con fruta sobre la mesita baja y le entregó la carta. Con la chica acurrucada a su lado, Chen se sentía demasiado turbado para examinar la carta detenidamente, por lo que pidió una taza de té, y ella un vaso de zumo de fruta. Un zumo no sería demasiado costoso, pensó Chen, quien había oído rumores de cómo se forraban estas chicas pidiendo siempre el vino más caro.

–Esta noche estoy reventado –dijo Chen–. Hablemos.

–Está bien. Podemos hablar sobre cualquier tema que le guste: sobre la aparición de las nubes y de la lluvia, para luego mezclarse entre sí; sobre las flores de melocotón riéndose del viento de primavera; o sobre los amantes que hacen agujeros en una pared para poder verse. Usted debe de haber visto el mundo. Por cierto, me llamo Jade Verde.

Nubes y lluvia de nuevo, tan frecuentes en las historias de amor clásicas, y hacer agujeros para verse el uno al otro, una metáfora negativa de Mencio. La chica era inteligente y quizá, como en el poema de Liu Guo, capaz de enjugar las lágrimas de un héroe con un pañuelo rojo sacado de sus mangas verdes.

Pero su combinación no tenía mangas, y dejaba la espalda al descubierto. Jade Verde se sacó los zapatos de tacón alto de una patada, se sentó sobre los talones y se le arrimó más en el sofá.

–Por favor, cuéntame algo sobre lo que haces aquí –le pidió Chen.

–Si eso es lo que desea, señor –respondió ella tras dar un sorbo a su zumo–. Con este trabajo no se gana dinero tan fácilmente como la gente cree. Recibo propinas de los clientes generosos como usted, claro, doscientos o trescientos yuanes. Si tengo una buena racha, puede que consiga dos clientes en una noche. Sin embargo, con tanta competencia es posible no tener ningún cliente en varios días. El club no me paga ni un céntimo. Todo lo contrario, yo tengo que pagarle al club una tarifa por la mesa.

–¿Por qué? Eso no tiene sentido. Tú eres la que hace el trabajo y no el club.

–Según el propietario, él tiene que pagar el alquiler, a los que gestionan el club y también a los que lo protegen, tanto a los gángsteres como a la policía.

–¿Y qué hay de los otros servicios, aparte del karaoke?

–Depende de lo que necesite el cliente, y de dónde y cuándo lo necesite. Tendría que ser más específico –dijo Jade Verde–. Pero primero déjeme cantarle una canción.

Quizá le molestaban sus preguntas. Tenía que cantar una o dos canciones para ganarse una propina, de todos modos. La canción que eligió fue, para su sorpresa, «Shuidiao Getou» de Su Dongpo, sobre la festividad celebrada a mediados de otoño. Jade empezó a cantar y a bailar, con sus pies descalzos moviéndose sensualmente como flores de loto sobre la alfombra roja al ritmo de la segunda estrofa del poema.

Rondando por la mansión roja,
tras entrar por la ventana de madera tallada,
la luna brilla sobre los insomnes.
¿Hay algún motivo para que sea
tan maliciosa como para decidir
aparecer, llena y brillante,
mientras permanecemos separados?
Al igual que la gente tiene alegrías y penas,
y se encuentra o se separa,
cuando la luna crece y mengua
en cielos despejados o nublados,
puede que las cosas nunca sean perfectas.
Ojalá vivamos todos muchos años, compartiendo
la misma luna clara,
aunque estemos a miles de kilómetros de distancia...

La madama volvió como una aparición de la luna.

–¡Qué chica tan maravillosa! ¿Sabe?, antes estudiaba ballet. Ojalá vivamos todos muchos años compartiendo la luna clara. Una propina generosa por habérsela presentado, por favor.

–Eso no es lo que me dijo –contestó Chen, sacando dos billetes de diez yuanes.

–Cualquier habitante de Shanghai lo sabe –repuso ella con brusquedad, metiéndose el dinero en el bolsillo mientras se iba con gesto airado–. ¡Qué tacaño! ¿Quiere que viva del viento que aúlla desde el oeste?

Puede que algunos de los «bolsillos llenos» a los que conocía hubieran pagado más, pero Chen no sabía qué cantidad se consideraba suficiente en un sitio como ése.

–No se preocupe por ella –lo tranquilizó Jade Verde, sentándose en su regazo–. En realidad no es una madama, sino una proxeneta.

Quizá sería mejor hacerle las preguntas rápidamente y acabar cuanto antes.

–Me han dicho que hay un asesino en serie rondando por la ciudad, en busca de chicas que trabajan en el negocio del entretenimiento. ¿Te preocupa, Jade Verde?

–Claro que sí –respondió ella, revolviéndose incómoda contra él–. He oído que una de las víctimas trabajaba en un club nocturno como éste. Todo el mundo está en guardia, pero eso no sirve de nada.

–¿Por qué?

–¿Por qué? Usted es un nuevo cliente aquí. Un triunfador. No un simple advenedizo podrido de dinero, sino un hombre culto, un abogado de éxito o algo por el estilo. Lo supe nada más verlo. Pero eso es todo lo que sé. De todos modos, si quiere salir conmigo, accederé sin hacerle ninguna pregunta. Nuestro negocio se ha visto afectado por el caso. Los clientes están preocupados por las redadas policiales, como la del club Puerta de la Alegría. Algunos esperarán hasta que amaine la tormenta.

Alguien llamó suavemente a la puerta.

Antes de que Jade Verde dijera nada, la puerta se abrió y un niño de unos cinco o seis años entró en la habitación.

–Mamá, el tío Oso Marrón quiere que cantes «Arenas Llorosas» para él. La madama quiere que te lo diga.

–Lo siento. Es mi hijo. Esta noche no hay nadie en casa para cuidarlo –explicó Jade–. Oso Marrón es un cliente habitual. Es su canción favorita, no tardaré.

–Oso Marrón es tu cliente habitual –repitió Chen. No sabía si era un arreglo acordado de antemano con la madama. Jade Verde debía de haberse percatado de que él no era ningún «bolsillos llenos».

–Ya sé que usted es distinto –dijo ella, inclinándose para besarlo en la frente antes de dirigirse a su hijo–. Vuelve al despacho y no vuelvas a salir.

Por un momento, Chen no supo qué hacer al quedarse solo en la habitación. Tras echar un vistazo, se dio cuenta de que no era tan distinta de otras salas privadas de karaoke, salvo que ésta estaba amueblada de forma más lujosa. Lo desconcertó el leve ruido de pasos al otro lado de la puerta. Quizá fuera el niño. Jade no debería haber traído a su hijo a un sitio así. Afortunadamente, él era «diferente» y no un cliente habitual. Si no el niñito podría haberse topado con una escena traumatizante...

De repente, Chen se estremeció.

Ahora tenía un sospechoso con un móvil: el hijo de Mei.

Aquella fatídica tarde años atrás, cuando el hijo de Mei volvió a casa, lo que se encontró fue a su madre viuda manteniendo relaciones sexuales con otro hombre. Eso explicaba que huyera horrorizado y que ella saliera corriendo desnuda tras él.

Toda la información que había recopilado sobre ese niño le volvía a la memoria. Tenía un móvil, conocía el vestido y sabía ciertos detalles escabrosos sobre la vida de su madre.

Eso explicaría muchas cosas: la venganza contra Tian y Jazmín, la copia exacta del vestido, el lugar donde arrojó el primer cadáver...

Pero ¿qué clase de hombre era ahora? Ni el profesor Xiang ni la camarada Weng sabían demasiado acerca de él. Sin embargo, no se había esfumado. Había vuelto para vender la Antigua Mansión por razones más que comprensibles.

Todo encajaba en el perfil psicológico que Chen había estado analizando con Yu: el asesino era un hombre solitario traumatizado en su infancia, posiblemente durante la Revolución Cultural, y tal vez muy unido a su madre...

Otra camarera entró en la habitación. Llevaba un delantal en el que había dibujada una bolsa de palomitas. La camarera colocó un pequeño cesto de palomitas sobre la mesita baja. Chen sacó un billete de diez yuanes.

–Son cincuenta.

–Está bien. –El inspector intentó comportarse como un buen cliente y sacó la cartera. Por el momento le gustaría serlo, porque se le acababa de ocurrir otra explicación para el caso en aquella habitación. Puso un billete de cien yuanes sobre la mesa y le indicó a la camarera que se fuera.

–Gracias, señor. Antes era modelo, pero es una profesión que sólo dura tres o cuatro años.

A su regreso, Jade Verde miró a la camarera de las palomitas como si fuera un intruso extraterrestre, hasta que la chica se dio la vuelta y salió apresuradamente.

–Lo siento –se disculpó Jade Verde–. ¿Puedo tomar otro zumo?

El camarero trajo la bebida, junto a otra bandeja de fruta. Quizá fuera algo habitual en ese establecimiento. El camarero ni se molestó en consultárselo.

Eso lo preocupó. Las pequeñas cantidades iban aumentando, aunque no tenía que preocuparse por los servicios extra, como tampoco debían preocuparlo «la lluvia y las nubes» que antes había citado Jade Verde. La muchacha empezó a pelarle una naranja.

Chen se disculpó, y salió al pasillo para ir al cuarto de baño que estaba en un rincón. Tras entrar en el baño y cerrar la puerta, Chen contó el dinero que le quedaba en la cartera. Todavía tenía unos novecientos yuanes. Debería bastar para esa noche, pero no quería volver enseguida junto a la prostituta. Necesitaba aclarar sus ideas, y le costaba hacerlo con Jade Verde en la habitación, y las camareras entrando y saliendo constantemente.

Entonces se fijó en que alguien le pasaba bajo la puerta un plato blanco con una toalla caliente, posiblemente la encargada de los servicios arrodillada en el suelo. Chen sintió asco. Abrió la puerta de un empujón, dejó unas cuantas monedas en un cuenco blanco que reposaba sobre el lavabo y se fue.

Cuando Chen se sentó en el sofá del reservado, Jade Verde se inclinó para meterle gajos de mandarina en la boca con sus dedos largos y finos, mientras la luz de la vela parpadeaba sin cesar desde su contenedor en forma de animal.

–¿Dónde va a pasar la noche? –preguntó ella en voz baja–. Es muy tarde. La niebla es espesa y la calle está resbaladiza. No se vaya. La verdad es que casi nadie sale de aquí a estas horas.

El comentario le trajo ecos de un poema de la dinastía Song, sobre la cita entre el decadente emperador y una delicada cortesana.

Al ver que Chen no respondía, Jade Verde le tomó la mano y se la puso en el muslo, desnudo y suave.

–Lo siento, me tengo que ir, Jade Verde –se disculpó Chen–. Por favor, dame la cuenta. Ha sido una noche estupenda, gracias.

–Si se empeña –respondió ella–. Podría darme la propina ahora.

Después de pagarle sus trescientos yuanes, Jade llamó a un camarero para que trajera la cuenta.

Tras echarle un vistazo se percató enseguida del problema. Un vaso de zumo de frutas costaba cien yuanes. Jade había tomado dos. Además de su té, ciento veinte. Las dos bandejas de fruta costaban doscientos cincuenta cada una. También debía pagar los cuatro platillos de frutos secos que había sobre la mesa, a ochenta yuanes cada uno. Y el servicio llevaba un recargo de un veinte por ciento. En total, la cuenta ascendía a mil trescientos yuanes.

Era una estafa. Pero no estaba en situación de protestar, dada su profesión. Si se identificaba como inspector jefe tal vez le permitieran irse sin pagar lo consumido durante la noche, pero los rumores que sin duda circularían le costarían mucho más.

–¿Qué le pasa? –preguntó Jade Verde.

–Lo siento muchísimo, Jade Verde, no llevo suficiente dinero encima.

–Veamos, ¿cuánto tiene?

–Unos novecientos... Seiscientos después de la propina.

–No se preocupe. No le matarán si realmente no tiene dinero suficiente –le susurró la chica al oído–. Pero debe decir que sólo me ha pagado cien yuanes.

Probablemente era la razón por la que había querido que Chen le pagara la propina primero. Una chica con experiencia, pensó Chen, mientras un hombre corpulento entraba en la habitación.

–Es el director Zhang –explicó Jade Verde.

–Lo siento, es mi primera vez, director Zhang. No llevo suficiente dinero encima. –Chen sacó todo su dinero y lo puso sobre la mesita baja.

–¿Cuánto tiene? –preguntó Zhang sin contar el dinero.

–Unos seiscientos –respondió Chen–. Traeré setecientos la semana que viene. Le doy mi palabra.

–¿Te ha dado la propina? –Zhang se dirigió a la chica con el ceño fruncido.

–Sí, cien yuanes –respondió Jade Verde. Y añadió–: Sólo ha estado aquí dos o tres horas. Y tuve que irme con Oso Marrón bastante tiempo.

–¿Lleva tarjeta? –preguntó Zhang.

–¿Qué clase de tarjeta?

Chen no pensaba dársela, ni como policía ni como poeta.

–Tarjeta de crédito.

–No, no tengo.

Para sorpresa de Chen, Zhang echó un vistazo al dinero que había sobre la mesa, cogió dos billetes de veinte yuanes y se los devolvió a Chen.

–Es su primera vez –explicó Zhang–. Esos platillos corren por cuenta del club esta noche. Y también las bandejas de fruta. Necesita dinero para el taxi, jefe. Estamos en invierno y esta noche hace mucho frío.

Fue como una especie de anticlímax. Quizás era beneficioso para el negocio dejar que un cliente se marchara así. Sin embargo, no era momento de buscarle una explicación a su suerte.

–Muchísimas gracias, director Zhang.

–He visto a mucha gente –respondió Zhang–. Usted es diferente, lo sé. Si la colina no se mueve, el agua se mueve. Si el agua no se mueve, el hombre se mueve. ¿Quién sabe? Puede que volvamos a encontrarnos algún día.

Zhang lo acompañó hasta el ascensor. Se abrió la puerta y salió un cliente rezagado. Unas cuantas chicas se apresuraron a ofrecer sus servicios al nuevo invitado con un cascabeleo de risas. Chen vio a Jade Verde entre ellas, corriendo descalza.

Ella ni lo miró.

–Venga otra vez, jefe –dijo Zhang mientras se cerraba la puerta del ascensor–. Puede que le sea más fácil encontrar un taxi en el cruce de las calles Hengshan y Gaoan.

Al salir a la calle, Chen no paró ningún taxi.

Eran casi las cuatro. Pensó en un proverbio: «Lleno de alegría, la noche es corta». No estaba seguro de haberlo pasado bien en el club, pero el tiempo había transcurrido deprisa allí dentro.

La noche era fría, aunque ya tocaba a su fin. Las ideas tan estimulantes que se le habían ocurrido mientras estaba dentro del club parecían haberse enfriado un poco con el viento.

Algunos de los detalles del caso encajaban, otros no.

El encuentro en un par de horas con el policía de barrio jubilado sería decisivo.

Después, Chen investigaría el pasado del hijo de Mei, empezando por el documento de la venta de la Antigua Mansión, en el que el vendedor, como heredero de la casa, tuvo que firmar con su nombre, y quizá proporcionó más información.

Ya era jueves, no podía permitirse desperdiciar el día tomando el camino equivocado.

Sin embargo, por el momento, Chen vagaba sin rumbo fijo. Tenía que moverse o se moriría de frío. Casi todas las luces estaban apagadas, y la calle ofrecía un aspecto que no había visto antes. Se metió por una bocacalle, dobló otra esquina y, para su sorpresa, la Antigua Mansión volvió a aparecer frente a él. Le pareció oscura, desierta, desolada. Un ave nocturna surgió de la nada.

Chen pensó en el poema de Su Shi, «El pabellón de las golondrinas».

La noche avanzada, yo despierto,
no hay forma de reanudar mi paseo
por el viejo jardín:
un viajero cansado perdido en el fin del mundo,
mirando hacia su hogar, con el corazón partido.
El pabellón de las golondrinas está desierto.
¿Dónde está la belleza?
Sólo hay golondrinas encerradas en su interior
[sin ningún motivo.
No es más que un sueño,
en el pasado, o en el presente.
¿Quién se despertará de este sueño?
Sólo hay un círculo inacabable
de antiguas alegrías, y pesares recientes.
Algún día, alguien,
al ver la torre amarilla por la noche,
puede que suspire profundamente por mí.

Era un poema triste. El pabellón era conocido debido a Guan Panpan, brillante poetisa y cortesana de la dinastía Tang que vivía allí. Guan se enamoró de un poeta, y después de que éste muriera, se encerró y se negó a recibir visitantes o clientes durante el resto de su vida. Muchos años después, Su Shi, un poeta de la dinastía Song, visitó el pabellón y escribió el célebre poema.

Chen se imaginó a Mei de pie en el jardín posterior de la mansión, cogiendo de la mano a su hijito, tan bella como una nube radiante con su qipao rojo...

Tiritando de frío, Chen se dirigió al mercado. Se desprendieron varias hojas de los árboles bajo la luz cada vez más tenue de las estrellas. Las hojas caían contra el duro suelo con un ruido similar al de las tablillas de bambú usadas para la adivinación en un templo antiguo, oscuramente profético.

Aún no había nadie en el mercado. Cerca de la entrada, Chen se sorprendió al ver una larga hilera de cestos –de plástico, bambú, ratán, madera y paja– de múltiples formas y tamaños.

Los cestos llegaban hasta un mostrador de hormigón, bajo un letrero que anunciaba «corvina rubia», un pescado muy popular en Shanghai. Evidentemente, esos cestos pertenecían a las amas de casa que no tardarían en llegar para ocupar sus puestos en la fila, pensando con mirada soñadora en la satisfacción de sus familias durante la comida.

Chen se preguntó si había visto esta escena antes, y encendió otro cigarrillo resguardándose del viento.

¡Pum!, ¡pum!, ¡pum! Se oyó un clamor repentino. Chen se sobresaltó al ver a un trabajador del turno de noche partiendo una enorme barra helada de pescado con un martillo gigantesco. Al ver que Chen se aproximaba, el trabajador se dio la vuelta. Llevaba un abrigo acolchado de algodón de estilo militar, con el cuello levantado de modo que le ocultaba la cabeza. Una imagen espectral a primera hora de la mañana.

Chen aún estaba mal de los nervios.

Al cabo de unos minutos entraron en el mercado varias mujeres de mediana edad, y se dirigieron a la fila para colocarse junto a los cestos y los ladrillos que señalaban sus puestos. El mercado empezaba a animarse.

Entonces sonó una campana, posiblemente para indicar que el mercado estaba abierto, y comenzaron a aparecer vendedores ambulantes por todas partes, todos a la vez. Algunos depositaron sus productos en el suelo, y otros se colocaron detrás de los puestos alquilados en el mercado de gestión estatal. Cada vez era más difícil distinguir entre socialistas y capitalistas.

Chen vio entrar en el mercado a un anciano que llevaba un brazalete rojo.

26

El anciano del brazalete rojo inspeccionaba verduras en un puesto, pescado en otro. Sin embargo, no llevaba ningún cesto. Debía de ser Fan.

No hacía mucho que Chen había presenciado una escena similar, la del Viejo Cazador patrullando por otro mercado. La función de Fan era distinta, sin embargo, ya que los «vendedores ambulantes particulares» proliferaban ahora en «el modelo socialista chino». En una época en que «todo el mundo ansiaba ganar dinero», estos vendedores ambulantes suponían un auténtico problema debido a sus prácticas comerciales engañosas e incontroladas. No se limitaban a meter hielo en el pescado o a inyectar agua en los pollos, sino que pintaban sus productos, vendían carne podrida o intentaban mercadear con setas venenosas. Así que la responsabilidad de Fan consistía principalmente en descubrir esos fraudes, que en ocasiones podían tener consecuencias mortales.

Chen se acercó al anciano mientras éste interrogaba a un vendedor ambulante de gambas.

–Usted debe de ser el tío Fan.

–Sí. ¿Quién es usted?

–¿Podemos hablar a solas? –Chen le entregó su tarjeta–. Es importante.

–Claro –respondió Fan, volviéndose hacia el vendedor ambulante–. La próxima vez no te librarás tan fácilmente.

–Vayamos a tomarnos unas tazas de té allí –propuso Chen, señalando un pequeño restaurante situado tras el mostrador de las corvinas rubias–. Podríamos sentarnos y hablar un rato.

–No sirven té, pero les pediré que nos hagan una tetera –ofreció Fan–. Llámeme camarada Fan. Ya no se estila este tratamiento, pero me he acostumbrado a que me llamen así. Me recuerda a la época de la revolución socialista, cuando todos éramos iguales y trabajábamos para lograr el mismo objetivo.

–Tiene razón, camarada Fan –dijo Chen, tras recordar que el término «camarada» se estaba convirtiendo en un eufemismo de «homosexual» entre los jóvenes y los modernos de Hong Kong y Taiwan. El inspector se preguntó si Fan conocía el cambio de significado. La evolución lingüística de esta palabra, así como la de «enfermedad sedienta», reflejaba fielmente el cambio ideológico.

A ambos lados de la puerta del restaurante habían escrito un pareado que se leía en vertical: «Desayuno, comida, cena: lo mismo. El año pasado, este año, el año próximo: siempre igual». Más arriba había un comentario en horizontal: «Auténtico en su boca».

El dinero para taxis que le había quedado al salir del club nocturno, calculó Chen, probablemente bastaría para desayunar ahí. Un camarero le recomendó la especialidad de la casa: *mo* de Xi'an en sopa de carnero. Un *mo* era un panecillo duro cocido al horno, que los clientes podían desmenuzar en trozos pequeños o grandes, según prefirieran, antes de que lo hirvieran en la sopa de carnero. El camarero les trajo una tetera como cortesía de la casa.

–Camarada Fan, permítame brindar a su salud con té, aunque el té no baste para mostrarle mi respeto.

–La gente no quema incienso en el Templo de los Tres Tesoros sin una razón. Usted es un hombre muy ocupado, inspector jefe Chen. No creo que haya venido a ver a un viejo jubilado como yo a menos que quiera algo.

–Sí, la verdad es que quiero hacerle algunas preguntas. Según el comité vecinal de esta zona, sólo usted puede ayudarme.

–¡No me diga! Por favor, explíqueme cómo.

–Estamos investigando un asesinato. Me gustaría hacerle algunas preguntas sobre Mei, la mujer que vivía aquí antes. Años atrás fue la propietaria de la Mansión Ming. En aquella época usted era el policía del barrio.

–Mei... Sí, claro. Pero murió hace muchísimo tiempo. ¿Qué tiene que ver ella con su investigación?

–De momento, todo lo que puedo decirle es que cualquier información sobre ella nos podría ayudar mucho.

–Bueno, vine aquí como policía de barrio dos o tres años antes de la Revolución Cultural. ¿Qué edad tenía usted entonces? Aún iba a la escuela primaria, ¿no?

–Sí –asintió Chen con la cabeza, llevándose la taza a los labios.

–Puede que el trabajo de un policía de barrio no tenga mucha importancia en los noventa –observó Fan mientras desmenuzaba el *mo* en trozos muy pequeños, como si fueran partes de su memoria–, sin embargo, a principios de los sesenta, cuando la llamada de Mao a la lucha de clases resonaba por todo el país, el puesto implicaba mucha responsabilidad. Cualquier individuo podía ser un enemigo de clase que maquinara en secreto para sabotear nuestra sociedad socialista, sobre todo en este barrio. Un número considerable de vecinos estaban clasificados como «ciudadanos negros». Después de 1949, algunas de estas familias fueron expulsadas por su conexión con los nacionalistas, y sus casas fueron ocupadas por familias de clase obrera. De todos modos, algunas familias tenían vínculos tanto con el régimen antiguo como con el nuevo, así que conservaron sus mansiones. Como los Ming.

–¿Qué pasó con los Ming?

–Conservaron su mansión porque el patriarca, un banquero influyente, había denunciado a Chiang Kai-shek a finales de los años cuarenta. Así que los comunistas lo consideraron un «personaje democrático patriótico» y no se apoderaron de su fortuna. Su hijo, que era profesor en el Instituto de Música de Shanghai, se casó con Mei, una violinista que también daba clases allí. Tuvieron un hijo, Xiaozheng. Llevaban una vida acomodada en el interior de la mansión, por lo que sus vecinos de clase obrera no dejaban de protestar. Como policía de barrio, tuve que prestarles más atención que a los demás.

»Las cosas cambiaron radicalmente cuando estalló la Revolución Cultural. El viejo murió de un infarto, lo que, de hecho, le evitó todas las humillaciones. Pero su familia no tuvo tanta suerte. El marido de Mei fue interrogado y encerrado en una celda de aislamiento. Lo acusaron de ser un agente secreto al servicio de Gran Bretaña por haber cometido el delito de escuchar la BBC. No pudo soportarlo y se ahorcó.

»Después requisaron su casa. Llegaron varias familias y ocuparon las habitaciones como si fueran suyas. Obligaron a los Ming, ahora sólo Mei y su hijo, a instalarse en el desván que había sobre el garaje, en lo que era antes la vivienda de los criados.

–¿Y nadie hizo nada al respecto? –preguntó Chen, pero de inmediato se percató de lo absurdo de su pregunta. Su familia también había sido expulsada de su piso de tres dormitorios a principios de la Revolución Cultural.

–¿No recuerda una cita popular del presidente Mao? «Hay miles de argumentos a favor de la revolución, pero el principal es éste: la rebelión está justificada.» Quedarse con las propiedades de los ricos se consideraba una actividad revolucionaria.

–Sí, lo recuerdo. Los Guardias Rojos también vinieron a mi casa. Disculpe la interrupción, camarada Fan. Continúe, por favor.

–En el tercer año de la Revolución Cultural, apareció en la tapia del jardín de los Ming un eslogan contrarrevolucionario, o algo parecido, dividido en dos partes. Una era «Abajo» y la otra «el presidente Mao». Posiblemente las escribieron dos niños en momentos distintos, pero al estar una al lado de la otra parecía que formaran una sola frase. Una cosa así bastaba para convertir a los propietarios de la mansión en posibles sospechosos. Naturalmente, debido a la lucha de clases la atención se centró en la familia Ming, la única clasificada como «negra» según el sistema de clases. Y sobre todo en el chico. Nadie pudo demostrar que lo hubiera escrito él, pero nadie pudo demostrar tampoco que no lo hubiera hecho.

»Entonces se formó un grupo de investigación conjunta, compuesto por miembros del comité vecinal y de la Escuadra de Mao que se había enviado al instituto de Mei. Encerraron al chico, solo, en el cuarto trasero del comité vecinal. Era lo que entonces se denominaba interrogatorio en aislamiento, un tipo de interrogatorio muy eficaz para quebrar la resistencia de los enemigos de clase. De hecho, el marido de Mei se suicidó tras una semana de interrogatorio en aislamiento.

»A Mei la aterrorizaba que el hijo siguiera los pasos del padre. Durante varios días se dedicó a implorar ayuda a todo el mundo, como una mosca sin cabeza. Incluso vino a hablar conmigo, pero yo no pude hacer nada. En aquella época, la comisaría del distrito había sido tomada prácticamente por los rebeldes. ¿Y qué podía hacer un policía de barrio?

»Hasta que un día, a primera hora de la tarde, de repente liberaron al chico. Dijeron que no habían encontrado pruebas determinantes en su contra, ni tampoco testigos. Además, le había entrado una fiebre muy alta en el cuarto trasero, y el guardia que estaba de servicio no quiso cuidarlo. Así que se marchó derecho a casa, pero, al abrir la puerta, fue como si hubiera visto a un fantasma. Se dio la vuelta y huyó despavorido, gritando como un poseso. Su madre salió a toda prisa tras él, completamente desnuda. Tropezó y cayó rodando escaleras abajo.

»Puede que el niño la hubiera oído caer, o puede que no, pero la cuestión es que no volvió atrás. Salió corriendo a la calle, y después siguió corriendo como un loco hasta llegar a aquel despacho trasero...

–Es muy raro –observó Chen–. ¿Habló usted con los vecinos de Mei después de lo ocurrido aquella tarde?

–Sí, con varios de ellos –respondió Fan–. En concreto con Tofu Zhang, un vecino del edificio, que casualmente estaba en casa aquella tarde. Aún dormía después de haber hecho el turno de noche, hasta que lo despertó un sonido sobrecogedor. Bajó de la cama de un salto y vio a Mei corriendo desnuda y llamando a su hijo. Zhang no vio al chico, y supuso que su madre habría tenido una pesadilla. Pero entonces Mei cayó rodando por las escaleras y se golpeó la cabeza contra el suelo. Zhang pensó en salir a ayudarla, pero vaciló. Se acababa de casar y su mujer, que era muy celosa, podría haber reaccionado como una tigresa al ver a Zhang junto a una mujer desnuda. Así que cambió de idea y cerró la puerta.

»Nadie acudió a ayudarla hasta unas dos horas después. Murió aquel mismo día, sin recobrar el conocimiento.

»El chico estuvo una semana enfermo, delirando de fiebre, hasta que algunos vecinos compasivos consiguieron ingresarlo en un hospital. Cuando se recuperó tuvo que volver al desván vacío, donde sólo le esperaba la fotografía de su madre en un marco negro. Le costó comprender lo que había sucedido, pero acabó dándose cuenta de que de nada serviría preguntar.

–¿Nadie de la comisaría del distrito investigó las circunstancias de la muerte de Mei? –volvió a interrumpir Chen.

–No, en aquella época a nadie le extrañó la muerte de una mujer procedente de una familia «negra». Un accidente, concluyó el comité vecinal. Intenté hablar con el chico, pero no quiso decirme nada.

El camarada Fan suspiró mientras partía los últimos trozos de *mo*. Los volvió a meter en el cuenco y se frotó las manos.

Fan le había ofrecido un relato más detallado de las circunstancias que rodearon la muerte de Mei, pero no había añadido ningún dato nuevo o importante.

Chen tenía la sensación de que Fan se callaba algo. Sin embargo, un policía viejo y experimentado como Fan sabía muy bien lo que debía y lo que no debía decir, y Chen no podía hacer nada al respecto.

¿Era posible que Fan también hubiera admirado a Mei en secreto? Por el momento, Chen decidió no hacer ningún comentario y acabó de desmenuzar su *mo*. El camarero se llevó los dos cuencos a la cocina. Una anciana pasó junto a su mesa, agitando una ristra de cuentas ante los dos hombres.

–Me han dicho que, en su juventud, Mei fue una mujer despampanante –explicó Chen–. ¿Sabe si tenía algún admirador o algún amante?

–Es una pregunta interesante –respondió Fan–. Pero, en aquella época, era inimaginable que una mujer de una familia «negra» tuviera un amante secreto. Incluso había matrimonios que se divorciaban por cuestiones políticas. «Las parejas son como dos pájaros; cuando ocurre una catástrofe, uno vuela hacia el este, el otro hacia el oeste.»

–Es una cita de *Sueño de la habitación roja* –observó Chen–. Ha leído mucho.

–Bueno, ¿qué otra cosa puede hacer un policía jubilado como yo? Leo libros mientras cuido a mi nieto.

–¿Podría contarme algo sobre el hijo de Mei, camarada Fan?

–Se marchó del barrio para irse a vivir con un pariente. Después de la Revolución Cultural, estudió en la universidad y encontró un buen empleo, según me dijeron. Es todo lo que sé.

Chen no sabía si mencionar la posibilidad que había contemplado. Carecía de pruebas que pudieran respaldar una hipótesis tan descabellada. Como mínimo, tendría que comprobar algunos documentos antes.

–¡Qué historia tan trágica! –exclamó Chen–. A veces cuesta creer que sucedieran cosas así durante la Revolución Cultural.

–¿Cuántas cosas han sucedido, verdaderas o falsas, pasadas o presentes, y nos ponemos a hablar de ellas frente a una copa de vino? –preguntó Fan–. Aquí el té no es demasiado malo.

Parecía una conversación sacada de otra novela clásica.

Entonces sonó el móvil de Chen. Era el subinspector Yu.

–¿Me llamó ayer por la noche, jefe?

–Sí, pero como era muy tarde pensaba volver a llamarlo esta mañana.

–¿De qué va todo esto, jefe? ¿Dónde ha estado? Lo he buscado por todas partes. ¿Y dónde está ahora?

–Lo sé, y después se lo explicaré todo. Ahora mismo me encuentro en compañía del camarada Fan, un policía de barrio jubilado que antes trabajaba en la zona de la calle Hengshan. El camarada Fan me está ayudando con la investigación.

–¿Un policía de barrio de la calle Hengshan?

–Sí. No importa lo que esté haciendo ahora mismo, déjelo todo. Vaya a la fábrica de acero de Tian y consiga toda la información que pueda sobre él, en concreto sobre su actividad como miembro de la Escuadra para la Propaganda del Pensamiento de Mao Zegdong. Llámeme cuando tenga algo...

–Un momento, jefe. El secretario del Partido Li ha convocado otra reunión de urgencia esta mañana. Ya estamos a jueves.

–Olvídese del secretario del Partido Li y de su reunión política. Si protesta, dígale que son órdenes mías.

–Eso haré –respondió Yu–. ¿Alguna cosa más?

–¡Ah! Pídale al Viejo Cazador que me llame –dijo Chen. Y luego añadió–: Es importante. Como usted ha dicho, estamos a jueves.

El camarero les trajo un platito con ajo pelado, una especie de aperitivo para acompañar la sopa de carnero con *mo*.

–Ah, ¿conoce al Viejo Cazador? –preguntó Fan mientras Chen desconectaba el móvil.

–Sí, su hijo Yu Guangming es mi compañero desde hace mucho tiempo. Los antiguos camaradas como usted o como el Viejo Cazador tienen siempre muchos recursos. El Viejo Cazador está haciendo un trabajo magnífico en el comité de control del tráfico.

–Ahora recuerdo, inspector jefe Chen. Usted era el director interino de la oficina de tráfico, y lo recomendó para el puesto. El Viejo Cazador me lo comentó –explicó Fan, depositando sus palillos sobre la mesa–. También ha mencionado a alguien que trabajaba en una fábrica de acero, ¿verdad?

–Sí, a Tian, de la fábrica de acero Número Uno de Shanghai –respondió Chen–. En cuanto a la investigación, deje que se lo explique. Mei falleció hace mucho tiempo, pero las circunstancias exactas de su muerte podrían arrojar luz sobre otro caso en el que están involucradas personas que aún viven, como Tian.

–Pero ¿qué podemos hacer sobre algo que pasó durante la Revolución Cultural? Es un asunto espinoso en el que el Gobierno prefiere no meterse.

–Confucio dice: «Sabes que es imposible hacerlo, pero mientras sea algo que debes hacer, tienes que hacerlo».

–No es frecuente que un inspector jefe tan joven cite a Confucio de esta forma –observó Fan–. ¿De verdad piensa que...

El teléfono volvió a sonar. Esta vez era el Viejo Cazador.

–¿Qué pasa, inspector jefe Chen?

–Tengo que pedirle otro favor, tío Yu –dijo Chen–. Vamos a emplear nuestro viejo truco de nuevo. Como en el caso de la modelo nacional, ¿recuerda? Siento muchísimo tener que molestarlo, pero no puedo fiarme de la gente del Departamento.

–¿Un nuevo caso?

–Le explicaré el caso más adelante, y sepa que todo será bajo mi responsabilidad.

–Venga, no tiene por qué explicarme nada, inspector jefe Chen. Estoy seguro de que, me pida lo que me pida, no supondrá ningún cargo de conciencia para un policía retirado. Así que no se corte y dígame: ¿dónde y cuándo?

–Por ahora, quiero que redacte una multa de tráfico y que consiga una grúa. Además, será mejor que se quede en su despacho el resto del día, para que pueda localizarlo allí en cualquier momento. –Chen cambió de tema repentinamente–. ¡Ah!, estoy hablando con alguien que lo conoce: el camarada Fan. ¿Quiere decirle algo?

–Hola, Viejo Cazador –saludó Fan, cogiendo el teléfono–. Sí, estoy hablando con el inspector jefe Chen. Usted ha trabajado con él, ¿verdad?

Fan escuchó atentamente durante los dos o tres minutos siguientes, sin apenas interrumpir salvo para decir «sí» mientras asentía con la cabeza. El móvil tenía el volumen puesto al máximo y se podía distinguir con cierta dificultad la voz exaltada del Viejo Cazador, diciéndole posiblemente a Fan qué opinaba del inspector jefe. Muy probablemente, comentarios favorables. Pero Fan continuaba comportándose con cautela, y sólo respondía con monosílabos o con frases cortas.

–Lo haré, por supuesto –dijo Fan finalmente–. Le debo un favor muy grande, Viejo Cazador.

El camarero volvió a la mesa con dos grandes cuencos de humeante sopa de carnero con *mo*. El dorado *mo* contrastaba con la sopa roja, aderezada con cebolleta picada. Al ver los cuencos de sopa Chen se olvidó del frío que había pasado aquella noche.

–El Viejo Cazador y yo hemos sido policías toda nuestra vida –explicó Fan, levantando los palillos–. Después de más de treinta años en el Cuerpo, seguimos estando muy abajo en el escalafón. Usted conoce bien al Viejo Cazador. Un policía hábil y concienzudo. Ha fracasado en su profesión sólo porque es incapaz de ir contra su conciencia. Puede que yo no sea tan hábil, pero también he defendido siempre mis principios.

–Confucio dice: «Hay cosas que quieres hacer y cosas que no quieres hacer». Ser policía no es fácil.

–Su padre fue un erudito confuciano, me acaba de decir el Viejo Cazador. Ahora lo entiendo –afirmó Fan, depositando los palillos sobre la mesa–. Hace muchos años, trabajé con el Viejo Cazador en un caso de asesinato. Me metí en un gran lío y él me salvó. Baste decir que es algo que hice por principios, y que nunca lamenté. Por ello me relegaron a un puesto de policía de barrio. Fue un revés enorme para un agente joven como era yo entonces, no obstante, sin la ayuda del Viejo Cazador podría haber acabado en uno de aquellos campos de trabajo. Ahora que me ha explicado qué clase de hombre es usted, no creo que deba seguir preocupándome.

–Muchas gracias por contarme todo esto. Pero ¿qué es lo que le preocupa, camarada Fan?

–Algunos aspectos de la muerte de Mei. No se los conté en detalle porque... –Fan carraspeó–. Porque la memoria de un viejo puede que no sea demasiado fiable. Después de todo, esto pasó hace muchísimos años.

La falta de memoria siempre podría servir como excusa para no quedar mal. El cambio se debió a la amistad de Fan con el Viejo Cazador, supuso Chen.

–Y también porque no sabía lo que usted busca en realidad –siguió diciendo Fan–. No quería que el recuerdo de Mei fuera arrastrado de nuevo por el lodo de la humillación, posiblemente en vano.

–Lo comprendo –respondió Chen, recordando un comentario similar del profesor Xiang.

–Creo que ya he mencionado a Tofu Zhang.

–Sí, antes lo mencionó. Zhang es el vecino que vaciló y cerró la puerta sin prestarle ayuda a Mei.

–Antes de cerrar la puerta, Zhang vio a alguien que salía a hurtadillas de la habitación de Mei. Zhang creyó que era Tian, pero no estaba del todo seguro.

–Tian, el miembro de la Escuadra de Mao que trabajaba en la fábrica de acero.

–Sí, el mismo Tian que usted quería que su compañero investigara.

–¿Alguien le preguntó a Tian lo que pasó aquella tarde?

–Según él, tenía pensado hablar con Mei, pero le pareció que estaba demasiado trastornada, así que se marchó –explicó Fan–. Sin embargo, ese argumento no se tenía en pie. Zhang lo vio irse después del accidente, no antes. En aquella época, sin embargo, ¿quién iba a cuestionar la palabra de un miembro de una Escuadra de Mao? De todos modos, Mei murió en un accidente. Nadie tuvo la culpa.

–¿La comisaría del distrito no hizo nada al respecto?

–Yo tenía entonces más o menos su edad, inspector jefe Chen –dijo Fan, sorbiendo una cucharada de sopa en lugar de responder directamente–. Todavía quería hacer algo como policía. Cuando me enteré de la tragedia fui corriendo hasta la casa. Allí saqué fotos y hablé con algunos de los vecinos de Mei, también con Zhang. Según otro vecino, dos o tres noches antes oyó ruidos extraños procedentes de la habitación de Mei. Como dice un viejo proverbio, los problemas se agolpan frente a la puerta de una viuda, por no mencionar a una viuda tan «negra». Nadie había informado acerca del ruido, y creí que merecía la pena investigarlo. No fue una coincidencia que Tian entrara y saliera de la habitación de Mei. Es más, si Mei pensó en pedirme ayuda a mí, es muy posible que también se la hubiera pedido a Tian. La pobre mujer estaba desesperada, dispuesta a hacer cualquier cosa por su hijo. Y Tian, a diferencia de mí, tenía poder suficiente para ayudarla.

–Sí, parece raro que Tian se uniera a la Escuadra de Mao destinada en la escuela de Mei –señaló Chen–, por no mencionar el hecho de que luego se uniera al grupo de investigación que actuaba en este barrio.

–La puesta en libertad del chico fue repentina y sospechosa. También hablé con un miembro del comité vecinal sobre ello. Fue Tian quien tomó la decisión, aunque no especificó cuándo se produciría la liberación. El niño estaba enfermo y tenía una fiebre muy alta, por lo que Mei pensó que Tian podría dejarlo marchar aquella tarde.

–Eso explica la reacción del chico a su regreso. Ya puede imaginarse la escena con la que se topó.

–Exactamente. Fue demasiado para él, y por eso Mei salió

corriendo en su busca. Ella sabía que ver a su madre en esa situación habría supuesto un auténtica conmoción para el niño. Se olvidó de su desnudez, resbaló y se cayó.

–Y eso también explica por qué el chico, que tanto quería a su madre, huyera sin siquiera mirar atrás –añadió Chen–. Todos los detalles parecen encajar.

–Era una época en la que incluso las comisarías se consideraban instituciones burguesas. Sólo los Guardias Rojos y los Rebeldes Obreros tenían poder. Cuando le hablé de iniciar una investigación, mi jefe desechó la idea.

–Una pregunta más. ¿Aún guarda las fotografías, camarada Fan? Las fotografías tomadas en el escenario de la muerte, quiero decir.

–Sí, las tengo en casa, aunque podría tardar algún tiempo en encontrarlas.

–Si pudiera enseñármelas hoy se lo agradecería muchísimo.

–Espéreme unos minutos entonces.

Fan se levantó y salió a buen paso del restaurante.

Chen se quedó solo en la mesa, esperando, cuando el camarero trajo la cuenta. Como había imaginado, el dinero para taxis que aún le quedaba en el bolsillo fue más que suficiente para pagar la comida: costó menos de siete yuanes por persona. Por la misma cantidad que se había gastado en el club nocturno la noche anterior, podría desayunar aquí cada mañana durante tres meses.

En *Sueño de la habitación roja,* una muchacha calcula que una cena a base de cangrejos en el Jardín Gran Vista cuesta más que los alimentos que consume un agricultor durante todo un año. Esa misma brecha había aparecido en la sociedad actual.

Chen se levantó para ir a pagar la cuenta en el mostrador. Mientras cogía el cambio, echó otra mirada al pareado de la puerta. Estaba escrito con trazo firme, en contraste con el aspecto destartalado del restaurante. El comentario horizontal «Auténtico en su boca» parecía humorístico, si bien invitaba a la reflexión.

–No se refiere únicamente a la comida –explicó el propietario del restaurante con una sonrisa–. El carácter «boca» se puede asociar a la comida, pero también al lenguaje. Todas las palabras salen de la boca, verdaderas o falsas.

–Es cierto. Este pareado me recuerda otro que aparecía en el *Sueño de la habitación roja,* en un palacio celestial...

–Sé a cuál se refiere: en el arco del Palacio de la Ilusión que Despierta, donde Jia Baoyu lee el pareado y se pierde, pero no puedo recordar los versos exactos.

–El pareado dice: «Cuando lo ficticio es real, lo real es ficticio; donde no hay nada, hay de todo». *Jia zuo zhenshi zhen ji jia, wu wei youchu you yi wu.*

–Exacto. Usted debe de ser un intelectual rico. Un abogado próspero o algo así –conjeturó el propietario, echando un vistazo al maletín que descansaba sobre la mesa.

El maletín de cuero italiano era un regalo de Gu, quien insistió en que resultaba muy apropiado para el inspector jefe Chen. Irónicamente, también podría haber resultado apropiado a ojos de Jade Verde, quien lo tomó por un próspero abogado «o algo por el estilo» la noche anterior.

–El autor de *Sueño de la habitación roja* era muy bueno ideando juegos de palabras –afirmó el propietario del restaurante–, incluso con los nombres de los personajes. El nombre Jia Baoyu, el héroe de la saga, podía significar «piedra preciosa ficticia», y en el libro sale otra familia apellidada Zheng, que quiere decir «auténtico...».

Al oír aquella palabra, a Chen le dio un vuelco el corazón.

El inspector jefe interrumpió abruptamente la conversación, volvió a la mesa y cogió su maletín. Antes de marcharse al complejo de vacaciones, había metido a toda prisa en el maletín los expedientes sobre los casos del complejo residencial y del vestido mandarín rojo, aunque no tenía pensado repasar ningún documento allí. Debido a su apresurado retorno a Shanghai, Chen aún no había tenido tiempo de echarles un vistazo.

Chen sacó la carpeta con el expediente del caso del complejo residencial y empezó a leer la parte referente a Jia.

El informe, demasiado breve y simplista, se centraba en los posibles motivos de Jia para enfrentarse al Gobierno. Proporcionaba escasa información sólida: sólo un par de líneas sobre su infancia infeliz durante la Revolución Cultural, en la que había perdido a sus padres. Ni siquiera mencionaba los nombres de éstos.

Sin embargo, bastó para que el director Zhong concluyera que Jia aceptó el caso para vengarse por lo sucedido durante la Revolución Cultural.

Chen leyó la parte sobre la vida personal de Jia en los últimos años.

De nuevo, la información era escasa. Puede que ello se debiera a que Jia siempre había procurado no llamar la atención, pese a defender casos muy polémicos. Se decía que las acciones estadounidenses que había heredado de su abuelo valían millones, lo que convertía a Jia en uno de los mejores partidos de la ciudad. Por consiguiente, su soltería despertaba suspicacias. Algunos incluso albergaban sospechas acerca de su orientación sexual, aunque carecían de pruebas que confirmaran sus suposiciones. De hecho, Jia había tenido novia, una modelo, pero pusieron fin a su relación. La chica se apellidaba Xia, y tenía unos quince años menos que él.

Obedeciendo a un impulso, Chen cogió el móvil y llamó a Nube Blanca.

–¿Conoces a alguna mujer llamada Xia que trabaje en el negocio del entretenimiento? Antes había sido modelo.

–Xia... Xia Ji, posiblemente. No la conozco en persona, pero es muy conocida en esos círculos –explicó Nube Blanca–. Ya no trabaja de modelo. Se dice que tiene acciones en una casa de baños llamada La Época Dorada. Xia es una triunfadora, por eso he oído hablar de ella.

–¿Una modelo en el negocio de las casas de baños?

–¿De verdad que no lo sabes? –preguntó Nube Blanca–. En las salas de masajes de estas casas cualquier cosa es posible. Pero ella es copropietaria del negocio.

Chen recordó haber visto a la novia modelo de Jia en alguna parte. Lo recordó por su nombre, Xiaji, que en chino también significaba «verano». De hecho, Chen la había conocido en el panel de un concurso llamado «Tres bellas competiciones: Corazón, Cuerpo y Mente», patrocinado por la Corporación Nuevo Mundo. Chen participó en el jurado por deferencia a Gu. Como poeta con obra publicada, se suponía que sería «capaz de juzgar lo que es poético». Xia también era miembro del jurado. No hablaron demasiado durante el concurso, ni tampoco después.

–Gracias, Nube Blanca. Te llamo luego –dijo Chen, poniendo fin a la conversación al ver que Fan volvía con un sobre en la mano–. Camarada Fan, ¿puede decirme de nuevo el nombre del chico?

–¿Por qué? Xiaozheng, o Zheng, así que debería de ser Ming Zheng, o Ming Xiaozheng. No recuerdo qué carácter escrito en particular para «zheng». En cuanto a «Xiao», el carácter podría haberse añadido al nombre del niño como expresión de cariño, ya sabe.

–Sí, a veces mi madre aún me llama «Xiao Cao» también.

–¿A qué se refiere?

–Los nombres chinos pueden tener distintos significados. Por ejemplo, Jia Ming puede significar «nombre ficticio», mientras que Ming Zheng, al menos en cuanto a su pronunciación, puede significar «nombre real».

–¿Adónde quiere ir a parar, inspector jefe Chen?

–Si ese niño se hubiera cambiado el nombre a algo como Jia Ming, «nombre falso del descendiente de la ilustre Mansión Ming», ¿le parece que tendría sentido?

–En la cultura china, muy poca gente se cambiaría el apellido, pero creo que es posible que el hijo de Mei lo hiciera. Puede que su pasado fuera demasiado doloroso para él. Y el seudónimo podría llevar un mensaje implícito. Es como si le estuviera diciendo al mundo que el que lleva ese nombre es «ficticio», y oculta su identidad real del escrutinio público. Pero ¿quién es Jia Ming?

–De momento es sólo una suposición. –Chen decidió no entrar en detalles y cambió de tema–. Ah, ha traído las fotos.

Fan sacó un puñado de fotografías en blanco y negro no demasiado buenas, tomadas desde distintas perspectivas. Algunos primeros planos estaban borrosos y desenfocados.

Con todo, eran unas imágenes espantosas: distintos ángulos

de una mujer muerta, abandonada, que yacía desnuda sobre el suelo de cemento gris. Mientras las observaba, Chen las yuxtapuso mentalmente a las fotografías de Mei vestida con el qipao, cogiendo de la mano a su hijo...

En la poesía, cuando dos imágenes se yuxtaponen es posible que emerja un nuevo significado. Chen no había conseguido captarlo todavía, pero sabía que existía.

–Nunca podré agradecérselo bastante, camarada Fan.

–Saqué las fotos cuando era policía –explicó Fan sintiéndose de repente incómodo–, pero no tardé en darme cuenta de que no se llevaría a cabo ninguna investigación. ¿Quién se iba a molestar por una mujer tan «negra»? Y yo no soportaba la idea de que las fotografías de su cuerpo desnudo pasaran de mano en mano. No me refiero a la investigación, sino a... ya sabe a lo que me refiero.

–Usted es un hombre de principios –afirmó Chen–. Me alegra haberlo conocido.

–Después de la Revolución Cultural, pensé en reabrir el caso. Sin embargo, el Gobierno quería que la gente mirara hacia delante. ¿Qué podía hacer yo sin pruebas ni testigos? Además, puede que Mei muriera por culpa de Tian, pero, estrictamente hablando, ni siquiera era un caso de asesinato.

–Tiene razón –dijo Chen, preguntándose a qué venía el discurso de Fan.

–Tal vez no se equivoque y el hijo se haya cambiado de nombre. Querrá olvidarse del pasado, y por eso vendió la Antigua Mansión y nunca volvió por aquí. –Fan hizo una breve pausa antes de continuar, y luego agregó–: Nunca he hecho nada por ella, y si lo que le he dicho se usa en contra de su hijo...

–De momento sólo tengo una teoría. Nada de lo que me ha contado se usará contra él –aseguró Chen. Le pareció que su promesa era sincera, pero sólo hasta cierto punto–. En aquella época, el que un niño sufriera no se consideraba un delito.

–Gracias por explicármelo, inspector jefe Chen.

–Tengo que pedirle un favor. ¿Puedo llevarme estas fotos unos días? No se las enseñaré a nadie ajeno al caso. Se las devolveré tan pronto como haya acabado.

–Por supuesto que puede llevárselas.

–Gracias, camarada Fan. Me ha sido de gran ayuda.

–No, no tiene que agradecerme nada –respondió Fan–. Es lo que tendría que haber hecho yo. En todo caso, soy yo el que tiene que darle las gracias a usted.

27

Por primera vez, Chen pensó que iba por buen camino.

Después de despedirse de Fan, llamó a la oficina de Jia. La secretaria que contestó al teléfono le dijo que Jia había salido de la ciudad, y que no volvería hasta la tarde. Quizá fuera mejor así, pensó. Necesitaba tiempo para ordenar sus ideas.

Chen se puso en contacto con la oficina de asignación de viviendas del distrito y pidió los documentos sobre la venta de la Antigua Mansión. Le interesaba saber sobre todo el nombre auténtico del vendedor y su relación con los propietarios originales de la mansión. El funcionario que lo atendió prometió proporcionarle la información solicitada lo antes posible. Chen decidió no llamar por el momento al director Zhong para pedirle más información sobre el pasado de Jia.

Pero, entretanto, pensó que tendría que hacer algo más. Hasta entonces sólo había descubierto datos sobre el pasado de Jia, cosas que habían sucedido más de veinte años atrás. Ahora debía investigar su vida presente. Mucho estaba en juego aquella noche, y Chen no podía permitirse ningún error.

El inspector jefe marcó el número de Pequeño Zhou y le pidió que se reuniera con él frente a la Antigua Mansión.

Chen llegó andando al restaurante, que tenía un aspecto muy distinto por la mañana. Sin luces de neón ni guapas camareras esperando fuera, parecía más bien un edificio de viviendas.

Después de fumarse un cigarrillo, pensó en llamar al Chino de Ultramar Lu, pero entonces llegó Pequeño Zhou en el coche del Departamento.

–¿Conoces La Época Dorada? –preguntó Chen.

–La casa de baños en la calle Puming –respondió Pequeño Zhou–. He oído hablar del sitio.

–Vayamos hasta allí. ¡Ah!, de camino para en algún banco. Necesito sacar dinero.

–Sí, puede costar una auténtica fortuna –comentó Pequeño Zhou, arrancando sin mirar hacia atrás.

Chen era consciente de que el conductor del Departamento lo observaba por el espejo retrovisor. Un viaje matinal a una casa de baños era algo bastante inusual, por no mencionar su misteriosa desaparición de la semana anterior.

El tráfico era terrible. Tardaron unos cuarenta y cinco minutos en llegar a la casa de baños, que parecía un majestuoso palacio imperial. Ya había un gran número de coches estacionados en el aparcamiento.

–Quizá necesite el coche todo el día, Pequeño Zhou. ¿Puedes esperarme aquí?

–Por supuesto –respondió de buena gana Pequeño Zhou–. Se trata de algo importante, ya lo sé.

Chen preguntó por Xia en la entrada de la casa de baños.

–Sí, Xia está aquí –le contestó una muchacha, mirando su reloj–. En el restaurante de la tercera planta.

Como creía Nube Blanca, Xia resultó ser la copropietaria de la casa de baños. Se encargaba de las relaciones públicas y de los espectáculos, incluyendo los desfiles de modelos celebrados entre la comida y la cena.

Antes de subir a la tercera planta, Chen tuvo que comprar una entrada y ponerse un pijama y zapatillas de plástico. Lo prefirió antes que revelar que era policía.

Cuando la puerta del ascensor se abrió al llegar a la tercera planta, Chen pudo ver a Xia sentada a una mesa frente a un escenario situado cerca del restaurante, vestida con un pijama idéntico al suyo. Estaba rodeada de chicas, a las que daba órdenes con aires de empresaria de éxito.

Naturalmente, no todas las chicas acabarían teniendo la suerte de Xia, como rezaba aquel verso de un poema de la dinastía Tang: «Un general triunfador deja atrás los esqueletos de diez mil soldados». Chen pensó en las víctimas del caso de los asesinatos en serie.

En lugar de acercarse a la mesa, Chen le pidió a una de las chicas que le entregara su tarjeta a Xia, quien se levantó de inmediato y se dirigió hacia Chen.

–Lo he visto entrar, como una grulla blanca que sobresale entre los gallos, incluso antes de haberlo reconocido –dijo Xia cordialmente. Después lo tomó de la mano y lo condujo hasta otra mesa–. He visto su foto en los periódicos, inspector jefe Chen. Así que hoy tiene que ser nuestro invitado especial.

–Seguro que yo he visto más fotos de usted, y también la he visto en la televisión –repuso Chen–. Siento haberme presentado sin avisar, pero necesito hablar con usted.

–¿Quiere hablar conmigo, inspector jefe Chen? –Xia parecía sorprendida.

–Sí. Ahora.

–Me temo que ahora no es buen momento. Tengo que encargarme del desfile de modelos para nuestra fiesta de aniversario. Va a empezar pronto.

Más que prendas modernas, en el desfile se exhibirían cuerpos apenas cubiertos de ropa. Pero Xia tenía que ocuparse también de los invitados especiales a la fiesta de aniversario.

–¿Usted también va a desfilar por la pasarela?

–No, no necesariamente.

–Si no se tratara de algo importante, no habría venido hasta aquí sin llamarla antes –se disculpó Chen, mirando hacia el escenario–. Quizá podamos hablar durante el desfile.

Xia se mostró algo indecisa. Las chicas mantenían una distancia respetuosa y aguardaban sus instrucciones. La banda ya había empezado a ensayar una melodía ligera. Quizá no era el lugar más indicado para hablar.

–No ha venido a ver el desfile, supongo –dijo Xia–. ¿Qué le parece si se toma un descanso en una sala VIP?, yo me uniré a usted tan pronto como haya empezado el desfile.

–De acuerdo, la esperaré allí.

Una chica muy joven bajó con él a la segunda planta y lo condujo hasta una suite. En la habitación, iluminada por una luz tenue, había dos sofás cubiertos con toallas blancas y una mesita de centro situada entre ambos. De un perchero de pie colgaban dos albornoces de toalla. Era una habitación sencilla, pero acogedora. La chica cerró la puerta al marcharse.

En la habitación hacía bastante calor y, tras sentarse en el sofá, Chen empezó a adormilarse. Le vendría bien refrescarse un poco, pensó, así que se quitó el pijama y se metió bajo la ducha.

Sin embargo la ducha no le hizo sentirse mejor. Al salir del cuarto de baño se sintió débil y un poco mareado. Le dejó un mensaje a Yu pidiéndole que se reuniera con él en La Época Dorada cuando hubiera finalizado sus pesquisas en la fábrica de acero.

Chen se tumbó en el sofá. Le llegó el débil sonido de una música suave, como los cánticos del templo que escuchaba en su infancia. Intentó mantenerse despierto, pero no lo consiguió.

Al cabo de un rato se despertó, se percató de que alguien se movía por la habitación. Era Xia, andando descalza por la mullida alfombra envuelta en un albornoz de toalla blanco. También se había duchado, y aún tenía el pelo mojado. Se sentó en el borde del sofá en el que descansaba Chen y le puso la mano en el hombro.

–Parece cansado –comentó Xia–. Déjeme que le dé un buen masaje en los hombros.

–Lo siento, yo no... –Chen se interrumpió a media frase. No tenía sentido explicarle que no había dormido la noche anterior.

–Su amigo el señor Gu habla mucho de usted –dijo ella, masajeándole los hombros con suavidad– y de la valiosa ayuda que le presta en sus negocios.

Ahora entendía mejor su hospitalidad. Chen no había aclarado el propósito de su visita, por lo que Xia debió de dar por sentado que guardaba relación con su negocio. Un policía podría complicarles mucho las cosas a los propietarios de una casa de baños, con todas esas habitaciones privadas y todas esas masajistas. Por otra parte, puede que Chen decidiera proporcionarle «su valiosa ayuda», parafraseando a Gu.

–El señor Gu siempre exagera –afirmó Chen–. No se tome al pie de la letra lo que le diga.

–¿Y qué hay de lo mucho que usted contribuyó al Proyecto para el Nuevo Mundo del señor Gu?

Las historias de su amistad con un «bolsillos llenos» podrían ser perjudiciales, pero por el momento debía dejar que Xia se las creyera. Chen no podía obligarla a cooperar si ella se negaba.

–Gracias por el masaje –dijo Chen–. Resulta insoportable recibir los favores de una beldad que además es empresaria y modelo.

–Un poeta romántico con uniforme de policía –dijo Xia, soltando una risita–, pero es imposible ser modelo toda la vida. «Arranca una flor mientras puedas, / o sólo te quedarán los tallos desnudos.»

Estos versos pertenecían a un poema de la dinastía Tang. Era sorprendente que los citara así, refiriéndose a su propia belleza como a algo que era preciso arrancar.

A continuación le dio la vuelta, mientras ella se arrodillaba y se sentaba sobre sus pantorrillas. A Chen le pareció ver fugazmente uno de los pechos de Xia a través de la abertura de su albornoz. Entretanto, Xia empezó a masajearle la espalda.

–Tiene muchos nudos en la espalda –afirmó ella, centrándose en su zona lumbar. Llevaba las uñas de los pies pintadas de rojo, en atractivo contraste con el albornoz blanco.

Chen recordó el comentario del erudito Zhang sobre la mujer fatal en «La historia de Yingying». Le pareció un recuerdo oportuno mientras yacía en el sofá, débil y a merced de Xia, pero le extrañó que se le hubiera ocurrido en aquel preciso momento.

–Gracias, Xia. No cabe duda de que tiene magia en los dedos. Tendré que volver. –Chen la interrumpió y se incorporó en el sofá–. Pero hoy debo hablar con usted sobre otra cosa.

–Sí, podemos hablar de lo que usted quiera –repuso ella, dirigiéndose al otro sofá. Se sentó apoyándose contra el respaldo, cruzó las piernas y le mostró sus muslos desnudos. Como Chen había sospechado, Xia no llevaba nada debajo del albornoz–. Aquí nadie nos molestará. El siguiente desfile no empieza hasta las seis. Tenemos toda la tarde.

–No me andaré por las ramas. Se trata de Jia, su ex novio.

–¿De Jia? ¿Por qué? –Luego añadió apresuradamente–: Rompí con él hace mucho tiempo.

–Tenemos razones para creer que está involucrado en un caso muy grave.

–Sea lo que sea en lo que esté involucrado –dijo Xia incorporándose– yo no sé más que lo que ha salido publicado en los periódicos oficiales. Ese caso del complejo residencial debe de ser un auténtico quebradero de cabeza para algunas personas importantes.

Era evidente que Xia pensaba que Chen había venido para interrogarla sobre el otro caso.

–Ése es un caso contra la corrupción, y Jia está haciendo un buen trabajo. Es un quebradero de cabeza para los funcionarios corruptos, como usted misma ha dicho, pero a mí no me concierne. Tengo muy claro que no voy a ponerme del lado de esas Ratas Rojas corruptas. Créame, la razón por la que estoy hablando hoy con usted no tiene nada que ver con ese caso.

–Le creo, inspector jefe Chen. Pero, entonces, ¿por qué ha venido?

–Es sobre otro caso –explicó Chen–. Usted no está involucrada, por supuesto.

–¿De qué quiere hablar?

–Quiero que me cuente todo lo que sepa sobre él. Será confidencial y no saldrá de esta habitación. No lo usaré para resolver el caso del complejo residencial, le doy mi palabra.

–Quiere que le cuente demasiadas cosas –replicó Xia lentamente, entrecruzando las piernas de nuevo–. Creo que será mejor que hable primero con mi abogado.

Chen ya había previsto esta reacción. Xia no era una de esas chicas que ceden enseguida ante un policía. En otras circunstancias, podría llevarle días conseguir su cooperación.

–¿Sabe por qué he venido a hablar con usted, Xia? –preguntó Chen–. Se trata del caso del vestido mandarín rojo.

–Pero ¿qué dice? Eso es imposible. ¿Cómo podría haber hecho algo así?

–Es el principal sospechoso en este momento. –Chen hizo una pausa deliberadamente antes de seguir hablando–. El Departamento no se detendrá ante nada. Cualquier persona relacionada con Jia será interrogada una y otra vez. Habrá una avalancha de publicidad, lo que no será bueno para usted ni para su negocio. Por eso quiero que hablemos primero. No me gustaría nada tener que hacerla pasar por una situación tan desagradable.

–Gracias por su consideración –respondió Xia–. Se lo agradezco.

–Si Jia no es culpable, su declaración sólo servirá para ayudarlo. No tiene nada que ver con el caso del complejo residencial. –Chen alargó el brazo y le dio unas palmaditas en la mano–. Puede que el señor Gu haya exagerado al hablar de mí, pero tiene razón en una cosa: los buenos amigos se ayudan mutuamente. Ya sé que usted me está haciendo un favor.

Era una indirecta sobre un intercambio de favores, y quizás algo más, que Xia no podía ignorar. Bastante reprobable viniendo de un policía, pero justificada en casos de emergencia, como recomendaban incluso los clásicos confucianos que Chen había estudiado.

–¿Por dónde empiezo? –preguntó Xia, mirándolo.

–Por el principio –repuso él–, desde su primer encuentro.

–Tuvo lugar hará unos tres años –explicó Xia–. Entonces yo estaba en mi tercer año de universidad, y Jia vino a dar una conferencia sobre orientación profesional. Me impresionó. Algunos meses después, tuve la oportunidad de trabajar como modelo, así que fui a consultárselo. A decir verdad, fui yo la que tomó la iniciativa, pero él me envió flores después de mi primer desfile, así que empezamos a salir juntos. Era un hombre muy abierto, y le preocupaban muy poco todos los cotilleos sobre mi profesión.

–¿Qué tipo de hombre le pareció que era, y no sólo como amante?

–Un hombre bueno: inteligente, honesto y brillante en su profesión.

–¿Le habló de su vida?

–No, la verdad es que no. Sus padres fallecieron durante la Revolución Cultural y no tuvo una infancia feliz.

–¿Le enseñó alguna vez fotografías de sus padres? De su madre, por ejemplo, que era una mujer muy bella.

–No. Ni siquiera me la mencionó, pero sé que Jia venía de una familia ilustre. Una vez saqué el tema y, sorprendentemente, se disgustó mucho. Así que nunca volví a hacerlo.

–¿Perdía el control a menudo?

–No, nada de eso. A veces se enfadaba, pero es algo muy comprensible en un abogado tan ocupado.

–¿Le habló alguna vez de sus problemas, o de las presiones a las que estaba sometido?

–En la sociedad actual, ¿quién no está sometido a presiones? No, no me habló de eso, pero pude intuirlo. Se encargaba de casos muy controvertidos, ¿sabe? Vi varios libros de psicología en su despacho. Puede que intentara encontrar maneras de combatir el estrés. De vez en cuando parecía distraído, como si se hubiera puesto a pensar de repente en uno de sus casos, incluso durante nuestros momentos más íntimos.

–¿Se fijó en algún otro síntoma?

–¿Síntomas? ¿De qué? –preguntó Xia–. Bueno, no dormía bien, si eso cuenta como síntoma de algo.

–En sus momentos íntimos, ¿se fijó en si le pasaba algo raro?

–¿Podría intentar ser un poco más específico, inspector jefe Chen?

–Por ejemplo, ¿alguna vez le pidió que se vistiera de una forma especial?

–La verdad es que no. Fuera de la pasarela no quería vestirme como una modelo, y él nunca puso objeciones. Me compró algo de ropa. Cara, elegante, pero no muy moderna. Así son sus gustos, creo. Una vez me pidió que fuera descalza por el parque como una campesina, y me corté el pie con una piedra. Nunca me lo volvió a pedir.

–¿Y qué hay de algún vestido especial? Como un vestido mandarín, por ejemplo.

–¿Un vestido mandarín? No le sientan bien a todo el mundo. Yo soy demasiado alta y delgada. Se lo dije y no volvió a insistir.

–Permítame una pregunta más personal, Xia. ¿Existía alguna desviación o algún problema en la vida sexual de Jia?

–¿Qué quiere decir? –Xia lo miró fijamente–. ¿Cree que ésa es la razón por la que rompimos?

–Le hago esta pregunta, Xia, porque es relevante para nuestra investigación.

Xia no respondió de inmediato. Como astuta mujer de negocios que era, sabía de la importancia de mantener una buena relación con un alto cargo policial, sobre todo cuando podía verse salpicada por un caso como aquél. Se recostó sobre un par de almohadas y sacó un cigarrillo.

–Es un tema muy apropiado para hablarlo en una habitación privada –dijo con una sonrisa sardónica–. ¿Quiere saber por qué rompimos?

–Sí –respondió Chen, encendiéndole el cigarrillo.

–La gente habló mucho sobre nuestra relación, pero, en realidad, no fue demasiado lejos. Si íbamos a un restaurante o a una cafetería me dejaba que le cogiera de la mano, y a esto se reducía todo nuestro contacto físico. Lo crea o no, nunca me besó de verdad; sólo me dio algún que otro besito en la frente. Hará cosa de un año se celebró un desfile de modelos en el lago de las Mil Islas, cerca de las Montañas Amarillas, donde casualmente Jia tenía una reunión aquella misma semana. Así que lo organicé todo para que nos encontráramos en el mismo hotel de montaña. Por la noche entré en su habitación, y allí nos abrazamos y nos besamos como auténticos amantes por primera vez. Quizá debido a la altura, porque estábamos a unos trescientos metros sobre el nivel del mar, creímos flotar sobre la Tierra. Nos dejamos llevar por la pasión, como si estuviéramos inmersos en las bandadas de nubes blancas que se veían desde la ventana del hotel. Pero, de repente, Jia se separó de mí y me dijo que no podía continuar. ¡Qué desastre! A la mañana siguiente nos fuimos del hotel, conscientes de que lo sucedido nos había distanciado. Así es como nos separamos.

–Lo que me ha contado podría ser muy importante para nuestra investigación. Muchísimas gracias, Xia –dijo Chen–. Pero aún tengo que hacerle más preguntas.

–¿Sí?

–Esa vez en la montaña, ¿Jia no pudo o no quiso?

–No pudo. Seguro que cuando se registró en el hotel no pensó que esto pudiera suceder.

–Creo que tiene razón. Así que es un problema físico.

–Sí, en cierto modo lo reconoció, pero no quiso escucharme cuando le aconsejé que fuera a ver a un médico. –Después de hacer una pausa agregó–: Tenía muchos libros en su despacho, como le he dicho antes, y algunos eran de sexología y de patologías. Puede que estuviera intentando resolver por sí mismo su problema.

–Comprendo. ¿Sigue en contacto con él?

–En realidad no me ofendió. No pudo evitarlo. Después de que rompiéramos me siguió enviando flores durante algún tiempo. También me las envió cuando inauguramos la casa de baños. Así que cuando leí una noticia sobre el caso del complejo residencial, entré a escondidas en su despacho una noche.

–¿Planeó él el encuentro?

–No, ni siquiera lo llamé antes de ir, porque me había dicho que su línea telefónica podría estar pinchada.

–Se tiene que ir con muchísimo cuidado –admitió Chen–, pero quizás él no estaba en su despacho, y alguien podría haberla visto entrar.

–Suele trabajar hasta tarde. Fui muchas veces a su despacho cuando aún salíamos juntos. Me dio una llave para que pudiera entrar por la puerta lateral, no es fácil que alguien me viera. Ninguno de los dos quería llamar la atención.

–¿Y cómo lo hizo? Me refiero a lo de entrar por la puerta lateral.

–Jia compró su despacho, una sala grande para él solo, cuando todavía estaban construyendo el edificio. Esos edificios construidos a finales de los ochenta no tienen garaje. Cada módulo de oficinas suele disponer de una plaza o dos de aparcamiento en la parte trasera del edificio. Como el despacho de Jia hace esquina, hay un espacio a uno de los lados, una especie de hueco entre la pared exterior y su despacho, lo bastante grande para aparcar un coche más. Jia hizo instalar una puerta lateral para poder salir de su despacho y tener acceso casi directo a su coche.

–Espere un momento, Xia. ¿Quiere decir que nadie puede verlo salir del despacho y entrar en su coche?

–Si su coche está aparcado allí, no. Aunque también tiene una plaza de aparcamiento reservada en la parte trasera del edificio. A veces recibe a personas importantes que quieren pasar desapercibidas, así que en vez de usar la entrada principal, aparcan junto a la puerta lateral. Creo que eso es lo que me contó. Bueno, la cuestión es que me dio las llaves de la puerta lateral para que pudiera entrar por ahí. Nadie podía verme, y menos por la noche.

–Entiendo. ¿Cuándo se reunió con él para hablar del caso del complejo residencial?

–Hará alrededor de un mes.

–Entonces, ¿usted tenía algo importante que decirle?

–Para serle franca, yo también tengo contactos en el Gobierno, y capté algunas insinuaciones sobre las complicaciones del caso. Sobre una lucha de poder no sólo en Shanghai, sino también en Pekín. Sea cual sea el veredicto, lo va a perjudicar.

–Sí, también me he enterado de eso. ¿Qué le dijo Jia?

–Me dijo que no me preocupara. Alguien le había llamado desde Pekín y le había asegurado que el juicio sería justo y abierto al público. Jia no entró en detalles, pero me rogó que no volviera a ponerme en contacto con él.

–¿Y usted le preguntó por qué?

–Sí. No fue muy explícito, pero me dijo que no era sólo por el caso, por el caso del complejo residencial, quiero decir.

–¿Notó algo raro en él?

–Parecía aún más inquieto que antes. Estaba muy preocupado por algo importante. Cuando salí de su despacho, me abrazó y me recitó un verso bastante extraño de un poema de la dinastía Tang: «Ojalá hubiéramos podido conocernos antes de estar casado».

–Tiene razón, es muy raro. Todavía está soltero...

Alguien que llamaba a la puerta interrumpió la conversación.

–Les he dicho que no nos molesten –se disculpó Xia antes de levantarse para ir a abrir.

El hombre que aguardaba frente a la puerta era el subinspector Yu, quien parecía tan asombrado como Xia.

28

–¡Inspector jefe Chen! –Yu no trató de disimular su asombro. Había acudido a toda prisa a La Época Dorada sin sorprenderse demasiado por la urgencia con que Chen lo había citado, pero preguntándose por qué quería verlo precisamente allí, y más después de su misteriosa desaparición.

Al abrirse la puerta Yu presenció una escena que lo desconcertó. Allí estaba Chen en compañía de una mujer guapísima, ambos envueltos en sendos albornoces, como una pareja relajándose en un balneario de lujo.

–Ah, el subinspector Yu, mi compañero. –Chen se incorporó en el sofá para presentarlos–. Xia, la modelo más famosa de Shanghai, también copropietaria de esta magnífica casa de baños.

–Subinspector Yu, he oído hablar de usted. Bienvenido –dijo Xia, sonriendo–. Ya va siendo hora de que vuelva al trabajo. Llámeme si necesita alguna cosa más, inspector jefe Chen.

–Muchísimas gracias, Xia. Por cierto, ¿aún conserva esa llave? –preguntó Chen, como si se le acabara de ocurrir.

–¿La llave? Sí, puede que aún la tenga. La buscaré.

Xia salió de la habitación con pasos gráciles, pisando la alfombra sin hacer ningún ruido, y cerró la puerta tras de sí.

Yu sabía que nada de lo que hiciera su excéntrico jefe debería sorprenderlo. Con todo, no pudo evitar hacer un comentario sarcástico.

–Está disfrutando mucho de sus vacaciones aquí, jefe.

–Se lo explicaré todo a su debido tiempo –respondió Chen–, pero déjeme hacer una llamada antes.

Chen llamó a alguien a quien conocía bien y dejó un breve mensaje: «Ven a La Época Dorada, la casa de baños».

A continuación, el inspector jefe se dio la vuelta y se dirigió a Yu.

–Ahora siéntese y cuénteme qué ha descubierto sobre Tian.

–Esta mañana he estado en la fábrica –explicó Yu, sentándose en el sofá en que Xia se había recostado antes. El cuerpo de la ex modelo había dejado una marca alargada sobre el asiento, aún ligeramente húmeda y caliente–. La mayoría de sus colegas se han jubilado o han muerto. He recopilado datos sueltos; algunos puede que ya los haya leído en las transcripciones de los interrogatorios.

–Puede ser, pero no he tenido tiempo de procesar la historia completa. Cuéntemela desde el principio, por favor.

Hacía mucho calor en la habitación. Yu se quitó la chaqueta acolchada y se secó el sudor de la frente. Chen le sirvió una taza de té oolong.

–Gracias, jefe –dijo Yu–. Tian empezó a trabajar allí a principios de los cincuenta, como un obrero más. Cuando estalló la Revolución Cultural, surgieron por todas partes organizaciones de masas como los Guardias Rojos y los Rebeldes Obreros. Tian se unió a un grupo de Rebeldes Obreros llamado Bandera Roja, cuyos miembros procedían de fábricas de toda la ciudad. En respuesta a la llamada de Mao para arrebatar el poder a los «seguidores del camino capitalista», Tian se convirtió en alguien importante de la noche a la mañana, y se dedicó a maltratar y a intimidar a los «enemigos de clase» en nombre de la dictadura del proletariado. Poco después, se alistó en la Escuadra para la Propaganda del Pensamiento de Mao Zedong que fue enviada al Instituto de Música de Shanghai. Dicen que allí se comportó de forma aún más pendenciera, sin mostrar el menor respeto por los profesores.

–¿Hubo algo raro en sus actividades en la escuadra? –interrumpió Chen.

–Por lo general, cada Escuadra de Mao estaba compuesta por obreros procedentes de una misma fábrica, y después era enviada a una escuela. Pero, a petición propia, Tian se alistó en una escuadra integrada por obreros de una fábrica de acero en la que él no trabajaba. En cuanto a sus «actividades revolucionarias» allí, no he descubierto demasiados datos. Aquella fábrica de acero quebró hace dos o tres años. Ninguno de los empleados de la fábrica de Tian sabía nada, salvo que debió de comportarse como un matón. A finales de los setenta, cuando la Revolución Cultural fue declarada oficialmente un error bienintencionado de Mao, Tian abandonó las escuelas muy abatido y volvió a la fábrica.

»Entonces se formuló una política sobre "los que habían cometido un triple delito" durante la Revolución Cultural. Tian pertenecía a esta categoría, pero había muchos "Rebeldes" como él, y nadie hizo nada al respecto. Sin embargo, sorprendentemente, alguien envió cartas contra Tian a un cuadro del Gobierno municipal cuyo padre, un viejo catedrático que trabajaba en el Instituto de Música, había recibido brutales palizas durante aquellos años. En las cartas se afirmaba que Tian le rompió las costillas al anciano, por lo que se llevó a cabo una investigación. Algunos dijeron que Tian había dejado paralítico a un profesor de otra paliza, otros afirmaron que había robado monedas de oro, y también hubo quien mencionó que había obligado a una mujer a acostarse con él valiéndose del poder que le confería su cargo. No llegó a probarse nada, pero, a resultas de la investigación, Tian fue despedido y sentenciado a tres años de cárcel. Su mujer se divorció de él y se marchó con la hija de ambos...

Alguien llamó suavemente a la puerta. Chen abrió y entraron dos chicas en pijama y zapatillas.

–¿Necesitan un servicio de masaje? –preguntó una de las chicas con voz dulce–. Todo corre por cuenta de la casa, la directora general Xia nos ha dado instrucciones muy precisas.

La otra chica trajo un termo y, tras cambiarles las tazas, les hizo más té con hojas nuevas y agua caliente.

–No, no nos hace falta, gracias. Dile a Xia que no se preocupe por nosotros. Si necesitamos alguna cosa, ya se lo haré saber. –Las chicas salieron de la habitación y Chen continuó hablando–. Bueno, pues ésa es su historia como miembro de una Escuadra de Mao. ¿Y qué hay de su mala suerte?

–A Tian le pasaron cosas extrañas, y a su familia también. Su ex mujer empezó a salir con otros hombres, lo que era previsible en una mujer divorciada de treinta y pocos años, pero pronto empezaron a circular fotografías en las que se la veía acostándose con su novio. Alguien las envió a la fábrica en la que trabajaba, y esas fotos «la clavaron al pilar de la humillación». A principios de los ochenta aún constituía un delito tener relaciones sexuales con alguien sin disponer de una licencia matrimonial, y la ex mujer de Tian se suicidó a causa de la humillación sufrida. La policía local investigó su muerte tras sospechar que el incidente había sido una mala pasada de sus amantes, pero la investigación no arrojó luz. La hija de ambos volvió con Tian.

–Parece extraño –observó Chen–. Una trabajadora corriente, divorciada, no demasiado joven y con una hija. Puede que los hombres con los que salía fueran también trabajadores normales y corrientes. ¿Quién podía haber tomado esas fotografías? ¿Un profesional? No creo que un obrero hubiera podido permitirse contratar a un fotógrafo para algo así.

–También pasaron cosas raras en el restaurante de Tian.

–Sí, ya leí la parte del restaurante –dijo Chen–. ¿Les preguntó a sus antiguos compañeros acerca de la mala suerte de Tian?

–Al igual que sus vecinos, sus compañeros lo vieron como un castigo merecido –explicó Yu–. Se mire por donde se mire, Tian ha tenido la peor suerte que uno pueda imaginar, parece una historia sacada de alguna leyenda popular.

–El castigo merecido es un tema frecuente en nuestras historias tradicionales. Un hombre que ha cometido malas acciones durante su vida, la presente o la pasada, es castigado por una fuerza sobrenatural que imparte justicia. Pero ¿quién se cree estas historias hoy en día?

–¿Piensa que detrás de su mala suerte se esconde algo más? –preguntó Yu, levantando la vista de repente–. Un hombre paralítico, más muerto que vivo, ¿cómo podría estar involucrado en el caso?

–Ayer por la mañana, mientras estaba en el templo Jin'an releyendo su interrogatorio a Weng, el novio de Jazmín, se me ocurrió una idea. ¿Es posible que no se tratara de mala suerte, sino de una serie de desgracias provocadas por otro hombre? Una de las cosas que le han dicho en la fábrica de Tian podría confirmar mis sospechas.

–No es tan descabellado –admitió Yu, aunque le estaban impacientando las divagaciones de Chen, capaz de irse por las ramas como el Viejo Cazador antes de ir al grano–, pero todavía no veo cuál es la conexión con este caso.

–Acaba de decir que, como miembro de una Escuadra de Mao, Tian obligó a una mujer a tener relaciones sexuales con él.

–Sí, alguien lo mencionó, pero no se demostró.

–¿Sabe el nombre de esa mujer?

–Nadie mencionó su nombre, pero puede que fuera una profesora del Instituto de Música.

–Está siguiendo una pista muy importante. Déjeme enseñarle algo –propuso Chen, sacando una fotografía–. Fíjese en la mujer.

–La mujer –repitió Yu–. Lleva un vestido mandarín.

–Fíjese en el estilo del vestido.

–¡Sí, el estilo! –Yu examinó la fotografía de cerca–. El mismo estilo. Quiere decir que...

–La mujer de la fotografía era Mei, una violinista que daba clases en el instituto. Tian abusó de ella. Para ser exactos, la obligó a tener relaciones sexuales con él a cambio de ayudar a su hijo. La tarde en que Mei murió, vieron a Tian salir a escondidas de su habitación.

–¿La mató él?

–No, Mei murió en un accidente, aunque en cierto modo él fue el responsable.

–Ningún empleado de la fábrica de acero me contó nada sobre esto.

–O no lo sabían, o no les pareció necesario contárselo. Han pasado más de veinte años y ahora Tian está paralítico, más muerto que vivo.

–¿Nadie lo denunció? Me refiero a los familiares de Mei. Otros sí lo hicieron, como el hijo del viejo catedrático al que le había partido las costillas.

–Ahora fíjese en el niño de la foto –indicó Chen.

–¿Sí?
–Es Jia Ming.
–¿Jia Ming? ¿El abogado del caso del complejo residencial? Usted me dijo que...
–Sí, el mismo. El autor de todas las fatalidades que persiguieron tanto a Jazmín como a Tian.
–Veamos, si Jia es el niño de la foto, el hijo de Mei, entonces está claro que tiene un motivo –señaló Yu conmocionado, intentando comprender las implicaciones de la repentina revelación–. Sin embargo, siendo abogado, podría haberse vengado de otra forma.
–Por alguna razón, no lo hizo. Tal vez se deba a las circunstancias concretas en que murió Mei. Para él era insoportable revivir la pesadilla, o sea que adoptó un enfoque distinto. Creo que era Jia quien estaba detrás de las quejas, así como de las cartas enviadas al cuadro del Gobierno municipal.
–Y de las fotografías de la ex mujer de Tian, y quién sabe de qué más –añadió Yu, asintiendo con la cabeza–. Las piezas comienzan a encajar. El vestido mandarín, pasado de moda y hecho a medida. Y otra cosa: «Bandera Roja en la Revolución Cultural» era el nombre de la organización de Rebeldes Obreros a la que pertenecía Tian. El anuncio en el periódico lo puso alguien que se llamaba así. Y el lugar en que apareció el primer cuerpo también concuerda: frente al Instituto de Música. No obstante, podría haber matado a Jazmín hace mucho tiempo, ¿no le parece?
–Podría haberlo hecho, pero quizás un golpe rápido no fuera tan satisfactorio como una larga serie de golpes.
–Tal vez sea cierto, pero ¿por qué tuvo que matar a Jazmín ahora, de repente?
–Aún no tengo respuesta a esa pregunta. Sólo una suposición.
–¿Y por qué mató a las otras chicas?
–Se me ocurren varias explicaciones posibles, pero, de momento, sólo tengo una teoría provisional, que ni siquiera está completa.
–Muy bien, ¿cuál es esa teoría?
–Al quedarse huérfano tras la muerte de su madre, Jia creció

con un único objetivo en la vida: vengarse. Decidió saldar las cuentas pendientes a su manera.

–Tú mataste a mi madre –conjeturó Yu–, yo mato a tu hija.

–Además, no sólo se trata de la trágica muerte de su madre. Jia quedó demasiado traumatizado para poder llevar una vida normal.

–¿Qué quiere decir?

–Me refiero a una vida normal como hombre, porque no puede tener relaciones sexuales con una mujer. Tian fue como una maldición para Jia y su madre, al igual que Jia lo ha sido para Tian y Jazmín. El intento de urdir una venganza similar al sufrimiento original puede ser catártico, pero la venganza también tiene sus consecuencias negativas.

–¿Puede ser más claro, jefe?

–Es largo de contar. –Chen cogió el maletín, pero no lo abrió–. Basta con decir que la escena de Tian en la cama con su madre acobardó a Jia. Su vida fue un auténtico infierno, como puede imaginar. Quería que sus enemigos sufrieran tanto como había sufrido él. De acuerdo a su plan inicial, todos aquellos incidentes acabarían destruyendo a Jazmín, pero la posibilidad de que se casara y se mudara a Estados Unidos lo llevó a asesinarla. Jia tenía que completar su venganza. Por supuesto, esto no es más que una hipótesis. Muchos detalles de este caso no se pueden explicar de forma racional.

–Sea cual sea la hipótesis correcta, tenemos que hacer algo cuanto antes –afirmó Yu–. Si Jia es el asesino, podría matar de nuevo.

Volvieron a llamar a la puerta. Esta vez era Xia, quien entró con un cesto de bambú tapado.

–Usted y su compañero aún no han comido –explicó.

El cesto de bambú contenía varios platos exquisitos: gambas peladas fritas con hojas de té verde, calamar estofado con carne de cerdo, bolitas de anca de rana y un tipo de verdura que Yu no conocía. También había dos cuencos pequeños de sopa de fideos espesa.

–Es muy amable de su parte, Xia –dijo Chen.

–¡Ah!, aquí hay algo para usted –respondió ella, poniéndole

un sobrecito en la mano–. Una tarjeta VIP, para que venga de nuevo.

Yu se preguntó qué habría realmente en el sobre, tras fijarse en que Xia le apretaba la mano a Chen.

–Los fideos transparentes no están mal, pero son demasiado cortos. Hace falta una cuchara –comentó Yu después de que Xia hubiera salido de la habitación–. ¿Cómo es que la conoce?

–Bueno, lo que usted llama fideos transparentes en realidad son aletas de tiburón. Un cuenco pequeño como éste cuesta quinientos o seiscientos yuanes, pero no tiene por qué preocuparse del precio –explicó Chen, metiéndose una cucharada en la boca–. ¿Que cómo la he conocido? Xia es uno de los últimos eslabones de una larga cadena.

–¿Qué quiere decir, jefe?

–Antes había sido novia de Jia. Se separaron debido a su impotencia.

–Entonces no es sólo una suposición o una hipótesis, sino un hecho –señaló Yu, depositando el cuenco sobre la mesa–. Encaja perfectamente. Desnudaba a las chicas sin tener relaciones sexuales con ellas. ¿A qué esperamos? Ya estamos a jueves a mediodía.

–El juicio por el caso del complejo residencial se celebra mañana –dijo Chen–. Ahora mismo, cualquier interrupción podría verse como un intento de sabotear el juicio.

–Espere un momento. ¿Mañana es la fecha del juicio por el caso del complejo residencial?

–Sí, la situación está llegando a un punto crítico. Es un caso que ha tenido mucha difusión. Si detenemos a Jia ahora, la gente hará interpretaciones políticas precipitadas, tengamos pruebas o no. Por otra parte, eso podría beneficiarnos. El juicio es muy importante para él. Jia también debe de estar deseando que se celebre en la fecha prevista.

–Sí, sería una coincidencia demasiado grande. La gente lo convertiría en un mártir si no conseguimos presentar pruebas convincentes –observó Yu–. Pero déjeme intentar retenerlo de una forma u otra, al menos durante veinticuatro horas, para que no pueda salir esta noche. Oficialmente, yo no sé nada sobre el caso del complejo residencial. Si cometo un error, tal vez no importe demasiado.

–No. Déjeme atraparlo esta noche. Cuento con algo mejor que una simple excusa: una estratagema que nunca he empleado antes, pero que merece la pena intentar. Si no funciona, entonces puede hacerlo a su manera. Después de todo, no estoy al frente de ninguno de los dos casos de manera oficial.

–¿De qué está hablando, jefe? –Yu lo interrumpió bruscamente–. Sea lo que sea lo que piensa hacer, tiene que contar conmigo.

–Bueno, usted también tendrá algo que hacer. ¿Recuerda el truco de la multa de tráfico en el caso de la modelo nacional?

–Sí. ¿Quiere que registre su coche?

–Mientras lo entretengo esta noche, llévese su coche y regístrelo a fondo. Contará con la ayuda del Viejo Cazador. Ya me he puesto en contacto con él.

–¿Y qué pasa si no encuentro nada en el coche?

–Si no me equivoco –dijo Chen, rasgando el sobrecito rojo que Xia le había dado– ésta es la llave de la puerta lateral de su despacho. ¡Ah! También hay un croquis del aparcamiento.

–¡Le ha dado la llave!

Yu estaba asombrado. Tal vez Peiqin tuviera razón cuando se refería a los problemas de Chen con las mujeres, pero no cabía duda de que sabía cómo tratarlas.

–Si no encuentra nada en el coche, condúzcalo hasta el edificio en el que se encuentra el despacho de Jia. El guarda de seguridad reconocerá el coche y lo dejará entrar. Según el croquis, puede estacionar en el aparcamiento de la esquina y entrar por la puerta lateral. No lo verá nadie.

–No me verá nadie. Entiendo. Pero ¿usted qué va a hacer con Jia?

–Lo llevaré a un restaurante de la calle Hengshan. Aquí está la dirección. Mande a algunos policías de paisano para que esperen fuera, pero dígales que no hagan nada hasta que yo dé la orden.

–¿Aceptará encontrarse con usted? Ya estamos a jueves a mediodía. Debe de tener un plan para esta noche, y también para el juicio de mañana.

–Vamos a averiguarlo. –Chen cogió su móvil y pulsó la tecla del altavoz para que Yu pudiera escuchar la conversación–. Hola, quería hablar con el señor Jia Ming.

–Soy yo.

Era la voz de alguien muy seguro de sí mismo.

–Soy el inspector jefe Chen Cao, del Departamento de Policía de Shanghai.

–Ah, inspector jefe Chen. ¿En qué puedo ayudarle? –preguntó Jia con un dejo de ironía en su voz–. Es sobre el caso del complejo residencial, supongo. Mañana se celebra el juicio, tendría que haberme llamado antes.

–No, ése es su caso, no el mío. Necesito su ayuda para algo que no tiene nada que ver con eso –explicó Chen–. Estoy escribiendo un relato que requiere amplios conocimientos legales y psicológicos y creo que usted es la persona indicada para ayudarme, así que me gustaría invitarlo a cenar esta noche.

Se hizo un breve silencio al otro lado del teléfono. La invitación debió de desconcertar a Jia. Yu estaba igualmente sorprendido: era una maniobra nada previsible.

–Me halaga que haya pensado en mí para su relato –respondió Jia–, pero, desgraciadamente, esta noche no me va bien. Debo prepararme para el caso de mañana. No creo que tenga tiempo para salir esta noche.

–Venga, señor Jia. El juicio no es más que una formalidad, como ambos sabemos. No tiene que preparar nada. En cuanto a mi relato, me gustaría saber si resulta convincente, o incluso si se puede publicar. Me han dado una fecha límite para entregarlo.

–¿Y qué tal mañana por la noche? Invito yo. Parafraseando un verso de un poema de la dinastía Tang, «conocer al inspector jefe Chen vale toneladas de oro».

–Permítame que le diga algo, señor Jia. No me ha sido nada fácil organizar un encuentro para esta noche. Algunas personas son pacientes, pero otras no lo son tanto.

–Es posible que sucedan muchas cosas la noche anterior a un juicio como éste, ahora que los medios, tanto nacionales como extranjeros, lo siguen tan de cerca. Algunos estarán muy ocupados esta noche.

Habían empezado a lanzarse indirectas el uno al otro, observó Yu, en un contexto que sólo ellos entendían.

–Hablando de los medios, creo que mi relato despertará aún más atención que el juicio. Y también tengo algunas fotografías maravillosas para ilustrarlo. Una de ellas se publicó en la revista *Fotografía de China,* con el título «Madre, vayamos allí». Fue tomada en el año... Déjeme pensar. Bueno, a principios de los sesenta.

Hubo una nueva pausa a ambos lados de la línea telefónica. La mención de la fotografía había supuesto una sorpresa, como un comodín sacado de la manga. El hecho de que Jia no respondiera inmediatamente resultaba revelador.

–Fotografías maravillosas –repitió Chen deliberadamente, como un jugador de cartas.

–¿Qué fotografías tiene? ¿Sólo la de la revista o alguna más?

Podía ser la primera señal de que Jia comenzaba a flaquear. Cualesquiera que fueran las fotografías que tenía Chen, Jia debería haber cuestionado su importancia. Yu sacó un cigarrillo y le dio unos golpecitos contra la mesa de centro, como un espectador que contempla absorto una partida de póquer.

–Los fotógrafos profesionales suelen sacar varios carretes antes de elegir una fotografía en particular para su publicación. –Chen evitó responder directamente–. Durante la cena se las enseñaré. No tardaremos mucho, y seguro que aún le quedará tiempo para preparar la defensa de su caso mañana.

–Entonces, ¿está seguro de que no afectará al juicio?

–Sí, le doy mi palabra.

–Está bien, ¿dónde quiere quedar?

–Todavía estoy buscando un restaurante tranquilo, para que podamos hablar sin que nadie nos moleste. Mi secretaria está haciendo algunas llamadas. Quedemos en el hotel Hengshan hacia las cinco. Tengo una reunión allí esta tarde. Hay bastantes restaurantes en esa zona.

–Lo veré en el hotel.

Al colgar el teléfono, Chen se dirigió a Yu sin ocultar la exaltación en su voz.

–Sabía que no podría resistirse a ver esas fotos.

Yu no sabía nada, salvo que Chen sabía mucho más que él.

–¿Por qué quiere quedar primero en el hotel en lugar de ir directamente al restaurante?

–Si le dijera el nombre del restaurante posiblemente no vendría. De esta forma lo pillará por sorpresa.

Fuera lo que fuese lo que tenía pensado, Chen empezó a marcar de nuevo y volvió a pulsar la tecla del altavoz.

–Tengo que pedirte un favor, Chino de Ultramar.

–Lo que quieras, colega.

–¿Conoces al propietario del restaurante Antigua Mansión, en la calle Hengshan?

–Sí, Fang el Barbudo. Lo conozco.

–Necesito un reservado para esta noche. Asegúrate de que dé al jardín trasero. Tengo que encontrarme con alguien allí. Es muy importante. Una cuestión de vida o muerte. –Luego añadió–: Probablemente será una conversación larga. Yo lo pagaré todo, las horas extra y cualquier servicio complementario.

–No te preocupes. Si es necesario, el restaurante estará abierto toda la noche. Yo me encargo.

–Muchísimas gracias. Sé que puedo contar contigo, Chino de Ultramar.

–Después de todo, es cuestión de vida o muerte, como has dicho.

–Además, como *gourmet* y como chef, piensa en algunos platos crueles, que supongan un tormento lento del animal que vayamos a comer.

–¡Vaya! Esto se pone cada vez más emocionante. Has dado con el hombre adecuado, jefe. Pensaré en un banquete lleno de platos así. Realmente crueles y distintos. Yo también iré hacia allí.

–Entonces nos vemos en el restaurante.

–¿Platos crueles? –preguntó Yu cuando Chen se volvió hacia él, secándose la frente con una toalla.

–Hace poco me puse muy nervioso cuando estuvieron a punto de servirme un plato cruel en un banquete. Esta noche es preciso que Jia también pierda la calma.

–¿Se puso enfermo, jefe? –preguntó Yu, confundido de nuevo.

–Estoy bien, no se preocupe por mí –respondió Chen. Luego añadió, como si se le acabara de ocurrir–: Peiqin habló con una acompañante para comidas.

–Sí, incluí una casete con la conversación en uno de los paquetes que le envié.

–Lo escuché. Peiqin fue muy astuta al conseguir que la acompañante para comidas le contara una historia. Eso me dio la idea de contarle yo también una historia a Jia.

Yu le echó una mirada al reloj de pared y decidió no hacer más preguntas. El inspector jefe podía ser muy irritante cuando se ponía en plan misterioso: aún no había dicho ni una sola palabra sobre su desaparición. Pero Yu tenía que ir a toda prisa al despacho de Jia y esperar fuera. A partir de ahora no podía permitirse perderlo de vista, ni siquiera durante un minuto.

Mientras cogía la chaqueta y se disponía a salir, Yu se llevó otra sorpresa. Volvieron a llamar a la puerta, y esta vez entró Nube Blanca.

–¿En qué puedo ayudarte, jefe? –le preguntó a Chen mientras dirigía una gran sonrisa a Yu.

–¿Aún tienes el vestido mandarín rojo? –inquirió Chen–. El que escogimos en el Mercado del Dios de la Ciudad Antigua.

–Por supuesto. Tú me lo compraste.

–Ve al restaurante Antigua Mansión esta noche y llévate el vestido. ¿Sabes dónde está?

–Sí, en la calle Hengshan.

–Bien. ¿Puedes quedarte durante toda la cena? ¿O quizá durante toda la noche?

–Claro, me quedaré si tú me lo pides. Seré tu pequeña secretaria, o lo que prefieras.

Nube Blanca accedió sin hacer preguntas, como una «pequeña secretaria».

–No, será un papel totalmente distinto. Te lo explicaré allí.

–¿A qué hora tengo que ir?

–Hacia las cinco. ¡Ah! Antes tendrás que pasar por tu casa para recoger el vestido. Lo siento, lo del vestido se me acaba de ocurrir. El Chino de Ultramar Lu también estará allí.

–Estupendo. Así que eres como un general de los de antes,

planificando un combate decisivo en una casa de baños –observó Nube Blanca, también como una «pequeña secretaria», antes de irse.

¿Qué remedios a base de hierbas escondía la calabaza medicinal de Chen?

–Antes iré a un estudio de fotografía –añadió Chen–. Ésta será nuestra gran noche.

–Seguro que todo se le ha ocurrido durante estos últimos días, jefe –sugirió Yu, arrepentido por haber pensado que Chen lo había decepcionado–. Ha estado trabajando mucho mientras se mantenía oculto.

–Bueno, lo pensé casi todo ayer por la noche. No dormí nada, estuve paseando por la calle Hengshan como una mofeta sin hogar.

Puede que Yu nunca llegara a entender a su jefe, pero tenía algo claro: pese a todas sus excentricidades, Chen era un policía concienzudo.

Merecía la pena ser el compañero del inspector jefe Chen, pensó Yu mientras se dirigía hacia la salida.

29

Chen no había decidido exactamente lo que iba a hacer aquella noche.

Al salir del estudio fotográfico se dirigió a pie hasta el restaurante, pensando en su encuentro con el abogado mientras la oscuridad lo envolvía.

Intentó convencerse a sí mismo una y otra vez de que no le quedaba otra alternativa. La mejor opción sería dejar en libertad a Jia hasta después del juicio. No parecía prudente detenerlo antes, porque la gente se lo tomaría como una sucia represalia política del Gobierno. Pero, entretanto, tenía que impedir que Jia saliera esa noche, y la manera de conseguirlo era tan poco ortodoxa que no sabía cómo explicársela a Yu. Quizá fuera como la metáfora del camarada Deng Xiaoping sobre la reforma en China: «cruzar el río pisando de piedra en piedra».

Sin embargo, ya no era posible retrasar el enfrentamiento, con la ayuda del Departamento o sin ella.

El inspector Liao rechazaría ese plan, y no sólo para protegerse: desconfiaba del inspector jefe desde hacía mucho tiempo. Habían tenido varios roces a lo largo de los años. Después de la muerte de Hong, Liao no había telefoneado a Chen ni una sola vez.

En cuanto al secretario del Partido Li, Chen no quería pensar en él por el momento. Prefería dejar ese problema para más adelante.

Y no había que olvidar que el director Zhong se mantenía en un segundo plano, maquinando toda clase de conspiraciones desde la Ciudad Prohibida.

Parecía más que probable que Jia desconfiara de su historia. Jia era un abogado inteligente y experimentado, y sabía que nadie podría probar nada en su contra de forma convincente mientras él se mantuviera firme.

Al torcer por la calle Jinling Oeste, Chen vio a una anciana que quemaba dinero del más allá dentro de una palangana de aluminio colocada en medio de la acera. Vestida de negro, con prendas de algodón acolchado, la anciana temblaba de frío mientras echaba los lingotes de papel de plata al fuego, uno tras otro, murmurando en un intento desesperado de comunicarse con los muertos. Era la noche de Dongzhi, cayó en la cuenta Chen.

De acuerdo con el calendario lunar chino, Dongzhi tiene lugar en la noche más larga del año, una fecha importante para el movimiento dialéctico del sistema del yin y el yang. Durante su desplazamiento hasta una posición extrema, el yin se convierte en su opuesto, el yang. Según las convenciones, Dongzhi era la noche en la que vivos y muertos volvían a encontrarse.

Durante la infancia de Chen, en la noche de Dongzhi se servía una comida espléndida, aunque los platos colocados sobre la mesa de la ofrenda ancestral no podían probarse hasta que las velas se hubieran consumido, señal de que los muertos ya habían disfrutado de la comida. Chen volvió a pensar en su madre, quien sin duda estaría quemando dinero del más allá sola en su buhardilla.

Tal vez su encuentro con Jia en la noche de Dongzhi no se debiera a una coincidencia: era una señal de que las cosas iban a cambiar.

El camino puede nombrarse,
pero no de una forma corriente.

De repente, la Antigua Mansión apareció ante él.

Una camarera le sujetó la puerta respetuosamente. Era otra chica, y no lo reconoció.

Tanto el Chino de Ultramar Lu como Nube Blanca lo esperaban ya en el vestíbulo. Lu llevaba su terno negro, con una llamativa corbata y un par de anillos con grandes diamantes en los dedos; Nube Blanca vestía el qipao rojo comprado en el Mercado del Templo del Dios de la Ciudad Antigua.

–El propietario del restaurante ha accedido a cooperar en todo –dijo Lu con tono exultante–. Me encargaré de vuestro reservado, así que me quedaré aquí y os prepararé un festín increíble.

–Gracias, Lu –dijo Chen, volviéndose hacia Nube Blanca para entregarle un sobre–. Muchísimas gracias, Nube Blanca. De momento ponte un conjunto diferente, como si fueras una de las camareras del restaurante. Servirás la comida en el reservado. No tienes que quedarte todo el tiempo en la habitación, por supuesto. Ve trayendo todo lo que el señor Lu prepare para la cena. Cuando te dé la señal, entra vestida como la mujer de la fotografía.

–El vestido mandarín rojo –dijo Nube Blanca, abriendo el sobre y examinando las fotografías que había en su interior–. ¿Descalza, con los botones a la altura del pecho desabrochados y las aberturas laterales desgarradas?

–Sí, exactamente así. Rasga las aberturas laterales sin miedo. Ya te compraré otro vestido.

–¡Santo cielo! –exclamó Lu, mirando de soslayo la foto que Nube Blanca tenía en la mano.

A continuación Chen salió del restaurante y se dirigió al hotel, que estaba a sólo dos o tres minutos a pie.

No tuvo que esperar demasiado bajo el arco del hotel. En menos de cinco minutos vio que un Camry blanco se detenía frente a la entrada del edificio. Otro coche, posiblemente el de Yu, aparcó detrás del Camry, a cierta distancia.

Chen se acercó a Jia, que estaba saliendo del coche, y le tendió la mano. Era un hombre alto de casi cuarenta años, vestido con un traje negro. Su rostro parecía pálido y tenso bajo las luces de neón intermitentes.

–Gracias por venir a pesar de la poca antelación con que lo he avisado, señor Jia. Mi secretaria ha reservado un comedor privado para nosotros en la Antigua Mansión. Está muy cerca. Ha oído hablar del restaurante, ¿verdad?

–¡La Antigua Mansión! Habrá pasado un buen rato eligiendo restaurante para esta noche, inspector jefe Chen.

No era una respuesta directa, pero revelaba que Jia era consciente de que Chen había investigado a fondo su pasado.

Una camarera los recibió a la puerta del restaurante con una grácil inclinación de cabeza, como si fuera una flor salida del antiguo cuadro que tenía a su espalda.

–Bienvenidos. Esta noche están en su casa.

La aparición en el vestíbulo de varias muchachas que vendían cerveza puso de relieve lo mucho que habían cambiado las cosas.

–En nuestra casa –dijo Jia con sarcasmo, mientras observaba las bandas que llevaban puestas–. Chica Tigre, Chica Qingdao, Chica Baiwei, Chica Sakura.

La camarera los condujo por el pasillo hasta una elegante estancia, posiblemente un solárium acristalado antes de las reformas, ahora convertido en un reservado para clientes especiales. Daba al jardín de atrás, bonito y bien cuidado incluso en pleno invierno. La mesa estaba puesta para dos y los cubiertos brillaban bajo el candelabro de cristal, como un sueño perdido. Sobre la mesa también habían depositado una delicada campanilla de plata. Ocho platillos en miniatura reposaban sobre una bandeja giratoria.

Tras entrar en el reservado, Nube Blanca les sirvió sendas tazas de té y les abrió la carta. Llevaba un vestido negro, sin mangas y con la espalda descubierta.

–Por nuestra extraordinaria historia, señor Jia –exclamó Chen, alzando su taza.

–Nuestra historia –repitió Jia–. ¿Realmente cree que es más importante que su trabajo policial?

–La importancia depende del enfoque que le demos a algo. En mis años de universidad, como probablemente no sepa, la poesía era lo único importante para mí.

–Bueno, yo soy abogado, y los abogados somos gente de ideas fijas.

–Un abogado constituye un buen ejemplo de lo que acabo de decir. Al considerar los pormenores de un caso, lo que a usted le parece muy importante puede que carezca totalmente de sentido para los demás. Hoy en día, el significado depende de la perspectiva individual.

–Parece que esté dando una conferencia, inspector jefe Chen.

–En mi opinión, la historia ha llegado a un punto crítico y ahora es una cuestión de vida o muerte –siguió diciendo Chen–. Por eso creo que la vista del jardín puede proporcionarnos un escenario tranquilo.

–Parece tener una razón para todo. –La expresión de Jia se mantuvo inalterable mientras lanzaba una mirada de soslayo al jardín–. Es un honor que me haya invitado, ya sea como escritor o como inspector jefe.

–Aún no tengo demasiado apetito –dijo Chen–. Quizá podríamos hablar un poco primero.

–Me parece bien.

–Estupendo –respondió Chen, volviéndose hacia Nube Blanca–. Tomaremos el menú especial de la casa para dos. Ahora puedes irte.

–Si me necesitan, toquen la campanita de plata –ofreció ella–. Esperaré fuera.

–Pasemos a nuestra historia –propuso Chen, contemplando la negra cabellera que cubría la espalda desnuda de Nube Blanca mientras ésta salía del reservado–. Permítame decirle esto antes de empezar: está inacabada. Aún no he decidido los nombres de varios personajes del relato. En las novelas de suspense que he traducido, a los desconocidos los suelen llamar en inglés «John Doe». Por comodidad, llamaré a mi protagonista J.

–¡Muy interesante! Mi nombre, según la fonética pinyin china, también empieza con una jota.

Jia sabía cómo guardar la compostura, e incluso empezaba a dar muestras de un humor desafiante. Aún no había llegado el momento de presionarlo, estimó Chen. Como en el taichi, un luchador experimentado no tiene que empujar con excesiva fuerza a su adversario. El inspector jefe sacó la revista y la puso sobre la mesa.

–Bien, el relato empezó con esta fotografía –explicó Chen, abriendo la revista sin prisa–, en el preciso momento en que la sacó el fotógrafo.

–¡No me diga! –exclamó Jia, sin poder evitar levantar la voz.

–Una historia puede contarse desde distintas perspectivas,

pero es más fácil narrarla en tercera persona. Y, en este caso, también en un sentido tanto literal como figurado, ya que parte de la historia aún continúa sucediendo. ¿Usted qué opina?

–Como prefiera, usted es el narrador. Y se licenció en literatura, según tengo entendido. Me pregunto cómo acabó convirtiéndose en un policía.

–Las circunstancias. A principios de los ochenta, era el Estado el que asignaba empleo a los licenciados universitarios, como ya sabrá. De hecho, apenas podíamos elegir por nuestra cuenta. Durante la infancia todos soñábamos con un futuro distinto, ¿no le parece? –preguntó Chen, señalando la fotografía–. Se tomó a principios de la década de los sesenta. Yo era probablemente un par de años menor que J., el niño de la foto. Mírelo, tan orgulloso y sonriente. Y tenía motivos de sobra para estarlo, en compañía de una madre hermosa que se preocupaba tanto por él, con el pañuelo rojo ondeando al sol, lleno de esperanza en su futuro en la China socialista.

–Es usted muy lírico para ser inspector jefe. Por favor, continúe con la historia.

–Sucedió en una mansión muy parecida a ésta, con un jardín casi igual, aunque la fotografía se tomó en primavera. Por cierto, este restaurante también fue una vivienda en otros tiempos.

»A principios de los sesenta, el ambiente político estaba empezando a cambiar. Mao comenzaba a hablar de la lucha de clases y de la dictadura del proletariado como antesala de la Revolución Cultural. Con todo, J. tuvo una infancia muy protegida. Su abuelo, un banquero de éxito antes de 1949, continuó recibiendo dividendos que garantizaban un estilo de vida acomodado para su familia. Los padres de J., que era hijo único, trabajaban en el Instituto de Música de Shanghai. El niño estaba muy unido a su madre, una mujer joven, bella y llena de talento que también sentía devoción por él.

»Lo cierto es que se trataba de una mujer extraordinaria. Se decía que mucha gente iba a sus conciertos sólo para verla, aunque su sensatez le impedía querer destacar. Pese a ello, un fotógrafo la descubrió. Era reacia a la fama, pero accedió a que le tomaran una fotografía junto a su hijo en el jardín. Aquella mañana resultó ser muy feliz para J. Posó junto a su madre mientras ésta le cogía de la mano con cariño, ante un fotógrafo entusiasmado de que ofrecieran una imagen tan perfecta. Fue el momento más feliz de su vida. Siempre recordaría la sonrisa resplandeciente de su madre bajo la luz del sol, como si un marco de oro encuadrara aquel instante.

»La Revolución Cultural estalló poco después de aquella sesión fotográfica. La familia de J. sufrió una serie de golpes terribles.

Su narración se interrumpió con la aparición de Nube Blanca, que traía cuatro platos fríos con las especialidades de la casa en una bandeja de plata.

–Lenguas fritas de gorrión, patas de ganso sumergidas en vino, ojos de buey estofados y labios de pescado con jengibre al vapor –enumeró Nube Blanca–. Están cocinados según recetas especiales halladas en la mansión original.

Sin duda Lu se había esforzado al máximo para preparar estos «platos crueles», y no había escatimado gastos. Un platillo de lenguas de gorrión podía haberles costado la vida a cientos de pájaros. Los labios de pescado aún estaban ligeramente enrojecidos y transparentes, como si los peces siguieran vivos y boqueantes.

–Por cierto, estos platos me recuerdan algo que sucede en mi historia, algo igualmente cruel –comentó Chen–. Confucio dice: «Un caballero debería mantenerse alejado de la cocina cuando allí matan animales y los cocinan». ¡No me extraña!

Jia parecía alterado, tal y como esperaba Chen.

–Así que la fotografía representa el momento más feliz en la vida de J., una felicidad que ahora se ha desvanecido para siempre –siguió explicando Chen, mientras masticaba una crujiente lengua de gorrión–. Su abuelo murió, su padre se suicidó, su madre sufrió humillantes críticas de las masas y él se convirtió en un «cachorrillo negro». Los obligaron a salir de la mansión y tuvieron que alojarse en un desván encima del garaje. Pero entonces sucedió algo.

–¿Qué? –preguntó Jia. Sus palillos temblaban ligeramente sobre el ojo de buey.

–Ahora llegamos a una parte crucial de la historia –anunció

Chen–, y su opinión será de gran valor para mí. Será mejor que le lea el borrador que he escrito. La narración será más detallada, más vívida.

Chen sacó su cuaderno, en el que había garabateado algunas palabras la noche anterior en el club nocturno, y de nuevo a primera hora de la mañana en el pequeño restaurante. Sentado frente a él en la mesa, Jia no podría leer el texto. Chen empezó a improvisar, tras aclararse la voz.

–Todo se debió a un eslogan contrarrevolucionario hallado en la tapia del jardín de la mansión. J. no lo había escrito, ni sabía nada al respecto, pero «ciertos revolucionarios» sospecharon de él. Lo sometieron a un interrogatorio en aislamiento en un cuarto trasero del comité vecinal. Lo dejaron totalmente solo durante todo el día, y le negaron cualquier contacto con el mundo exterior, salvo durante los interrogatorios a que lo sometió el comité vecinal y un desconocido apellidado Tian, miembro de la Escuadra de Mao destinada en el Instituto de Música. Obligaron a J. a permanecer allí hasta que admitiera su delito. El recuerdo de su madre fue su único consuelo durante aquellos días terribles. No quería causarle problemas ni dejarla sola, por lo que decidió no confesar ni tampoco seguir los pasos de su padre. Mientras su madre estuviera en el exterior, esperándolo, el mundo seguiría siendo de los dos, como en aquella fotografía tomada en el jardín.

»Sin embargo, esa situación no era nada fácil para un niño tan pequeño, y J. enfermó. Una tarde, inesperadamente, un cuadro del vecindario entró en la habitación y, sin darle ninguna explicación, le dijo que se podía ir a casa.

»J. fue corriendo hasta su casa, ansioso por dar una sorpresa a su madre, y subió las escaleras sin hacer ruido. Mientras abría la puerta con su llave, el niño imaginó ilusionado el momento en que se abalanzaría en brazos de su madre, una escena con la que había soñado cientos de veces en el oscuro cuarto trasero.

»Para su consternación, la vio arrodillada en la cama, completamente desnuda, mientras un hombre también desnudo, quién sino Tian, la penetraba por detrás. Las caderas de su madre se elevaban para recibir cada una de las embestidas de Tian, y ambos gruñían y gemían como animales.

»El niño chilló horrorizado y bajó como un torbellino por las escaleras, creyendo vivir una pesadilla. Para J., que consideraba a su madre el sol de su existencia, la escena supuso un golpe demoledor. Fue como si hubiera perdido el mundo de vista.

»Ella bajó de la cama de un salto, desnuda, y salió en su busca. El niño aceleró el paso frenéticamente. En su aturdimiento, puede que no la hubiera oído tropezar por las escaleras, o quizá confundiera el estruendo con el fragor del mundo que se derrumbaba a sus espaldas. Bajó por las escaleras como una exhalación, cruzó el jardín y salió de la mansión. Su reacción instintiva fue seguir corriendo. No podía olvidar la escena del dormitorio, tan vívida aún en su memoria: el rostro enrojecido de su madre, sus pechos colgando, su cuerpo que apestaba a sexo violento, el vello púbico negro como el azabache aún mojado...

»No miró hacia atrás ni una sola vez, porque aquella terrible imagen se había fijado en su mente y lo había paralizado. La imagen de una mujer desnuda, angustiada, despeinada, que corría como un demonio tras él.

–No tiene por qué dar tantos detalles –interrumpió Jia con voz súbitamente ronca, como si el golpe recibido lo hubiera aturdido.

–Yo creo que sí, esos detalles son importantes para explicar el desarrollo psicológico del chico, y para que nosotros podamos comprenderlo –replicó Chen–. Ahora retornemos al relato. J. volvió corriendo al cuarto trasero del comité vecinal, y una vez allí, se echó a llorar y se desmayó. Todos se sorprendieron al verlo regresar. En su subconsciente, la habitación era el refugio que aún le permitía creer en un mundo maravilloso, en el que su madre continuaba esperándolo. Fue un acto de gran trascendencia psicológica, un intento de volver al pasado. Y, encerrado de nuevo en el cuarto trasero, no se enteró de que su madre había muerto aquella misma tarde.

»Cuando finalmente despertó, todo su mundo había cambiado. Al volver al desván vacío, se dio cuenta de que estaba solo, con la fotografía de su madre en un marco negro como única compañía. Le era imposible permanecer allí, así que se trasladó a otro lugar –explicó Chen, dejando el cuaderno sobre la mesa–. No es preciso que nos detengamos en ese periodo de su vida. No voy a leerle el texto frase a frase. Baste con decir que, al quedarse huérfano, J. pasó por todas las fases previsibles: shock, negación, depresión, ira... Y tuvo que enfrentarse a oscuros sentimientos muy arraigados en lo más profundo de su ser. Como reza un proverbio chino, el jade está hecho a partir de muchas dificultades. Después de la Revolución Cultural, J. ingresó en la universidad y se licenció en Derecho. En aquella época muy pocos jóvenes se interesaban por la abogacía, pero esta elección se debió a su deseo de reclamar justicia para su familia, sobre todo para su madre. Al cabo de algún tiempo consiguió localizar a Tian, el miembro de la Escuadra de Mao.

»Sin embargo, era imposible castigar a todos los seguidores de Mao. El Gobierno no alentaba a la gente a desenterrar sus sufrimientos pasados. Además, aunque consiguiera llevar a Tian a juicio, no lo acusarían de asesinato, y probablemente tendría que arrastrar el recuerdo de su madre por el fango una vez más. J. decidió entonces tomarse la justicia por su mano. Desde su perspectiva, esta decisión estaba justificada porque no había otra manera posible de actuar. J. castigó a Tian sometiéndolo a lo que pareció ser una serie de infortunios. También se vengó de todas aquellas personas relacionadas con Tian, entre ellas, su ex esposa y su hija. Y como un gato que observa los patéticos esfuerzos de una rata por escapar, prolongó el sufrimiento de Tian y de su familia tan hábilmente como el conde de Montecristo.

–Su relato me recuerda la historia de Montecristo –interrumpió Jia–, pero ¿quién se la tomaría en serio?

–Bueno, de hecho yo la leí durante la Revolución Cultural. El libro tuvo la extraordinaria suerte de ser reimprimido en una época en la que las demás novelas occidentales estaban prohibidas. ¿Sabe por qué? Porque la señora Mao hizo un comentario positivo sobre el libro. De hecho, ella también se vengó de la gente que la había despreciado. La esposa de Mao se tomó la novela en serio.

–Un diablo de huesos blancos –comentó Jia, como si fuera un espectador participativo–. Antes de casarse con Mao no era más que una actriz de películas de serie B.

–Debió de creer que sus acciones estaban justificadas, pero olvidémonos de Mao y de su esposa –dijo Chen, acercando sus palillos a los ojos de buey, que parecían devolverle la mirada–. Sin embargo, hay una diferencia entre ambas historias: Montecristo aún tenía una vida, mientras que para J. su vida carecía, y aún carece, de cualquier sentido que no sea la venganza.

–Me gustaría hacer un comentario –interrumpió Jia mientras despedazaba los labios del pescado con los palillos, aunque no se los llevó a la boca–. En su historia, J. es un abogado célebre y bastante rico. ¿Cómo es posible que no llevara una vida plena?

–Por un par de razones. La primera se debía a su desilusión por su profesión. Al trabajar como abogado, no tardó en descubrir que carecía de los recursos necesarios para luchar por la justicia. Como ya sucediera en el pasado, los casos importantes se adjudicaban de acuerdo a los intereses de las autoridades del Partido. Años después, en los noventa, se continuaron amañando por razones económicas en el seno de una sociedad inmersa en una corrupción incontrolable. Si bien su carrera como abogado fue siempre muy lucrativa, su idealismo apasionado resultó ser poco práctico y, a la larga, irrelevante.

–¿Cómo puede decir eso, inspector jefe Chen? Usted ha tenido mucho éxito como policía, seguro que habrá luchado por la justicia durante todos estos años. No me diga que también usted está desilusionado.

–Para serle sincero, ésa es la razón por la que me he inscrito en un curso de literatura. Esta historia forma parte del trabajo que debo entregar.

–Ahora entiendo por qué no he visto su nombre en los periódicos últimamente.

–Ah, ¿ha estado siguiendo mi trabajo, señor Jia?

–Bueno, los periódicos no han dejado de publicar artículos sobre el caso de los asesinatos en serie, y también sobre los policías que lo investigan. Usted es una estrella entre los demás –explicó Jia, levantando su taza con fingida admiración–. Así que se podría decir que en los últimos días lo he echado de menos.

–Para J., la segunda razón podría ser la más importante –continuó diciendo Chen sin responder a Jia, quien, tras haberse recuperado del sobresalto inicial, parecía dispuesto a burlarse de su anfitrión–. J. es incapaz de tener relaciones sexuales con mujeres: sufre un complejo de Edipo agravado, que consiste en identificar a su madre como objeto sexual en su subconsciente, como ya sabe. En todos los demás aspectos parece ser un hombre sano, pero el recuerdo del cuerpo desnudo y mancillado de su madre se cierne como una sombra, inevitablemente, entre el deseo presente y el infortunio pasado. Por numerosos que sean sus éxitos profesionales, J. es incapaz de llevar una vida normal: su vida quedó anclada para siempre en aquel instante en el que cogía la mano de su madre en la fotografía. Y dicha fotografía se rompió en pedazos en el momento en que ella se cayó por las escaleras. J. está exhausto por el continuo esfuerzo que supone mantener esta historia en secreto, y también por tener que luchar contra sus demonios...

–Suena como un profesional, inspector jefe Chen –replicó Jia con sarcasmo–. No sabía que también hubiera estudiado psicología.

–He leído uno o dos libros sobre el tema. Seguro que usted sabe mucho más que yo, por ello le agradecería muchísimo su opinión.

Alguien llamó de nuevo a la puerta con suavidad. Nube Blanca entró con una gran bandeja sobre la que había una cazuela de cristal, un cuenco de cristal con gambas y un minúsculo hornillo. Las gambas estaban sumergidas en una salsa mixta, pero continuaban retorciéndose enérgicamente bajo la tapa del cuenco. El fondo del hornillo estaba recubierto de carbón, sobre el que había una capa de piedrecitas al rojo vivo. Nube Blanca echó primero las piedrecitas en la cazuela, y luego las gambas. Envueltas por el vapor sibilante, las gambas saltaban a la vez que iban adquiriendo un color rojo más intenso.

–Como las víctimas de J. –señaló Chen–, que, ajenas a su sino, seguían intentando escapar.

–No ha escatimado esfuerzos para preparar este banquete, inspector jefe Chen.

–Ya estoy llegando al punto culminante de la historia. En esta parte todavía necesito añadir algunos detalles aquí y allá, por lo que puede que la narración no esté del todo pulida.

»Dando vueltas y más vueltas, como un animal enjaulado, J. se topó, aturdido, contra miles de barrotes. Así que decidió aceptar un caso muy polémico que podría costarle su carrera profesional. En China, un abogado está obligado a mantener buenas relaciones con el Gobierno; éste era un caso que podía dañar la imagen del Gobierno, además de destapar las actividades de ciertos cargos del Partido involucrados en un escándalo inmobiliario. Pero también era un caso que podría brindar justicia a un grupo de gente pobre e indefensa. Tanto si fue un esfuerzo desesperado por encontrarle sentido a su vida como un intento de autodestruirse, un final, posiblemente cualquier final, a su existencia vacía podría constituir una alternativa aceptable para su subconsciente. Desafortunadamente, las dificultades del caso aumentaron aún más su tensión.

»Antes de defender el caso, J. ya estaba a punto de derrumbarse. Pese al aspecto que ofrecía al mundo exterior, su doble personalidad lo atormentaba: defendía el nuevo sistema legal y, al mismo tiempo, infringía la ley de la forma más diabólica. Por no mencionar su desastrosa vida personal.

»Y, de repente, Jazmín fue asesinada.

–Entonces, ¿está diciendo, inspector jefe Chen, que J. se convierte en un asesino porque ha sufrido una crisis nerviosa a causa de un exceso de estrés?

–La crisis ya la sufría desde mucho antes de llegar a esa situación límite. Sin embargo, pese a todos los factores mencionados, tuvo que haber algo más que lo hiciera estallar.

–¿Y qué es lo que lo hizo estallar? –repitió Jia con indiferencia–. Quién sabe.

–El pánico ante la posibilidad de que su plan de venganza fracasara. J. esperaba que Jazmín llevara una vida depravada, y suponía que su caída en la ignominia sería sólo cuestión de tiempo. Pero entonces la chica conoció a un hombre dispuesto a casarse con ella y a llevársela a Estados Unidos, un país que estaba fuera de su control. J. la había obligado a aceptar un trabajo sin futuro en el hotel, y fue allí donde conoció al amor de su vida. ¡Qué ironía! La posibilidad de que viviera feliz junto a un hombre en Estados Unidos era más de lo que J. podía soportar, y ese revés lo llevó al límite. Una noche decidió salir al encuentro de Jazmín y retenerla por la fuerza.

»Es difícil saber qué le hizo exactamente: no hubo penetración ni eyaculación. Pero la estranguló, le puso un vestido similar al que su madre llevaba en la fotografía y abandonó su cuerpo frente al Instituto de Música, un lugar que tenía una gran importancia simbólica para él. Era como un sacrificio, una declaración de intenciones, un mensaje a su madre en venganza por los años de innumerables injusticias; por otro lado, se trataba también de un mensaje que ni él mismo se veía capaz de analizar. Sus sentimientos eran demasiado contradictorios.

»Sin embargo, la historia no termina aquí. Cuando la muchacha exhaló su último suspiro, J. experimentó algo nuevo e inesperado, algo parecido a la libertad absoluta. A duras penas podía aparentar ser el de siempre. Una vez el demonio hubo escapado, como el genio que sale de la lámpara, J. ya no pudo controlarlo. Y teniendo en cuenta la represión, o la supresión, que había sufrido todos estos años, es en cierto modo comprensible que el asesinato le proporcionara una especie de liberación. Una satisfacción que nunca había sentido hasta entonces. Fue como un orgasmo mental: dudo que la agrediera sexualmente en un sentido estricto. Era una sensación tan liberadora que tuvo en él el efecto de una droga, y ansió volver a experimentarla.

–Todo esto parece sacado de alguna de esas novelas de suspense que ha traducido, inspector jefe Chen –comentó Jia–. En esos libros, algún loco mata siempre por puro placer, como si fuera adicto a las drogas. Es fácil tacharlo de psicópata. No se tragará toda esa basura, ¿verdad?

El reloj de caoba empezó a sonar, como si devolviera el eco de su pregunta. El inspector jefe levantó la vista. Eran las once, y Jia no parecía tener intención de irse. A Chen le pareció que el abogado hablaba en serio. Era buena señal.

–Permítame seguir con mi historia primero, señor Jia –replicó Chen–. J. empezó a cometer asesinatos en serie. Ya no se trataba de venganza, sino de un incontrolable instinto asesino. Sabía que la policía estaba en alerta máxima, por lo que se centró en las chicas de triple alterne: era fácil quedar con ellas, y además llevaban vidas depravadas. J. parecía poseído, y no le importaba que esas mujeres no guardaran relación alguna con su venganza. No le importaba que fueran víctimas inocentes.

–Víctimas inocentes –repitió Jia–. Pocos las describirían así. Por supuesto, cada narrador tiene su propia perspectiva.

–Sus actos tienen también relevancia psicológica –continuó Chen sin responderle directamente–. J. no sufre delirios. La mayor parte del tiempo puede que sea como usted y como yo, como cualquier persona normal y corriente. Necesita justificarse a sí mismo lo que hace, de manera consciente o subconsciente. Para su retorcida mente, esas chicas, dados los servicios sexuales que podían ofrecer, merecían un final así de ultrajante.

–No tiene que dar una conferencia en medio de una narración. Como ha dicho antes, en esta época prima la perspectiva individual.

–Desde cualquier perspectiva, los asesinatos son inexcusables. Y él lo sabe. No está demasiado dispuesto a verse a sí mismo como un asesino.

–Está dotado de una imaginación brillante y creativa, inspector jefe Chen –señaló Jia–. Pongamos que publica la historia. Y entonces, ¿qué? Es una obra para paladares toscos, poco apropiada para un poeta célebre como usted.

–Todas las historias van dirigidas a un lector determinado, el lector que se verá más afectado por ellas. En este caso, dicho lector es, por supuesto, J.

–Entonces, ¿es una especie de mensaje dirigido a él? «Sé que lo hiciste, así que será mejor que confieses.» Pero ¿cuál cree que sería la reacción de J.? –preguntó Jia deliberadamente–. No puedo hablar por él, pero yo, como lector corriente que soy, pienso que la historia no se sostiene. Son conjeturas sobre hechos que pasaron hace más de veinte años, y se basan en una teoría psicológica del todo ajena a la cultura china. ¿Cree que J. se entregará? No hay pruebas ni testigos. Ya no estamos en la época de la dictadura del proletariado, camarada inspector jefe Chen.

–Con cuatro víctimas en la ciudad, aparecerán pruebas. Yo me encargo de eso.

–¿Como policía?

–Soy policía, pero aquí, en este momento, soy sólo un narrador que cuenta una historia. Permítame que le haga una pregunta. ¿Qué convierte en buena una historia?

–La credibilidad.

–La credibilidad surge de los detalles vívidos y realistas. Esta noche, salvo un par de párrafos, sólo estoy trazando una especie de resumen. En la versión definitiva incluiré todos los detalles. No tengo que usar términos abstractos como «complejo de Edipo». Simplemente, explicaré con más detalle el deseo sexual del chico por su madre.

Jia se levantó de repente, se sirvió otra taza y se la bebió de un trago.

–Bueno, si cree que su historia se venderá, pues estupendo. No es asunto mío. Ya ha acabado, y creo que será mejor que me vaya. Tengo que prepararme para el juicio de mañana.

–No, no se vaya tan deprisa, señor Jia. Aún no han servido todos los platos. Y necesito conocer mejor sus opiniones.

–Creo que intenta contar una historia sensacionalista –dijo Jia, aún de pie–, pero la gente la verá como una fantasía sórdida ideada por un policía sin pruebas. De tenerlas, no se habría limitado a contar historias.

–Cuando sepan que la historia está escrita por un policía, le prestarán más atención.

–En China, lo más probable es que cualquier historia procedente de los canales oficiales se ponga en entredicho –replicó Jia–. Si se analiza bien, su historia presenta demasiadas lagunas. Nadie se la tomaría en serio.

La conversación fue interrumpida de nuevo por la llegada de Nube Blanca. Esta vez iba descalza y vestía como una campesina, con una blusa tejida a mano de color añil, pantalones cortos y un delantal blanco. Les traía una serpiente viva en una jaula de cristal.

En su primer encuentro en el karaoke Dinastía, recordó Chen, también había servido un plato de serpiente, pero ahora la estaba preparando delante de ellos.

Nube Blanca demostró estar a la altura de las circunstancias. Sacó la serpiente de la jaula con un movimiento rápido y la golpeó como si fuera un látigo contra el suelo, antes de abrirla con un cuchillo afilado. De un estirón, arrancó la vesícula de la serpiente y la introdujo en una copa con licor. Sin duda algún profesional le habría mostrado cómo hacerlo.

Aun así, la sangre de la serpiente le había salpicado brazos y pies. Las salpicaduras parecían pétalos de flores de melocotonero esparcidos por su delantal en forma de abanico.

–Esto es para nuestro honorable invitado –dijo Nube Blanca, entregándole a Jia una copa que contenía la vesícula verdosa sumergida en el fuerte licor.

La escena no pareció afectar a Jia, quien se tomó la vesícula en licor de un trago; después sacó un billete de cien yuanes para Nube Blanca.

–Por sus servicios –dijo Jia, y volvió a sentarse a la mesa–. Seguro que el inspector se ha desvivido para encontrar a alguien como usted.

–Gracias. –La chica se volvió hacia Chen–. ¿Cómo quiere que les cocinen la serpiente?

–Como tú nos recomiendes.

–A la manera habitual del chef Lu, entonces. Una mitad frita y la otra mitad al vapor.

–Muy bien.

Nube Blanca se retiró, andando de puntillas por la alfombra.

–No es demasiado cómodo hablar en un restaurante –le comentó Chen a Jia–. Pero me estaba diciendo algo sobre las lagunas de la historia.

–Veamos, ésta es una de las lagunas –dijo Jia–. Según su relato, Jazmín debió de tener varias oportunidades para escapar al control de J., y sin embargo J. consiguió manejar la situación durante todos esos años. ¿Por qué no esta vez? Es un abogado muy hábil; en lugar de recurrir al asesinato, podría haber frustrado los planes de la muchacha de cualquier otra forma.

–Puede que lo hubiera intentado, pero por algún motivo fracasó. No obstante, tiene razón, señor Jia. Mucha razón.

Era evidente que Jia estaba intentando socavar la base de la historia, y Chen agradeció que quisiera aportar su opinión.

–Y ahora pasemos a otra laguna similar. Si J. estuviera tan apasionadamente unido a su madre, ¿entonces por qué desnudaría a sus víctimas para luego vestirlas así? Ese tipo de vínculo es un secreto vergonzante, como mínimo; algo que J. se esforzaría por mantener oculto.

–Una explicación breve y sencilla podría ser que J. está muy confundido. Quiere a su madre, pero no puede perdonarla por lo que él considera una traición. Aunque tengo una explicación más compleja de esta peculiaridad psicológica –añadió Chen–. He mencionado el complejo de Edipo, en el que se mezclan dos sentimientos: la culpabilidad secreta y el deseo sexual. En el caso de un niño que creciera en la China de los sesenta, el aspecto relativo al deseo podría alojarse en lo más profundo de su subconsciente.

»El recuerdo del momento en que su madre le pareció más atractiva, la tarde en la que llevaba puesto aquel vestido mandarín, se superpuso en su mente al recuerdo más terrible, el de la relación sexual de su madre con otro hombre. Resultaba inolvidable e imperdonable a un tiempo, porque, en su subconsciente, J. desempeñaba el papel del único amante posible. Esos dos momentos están tan unidos como las dos caras de una moneda. Por ello J. trató a sus víctimas de la manera en que lo hizo: el mensaje resultaba contradictorio incluso para él.

–No soy ningún crítico, ni ningún experto –afirmó Jia–, pero no creo que usted pueda aplicar una teoría occidental a la sociedad china sin causar confusión. En mi opinión como lector, la conexión entre la muerte de la madre de J. y sus asesinatos posteriores me parece infundada.

–Es cierto, es difícil aplicar una teoría occidental a la sociedad china, tiene razón. En la versión original de Edipo, la mujer no es un demonio. Desconoce la verdad, y sólo hace lo que se espera de una mujer de su posición. Es una tragedia del destino. La historia de J. es distinta. Y, casualmente, guarda relación con algo que he estado investigando para un trabajo de literatura. He estado analizando varias historias de amor clásicas en las que diversas mujeres bellas y deseables se convierten súbitamente en monstruos, como «La historia de Yingying», o «El artesano Cui y su mujer fantasma». No importa cuán deseable pueda ser una mujer en el sentido romántico: siempre esconde un lado oscuro que resulta ser desastroso para el hombre que esté con ella. ¿Se trata de algo profundamente arraigado en la cultura china o en el inconsciente colectivo chino? Es posible, sobre todo si pensamos en la institución de los matrimonios concertados. La demonización de las mujeres, en particular de aquellas mujeres que practican el amor sexual, resulta, por tanto, comprensible. Sería un retorcido mensaje edípico, pero con características chinas.

–Su charla es muy profunda, pero no entiendo qué pretende explicar –afirmó Jia–. Debería escribir un libro sobre el tema.

Chen también se preguntó a qué se debía su súbita euforia ahí, en compañía de Jia. Puede que ahora entendiera por fin lo que tanto le había costado captar cuando escribía su trabajo: quizás este paralelismo inesperado con el caso le había ayudado a ver la luz.

–Volviendo a J., su peculiar instinto asesino resultó ser incontrolable. Los arrebatos procedían no sólo de su inconsciente personal, sino también del inconsciente colectivo.

–No me interesan las teorías, inspector jefe Chen. Ni creo que a sus lectores les lleguen a interesar nunca. Mientras su historia tenga tantas lagunas, no podrá defender su hipótesis.

Evidentemente, Jia creía que Chen había jugado ya todas sus bazas y que, por tanto, era incapaz de atraparlo. Por su parte, Jia había señalado las lagunas en la historia de Chen para hacerle saber que sus hipótesis no eran más que faroles en un juego de guerra psicológica.

No cabía duda de que había ciertas lagunas que sólo Jia podía completar, pensó Chen, pero entonces se le ocurrió otra idea. ¿Por qué no dejar que Jia acabara de narrar la historia?

Por inverosímil que pareciera, Chen decidió ponerlo en práctica en el acto. Después de todo, Jia podría sentirse tentado de contar la historia desde su perspectiva, poniendo énfasis en otros aspectos y justificaciones, siempre que, psicológicamente, pudiera mantener que no era más que una historia.

–Es usted un buen crítico, señor Jia. Suponiendo que fuera el narrador, ¿cómo podría mejorar el relato?

–¿A qué se refiere?

–A las lagunas en la narración. Algunas de mis explicaciones puede que no basten para convencerlo. Como autor, me pregunto qué clase de explicaciones esperaría usted como lector, o intentaría proporcionar.

Por la forma en que miró a Chen, quedó claro que Jia sabía que se trataba de una trampa, y no respondió de inmediato.

–Usted es uno de los mejores abogados de la ciudad, señor Jia –siguió diciendo Chen–. No cabe duda de que su experiencia legal resultará inestimable.

–¿A qué lagunas en particular se refiere, inspector jefe Chen? –inquirió Jia, aún cauto.

–Al vestido mandarín rojo, para empezar. Si nos atenemos a la investigación sobre la tela y el estilo, J. mandó confeccionar los vestidos en la década de los ochenta, unos diez años antes de empezar a matar. ¿Ya estaba planeando los asesinatos? No, no lo creo. Entonces, ¿por qué tenía tantos vestidos de distintas tallas, como si hubiera previsto la necesidad de escogerlos después para sus víctimas?

–Es algo que no tiene explicación, ¿no le parece? Aunque, como lector, creo que puede haber una hipótesis más creíble y que concuerde mejor con el resto de la historia. –Jia hizo una pausa para beber un sorbo de vino, como si estuviera absorto en sus pensamientos–. Al echar en falta a su madre, J. intentó copiar el vestido de la fotografía. Tardó bastante en encontrar la tela original, hacía tiempo que no la fabricaban, y en localizar al viejo sastre que había confeccionado el vestido original. Así que decidió usar toda la tela y encargó varios vestidos, en lugar de uno solo. Puede que uno de ellos sea bastante parecido al original. J. no previó que se usarían años después.

–Excelente, señor Jia. Es como si J. viviera aferrado al preciso instante en que le tomaron aquella fotografía junto a su madre. No sorprende que intentara reproducir algún elemento de aquella imagen. Algo tangible, para que pudiera convencerse a sí mismo de que aquel momento había existido –explicó Chen, asintiendo con la cabeza–. En cuanto a la otra laguna que ha señalado, usted tenía razón al afirmar que J. era plenamente capaz de frustrar los planes de Jazmín de alguna otra forma. Además, Jazmín no era como las demás víctimas. ¿Por qué habría estado dispuesta a salir con un desconocido?

–Bueno –replicó Jia–, ¿por qué está tan seguro de que había planeado matarla? Tal vez hubiera intentado convencerla para que no se dejara llevar por la pasión. Y entonces sucedió algo.

–¿Cómo, señor Jia? ¿Cómo podía convencerla para que no se dejara llevar por el amor?

–Yo no soy el autor, pero J. podría haber descubierto algo sobre el amante de Jazmín, algo sospechoso en su negocio o sobre su estado civil. Así que planeó un encuentro con ella para hablar del tema.

–Claro, eso explica que aceptara salir con él. Fantástico.

–Quería que Jazmín dejara de ver a aquel hombre, pero ella se negó a escucharlo. Así que la amenazó con las posibles consecuencias, como revelar su relación secreta, o acusar a su amante de bigamia. Durante su acalorada discusión, ella se puso a gritar. J. le tapó la boca para silenciarla. En pleno trance, de improviso, se vio a sí mismo convertido en Tian, haciéndole a Jazmín lo que Tian le había hecho a su madre. Una experiencia extraña, como la reencarnación. Era Tian el que la atacaba...

–Salvo que en el último minuto –interrumpió Chen–, el recuerdo de su madre volvió a afectar a su virilidad y la estranguló en lugar de violarla. Eso explica las magulladuras en las piernas y en los brazos de Jazmín, y el hecho de que J. lavara después el cadáver. Era un hombre cauto, a quien preocupaba dejar pruebas tras aquel intento fallido.

–Bueno, ésa es su versión, inspector jefe Chen.

–Gracias, señor Jia, ha resuelto el problema –dijo Chen, acabándose el vino–. Aclaremos otra laguna. J. abandonó los cuerpos en lugares públicos. Un mensaje desafiante, en mi opinión. Pero la última víctima apareció en un cementerio. ¿Por qué? Si el ladrón de tumbas no lo hubiera encontrado, el cuerpo podría haber permanecido allí, sin que nadie lo descubriera, durante días.

–No conoce bien ese cementerio, ¿verdad?

–No.

–En los años cincuenta era el cementerio de los ricos, por lo que hay una explicación muy sencilla. Los miembros de la familia de J. estaban enterrados allí.

–Pero los padres de J. fueron incinerados, y sus cenizas esparcidas. Además, la policía registró el cementerio de arriba abajo. Ninguno de sus parientes cercanos estaba enterrado allí.

–Algunas familias compraban sus tumbas con mucha antelación. El abuelo y los padres de J. podrían haber comprado sus tumbas bastantes años antes de morir. Así que, en su imaginación, seguía siendo el lugar en el que descansaba su madre...

El móvil de Chen empezó a sonar pese a ser una hora intempestiva. El inspector jefe contestó a toda prisa. Era una llamada del director Zhong.

–Gracias a Dios, por fin lo encuentro, inspector jefe Chen –dijo Zhong–. El comité central del Partido en Pekín ha tomado una decisión sobre el caso del complejo residencial.

–¿Sí? –preguntó Chen, volviéndose hacia un lado–. ¿Se refiere a la sentencia del juicio?

–Es un caso difícil, pero también supone una oportunidad para mostrar la determinación con que nuestro Partido combate la corrupción. La gente ve a Peng como un representante de dicha corrupción. Démosle un castigo ejemplar.

–No he colaborado demasiado en este caso, lo siento. Pero estaré allí mañana. Esos funcionarios corruptos deberían recibir su castigo.

Zhong no tenía ni idea de que la conversación telefónica se estuviera desarrollando en presencia de Jia.

–Entonces lo veré en la sala mañana –dijo Zhong.

–Siento la interrupción, señor Jia –se excusó Chen volviéndose hacia el abogado nada más colgar.

Fue entonces cuando el reloj de caoba empezó a dar la hora, sonando como la campana del templo.

Las doce.

30

Estrictamente hablando, era un nuevo día.

Chen se acabó el vino de un trago con la vista puesta en el reloj de caoba. El propietario del restaurante había hecho un buen trabajo: había conseguido restablecer el ambiente de embriagadora opulencia del antiguo Shanghai gracias a una decoración que prestaba especial atención a los detalles. El reloj, que había sobrevivido durante todos estos años, se veía auténtico, con su péndulo de latón bruñido como si fuera nuevo.

Tal vez Chen hubiera roto el ciclo. Ya estaban a viernes: era prácticamente imposible que Jia intentara cobrarse una nueva víctima antes del juicio.

Así que cogió la campanilla de plata y la hizo sonar.

Nube Blanca se acercó a la mesa vestida con un vaporoso vestido de vivos colores, como una flor nocturna que acabara de abrirse.

–¿Sí?

–El plato especial de la noche –pidió Chen–. No te olvides de ningún detalle.

–Pondré especial atención en los detalles –respondió ella, encendiendo las dos velas que había sobre la mesa antes de irse.

Jia los observó con detenimiento, sin hacer ningún comentario sobre las extrañas instrucciones que Chen le acababa de dar a Nube Blanca.

Chen encendió un cigarrillo. Un silencio repentino envolvió la habitación; sólo se oía el péndulo del viejo reloj.

De repente, el reservado quedó a oscuras salvo por la luz de las velas, que osciló al abrirse la puerta de nuevo.

Nube Blanca volvió a entrar en la habitación. Esta vez llevaba puesto un vestido mandarín rojo, con las aberturas desgarradas y varios botones de la pechera desabrochados. Sus pies, descalzos, resplandecían sobre la alfombra.

Jia se levantó súbitamente y su rostro palideció. Parecía como si hubiera visto a un fantasma.

En un cuento de la dinastía Song sobre el juez Bao que Chen había leído tiempo atrás, un criminal confesó tras sobresaltarse al ver la aparición de una mujer asesinada. En aquella época la gente aún era supersticiosa y se amedrentaba ante la supuesta ferocidad de un fantasma.

No obstante, Jia se esforzó por recobrar la compostura mientras se hundía de nuevo en su asiento. El abogado agachó la cabeza y se secó el sudor de la frente con una servilleta de papel para evitar mirar a la muchacha.

Nube Blanca traía un hornillo de gas, sobre el que había colocado una cazuela de cristal. Al dejar el hornillo en la mesa y agacharse para encenderlo, sus senos asomaron por el escote desabrochado.

Una tortuga nadaba en la cazuela colocada sobre el hornillo. Se movía despacio, sin notar que la temperatura del agua comenzaba a aumentar. Otro plato cruel, la sopa de tortuga viva. Con el fuego bajo, la cocción podía durar bastante tiempo.

–Una sopa especial hecha a base de caldo de pollo y vieiras –explicó Nube Blanca–. La tortuga absorbe la esencia de la sopa mientras lucha por salir de la cazuela, de modo que su carne, cuando esté cocida, tendrá un sabor extraordinario. Sus movimientos agitados también contribuirán a que la sopa sea aún más deliciosa.

–Un plato raro en un restaurante poco corriente –observó Jia recobrando la compostura, aunque sin dejar de sudar–. Incluso la camarera va vestida de forma sorprendente.

–Este edificio fue una mansión en otros tiempos, y su propietaria era una mujer de belleza legendaria, sobre todo cuando llevaba puesto un elegante vestido mandarín rojo –explicó Chen–. Me pregunto si alguna vez llevó el vestido como lo lleva esta camarera. O si alguna vez sirvió un plato como éste, tan cruel como un asesinato, en el que una muchacha sufre y lucha contra la inevitable fatalidad.

–Usted lo asocia todo –dijo Jia.

En cierto modo, Jia había corrido una suerte similar. Se sentía indefenso y maldito pese a sus esfuerzos por seguir adelante. Mientras observaba la cazuela de cristal, Chen se imaginó por un momento a la tortuga convertida en un niño que tendía la mano hacia lo inevitable. No pudo evitar que se le revolviera el estómago.

Sin embargo, como policía, Chen tenía la responsabilidad de castigar a aquel niño, convertido ahora en hombre, por haber asesinado a Jazmín, a las otras chicas y a Hong, su compañera.

–Tan inhumano y cruel –musitó Chen casi sin querer–, aunque yo también puedo serlo.

–Se está dejando llevar por la imaginación, inspector jefe Chen.

–No, no es cierto –respondió Chen. A continuación se levantó, descolgó su gabardina del perchero y se la puso a Nube Blanca sobre los hombros. Alargando el brazo, le abrochó un botón del escote y luego agregó–: Muchísimas gracias por tu ayuda. Ya has acabado aquí, no cojas frío. Es la noche de Dongzhi y seguro que quieres reunirte con tu familia.

–No se preocupe –respondió ella sonrojándose, más guapa que nunca–. Lo esperaré fuera.

Después de que Nube Blanca saliera de la habitación, Chen volvió a dirigirse a Jia.

–No, no es una noche apropiada para contar historias, ni para platos especiales, señor Jia.

–¿Quiere decir que es la noche de Dongzhi? Eso ya lo sé.

–En primer lugar, quiero agradecerle que haya resuelto las lagunas en el caso del vestido mandarín rojo –dijo Chen–, pero ha llegado la hora de nuestro enfrentamiento.

–¿Cómo dice? ¿Adónde quiere ir a parar? Me dijo que quería contarme una historia. Tal vez su historia tenga un doble sentido, eso es fácil de adivinar, ¡pero ahora se está convirtiendo en el caso del vestido mandarín rojo!

–No es necesario que continuemos fingiendo. Usted es el protagonista de la historia, señor Jia, y también el asesino en el caso del vestido mandarín rojo.

–Escúcheme, inspector jefe Chen. Usted puede escribir cuantas historias le plazca. Pero carece de pruebas para hacer semejante acusación. No tiene la menor prueba, ni tampoco un solo testigo.

–Habrá pruebas y testigos, pero quizá ni siquiera sean necesarios. El asesino confesará, con o sin ellos.

–¿Cómo lo va a conseguir? Está entrando en el terreno de la fabulación. Como lector, no veo de qué forma usted, como policía, podría llevar a juicio un caso como el que describe en su relato. –Jia mantenía la calma, aferrándose a su papel de lector–. Si de verdad estuviera tan seguro de su acusación, un policía escribiría un informe sobre el caso y no un texto de ficción.

–No deja de usar la palabra ficción, señor Jia. Pero también existen los libros de no ficción. La no ficción vende más en el mercado actual.

–¿A qué se refiere con «no ficción»?

–A una historia real sobre Mei y su hijo. Tan auténtica, nostálgica, gráfica y trágica como la Antigua Mansión. Mucha gente estará intrigada. De momento, puede que ni siquiera tenga que dar detalles sobre el caso del vestido mandarín, sólo algunas indirectas aquí y allá. Apuesto a que se convertiría en un auténtico superventas.

–¿Cómo puede caer tan bajo, inspector jefe Chen, sólo para publicar un superventas?

–El libro trata sobre la tragedia de la Revolución Cultural, y sobre sus terribles repercusiones incluso en nuestros días. Como policía y escritor, no veo nada ruin en ello. Si se convierte en un superventas, donaré el dinero al museo privado sobre la Revolución Cultural de Nanjing.

–Un autor de no ficción tiene que ir con cuidado para que no lo demanden por difamación, inspector jefe Chen.

–Soy policía, y escribo como un policía, aportando pruebas que respalden cada detalle. ¿Por qué tendría que preocuparme una querella? El libro tendrá mucha publicidad, y también atraerá a un gran número de periodistas. No han dejado de husmear en busca de cualquier dato relacionado con el caso del vestido mandarín rojo. No espere que se les escape el tema principal del libro. Y, además del texto, tengo algo que les interesará aún más.

–¿Qué cartas no ha puesto aún sobre la mesa?

–¿Recuerda las fotografías de las que le hablé por teléfono? Vaya, lo siento mucho. Tendría que habérselas enseñado antes –se disculpó Chen–. El viejo fotógrafo usó cinco o seis carretes. Las voy a publicar todas.

Chen sacó las fotografías de su maletín y las esparció sobre la mesa.

Jia demostró tener una gran fuerza de voluntad al no abalanzarse sobre las fotos. Se limitó a echarles una mirada displicente, fingiendo despreocupación.

–No sé de qué fotografías habla, pero no tiene ningún derecho a publicarlas.

–La viuda del fotógrafo es la que tiene derecho a hacerlo. El dinero obtenido con las fotos podría ayudar un poco a una anciana pobre como ella.

Chen se sirvió una cucharada de piel de serpiente antes de coger de nuevo la revista.

–Cuando vi la foto por primera vez, me vinieron a la memoria unos versos de *Otelo:* «Si tuviera que morir ahora, / sería éste el momento más feliz; / porque embarga a mi alma una dicha tan completa, / que temo no hallar un consuelo semejante / en mi ignorado destino». Puede que le parezca absurdo, pero acabé entendiendo su afán por vestir a cada víctima con un qipao rojo. Quiere recordar a su madre en su momento más feliz, que fue también el suyo. Para ser justos, tal vez hubiera querido que sus víctimas fueran felices, y que estuvieran bellas mientras protagonizaban ese momento.

»Subrayaré las similitudes entre las fotografías y el caso de asesinato. En un par de imágenes, los botones del escote aparecen un poco desabrochados. Y en varias va descalza. Por no mencionar el vestido mandarín, de la misma tela y del mismo estilo que los de las víctimas. Y confeccionado con el mismo cuidado. Un experto al que he consultado sobre el vestido lo corroborará.

¿Y qué hay del lugar en que fue tomada la fotografía? Un jardín particular. Todas las víctimas, a excepción de la última, aparecieron en lugares que, invariablemente, guardaban relación con las flores y con la hierba. La correspondencia simbólica es también impresionante. De hecho, el parterre en el que apareció la primera víctima está a un paso del Instituto de Música.

–Estará engañando a la gente.

–No, no creo que tenga que hacerlo –replicó Chen–. Las fotografías de la bella propietaria de la Mansión Ming, en la actualidad la famosa Antigua Mansión, serán prueba más que suficiente. Hay unas ochenta fotografías en total. Además de usarlas para ilustrar mi relato, venderé una o dos a un periódico o a una revista para conseguir la máxima difusión. Pensemos en un título para el libro. ¿Qué le parece *El primer vestido mandarín rojo*? Seguro que la gente descubrirá todos los detalles. Los detalles sórdidos. Los detalles sensacionalistas. Los detalles sexuales. Los periodistas se pondrán las botas. Y yo haré todo lo posible para ayudarlos.

–No tenemos por qué seguir hablando, inspector jefe Chen. Me invitó aquí para leerme una historia que había escrito, y le he escuchado pacientemente hasta el final. Ahora, de repente, se pone a hablar de un crimen y me acusa de ser el asesino. No pienso quedarme aquí ni un minuto más. Como abogado, conozco mis derechos –declaró Jia, mirando a Chen directamente a los ojos–. Puede venir a buscarme mañana con una orden judicial, ya sea antes, durante o después del juicio.

–No se vaya, señor Jia. –Chen lo instó a ser paciente con un gesto–. Ni siquiera he empezado a contarle otro de los alicientes del libro. Para potenciar el suspense romántico, incluiré parte de la entrevista que le hice a Xia.

–¡Se ha puesto en contacto con Xia! –exclamó Jia–. Sí, con tal de socavar el caso del complejo residencial, usted es capaz de cualquier cosa.

–No. La relación sentimental entre un abogado de éxito y una célebre modelo es un aliciente más para comprar *El primer vestido mandarín rojo*.

–Se agarra a un clavo ardiendo. Xia y yo nos separamos hace

muchísimo tiempo. No tiene nada que ver con su relato de ficción o de no ficción.

–Las parejas se conocen, y luego se separan, nadie puede remediarlo. Pero ¿por qué se separan? Hay interpretaciones de todo tipo. Puede que Xia no quiera hablar, al menos al principio, pero le apuesto cualquier cosa a que todos esos *paparazzi* no la dejarán tranquila. Más tarde o más temprano, escarbarán los detalles más íntimos sobre su vida personal, y los harán encajar en el perfil psicológico de un asesino sexual. Estarán interesados sobre todo en conocer el origen de una peculiaridad en el caso de los asesinatos: el hecho de que el asesino desnudara a todas las víctimas pero no las agrediera sexualmente. Este comportamiento tiene fascinados a los periodistas.

–Está cometiendo un grave error –repuso Jia, levantándose indignado–. Antes de que pueda atraer la atención de los periodistas, puede que haya una o dos víctimas más. No creo que la gente le esté muy agradecida a un policía irresponsable que fantasea con publicar un superventas.

Era una amenaza que Chen no podía pasar por alto. Como dice un proverbio chino, un perro desesperado saltará por encima de un muro. Jia era capaz de volver a matar, como ya hizo en el club Puerta de la Alegría pese a la vigilancia policial.

Nube Blanca entró de nuevo en la habitación, aún vestida con el qipao rojo.

–Perdón, ha llegado el momento de condimentar la sopa. –A continuación levantó la tapa y vertió los condimentos. Después les cambió las cucharas y los platos antes de dirigirse a Jia, con una sonrisa de disculpa–. Por favor, siéntese.

Puede que hubiera visto lo que estaba sucediendo a través del cristal esmerilado de la puerta, o que lo hubiera escuchado. Entretanto, la tortuga giraba con desesperación en la cazuela, agitando la sopa.

Ni Chen ni Jia hablaron en su presencia. Nube Blanca salió con paso ágil. La habitación quedó en silencio, perturbado únicamente por el silbido de la tortuga en la cazuela.

–Esta noche es Dongzhi. Una noche para celebrar reuniones familiares, en honor de los vivos y de los muertos –siguió diciendo Chen–. Mi madre quiere que esté con ella, pero si nos atenemos a las prioridades confucianas, los problemas que aquejan a nuestro país son algo prioritario. No tengo elección. Así que he de asegurarme de que no haya otra víctima vestida con un qipao rojo, y asumiré la responsabilidad si ello sucede.

–Pues entonces usted será el responsable –le espetó Jia–, si se aferra a su historia descabellada y permite que el auténtico asesino se escabulla.

–El auténtico asesino no se escabullirá, como tampoco saldrá la tortuga de la sopa. Por cierto, la sopa de tortuga estimula tanto el yin como el yang, es un manjar exquisito. –Chen echó una ojeada al interior de la cazuela–. Los lectores disfrutarán mucho con la parte sobre el deseo sexual que siente el hijo hacia su madre. ¡Una muestra del complejo de Edipo tan deliciosa como la sopa!

–No podrá engatusar al pueblo chino con términos psicológicos como «complejo de Edipo».

–Exactamente. A nuestros lectores no les importará demasiado la diferencia entre el consciente y el inconsciente. Dirán: «Su madre lo pone tan caliente que no puede follar con otras mujeres, así que las mata de una forma perversa, para llegar al orgasmo en la compañía imaginada de su madre».

Jia permaneció callado mientras contemplaba la cazuela de cristal en la que la tortuga aún se movía, pero mucho más despacio.

–En una de las novelas de suspense que traduje –continuó diciendo Chen–, a un asesino en serie le importaba muy poco lo que le pudiera pasar, porque su vida no era más que un largo túnel sin luz al final, pero sí que le preocupaba la mujer a la que amaba. En nuestro caso, ¿qué hay de ella? Una vez más, su recuerdo se verá arrastrado por el lodo de la ignominia y de la deshonra, peor aun que en la Revolución Cultural. Todos los detalles serán examinados y exagerados. ¿Qué harán todos esos periodistas? Es algo que no puedo controlar.

–Ahora que ha pergeñado una historia como ésta, seguirá adelante sin importarle su responsabilidad como policía –afirmó Jia, levantando la vista–. Pero hay algo más en lo que debería pensar, inspector jefe Chen. El caso del complejo residencial se encuentra en un momento crítico. Cualquier acción contra el abogado de los demandantes podría interpretarse como una treta política para encubrir la corrupción del Gobierno. Es un caso que despierta un gran interés mediático.

–Yo también le voy a revelar algo, señor Jia. Hará un mes, un funcionario del Gobierno municipal me pidió que investigara el caso del complejo residencial. Le respondí que no pensaba hacerlo. ¿Por qué? Yo también quiero que castiguen a esos funcionarios corruptos. Sin embargo, me han estado poniendo al corriente de los últimos acontecimientos. Hace un rato recibí una llamada referente al caso en esta misma habitación. Se ha llegado a un acuerdo en Pekín sobre el juicio, como ya debe de saber a través de sus propios contactos.

–¡Menudo acuerdo! Así que ya sabe lo sucio que es todo esto. –Jia hizo una pausa, y después continuó hablando–: No sólo hay muchos altos cargos involucrados en el caso, sino que además están enzarzados en una lucha de poder. No es ningún novato en el campo de la política, inspector jefe Chen. Si Pekín realmente hubiera querido poner fin al caso, no me habrían permitido llegar hasta esta fase. ¿De verdad cree que quieren darle un giro radical al caso a estas alturas?

–Sí, me han hablado de la lucha de poder en la Ciudad Prohibida –respondió Chen.

–En circunstancias normales, un abogado tiene que velar por los intereses de sus clientes. Es comprensible llegar a algún tipo de acuerdo. Si alguien tratara de obstaculizar el juicio, sin embargo, cualquier cosa sería posible. Con acuerdo o sin él, el caso podría acabar destapando todos esos contactos oficiales, todos los trapos sucios. Las refriegas en la Ciudad Prohibida también saldrían a la luz. ¡Menudo desastre político! Es demasiada responsabilidad para un policía. Tiene que pensar en las consecuencias, inspector jefe Chen.

–Ya he pensado en ellas, señor Jia. Sea cual sea la situación, hay que poner fin al asesinato de personas inocentes. La gente podrá juzgar cuando lea la historia y vea las fotos.

–Algunos periodistas están bien informados. También yo conozco a bastantes. Cuando se enteren de los entresijos políticos, ¿cree que les seguirá entusiasmando la historia?

–Permítame asegurárselo, señor Jia. Tengo algunas fotos más que garantizarán que no decaiga su entusiasmo, pese a los entresijos políticos.

–¿De qué fotografías habla?

–De las fotografías que se tomaron aquella tarde fatídica. Un policía de barrio, el camarada Fan, se acercó hasta el lugar del accidente. Al sospechar que se trataba de un delito, sacó fotos al pie de la escalera antes de que los enfermeros echaran una manta sobre el cuerpo desnudo de la muerta.

–¿Fotografías en las que aparece ella tendida en el suelo aquella tarde?

–Sí, fotografías de Mei tendida sobre el duro suelo, fría, desnuda. Una escena que sin duda habrá imaginado miles de veces.

–Eso es imposible. Quiero decir, esas fotos... Fan nunca me habló de ellas. No, no es cierto, es un farol.

Por primera vez, Jia no se molestó en hablar como alguien ajeno a la situación, ni en negar su participación en la historia.

–Déjeme que le enseñe alguna –ofreció Chen, sacando una de las fotografías–. Una de las pequeñas. Las he llevado a revelar, para que las amplíen. Hay un buen número.

Era un primer plano de Mei tendida en el suelo, completamente desnuda. Una imagen que Jia no llegó a ver porque no quiso volver atrás aquella tarde, pero que debía de haberlo atormentado desde entonces.

Jia cogió la fotografía y no cuestionó su autenticidad.

La tortuga volvió a agitarse con desesperación en la cazuela en un intento denodado por salir del agua hirviendo, sin conseguir trepar por la resbaladiza superficie del cristal. Un esfuerzo absurdo, condenado al fracaso.

–Es horrible, ¿no le parece? –preguntó Chen, señalando la cazuela con los palillos.

Sin duda le pareció horrible la imagen de la fotografía, por no mencionar la idea de que Mei fuera examinada de nuevo, esta vez por millones de lectores.

Desenterrar un cuerpo estaba considerado el acto más horrendo en la cultura tradicional china, pero exhibir un cadáver desnudo podía ser mucho peor. Ésta era la razón por la que el camarada Fan había ocultado las fotografías durante todos esos años. Aun así, era probablemente la última baza de Chen.

–Si los periodistas se hicieran con ellas, junto a las que tomó el viejo fotógrafo en el jardín y las de las víctimas del caso del vestido mandarín rojo...

–Basta ya, Chen. Está siendo tan rastrero... –Jia apenas podía hablar. Su voz sonó sibilante, como si saliera de la cazuela–. Es indigno de usted.

–Con tal de resolver este caso, la verdad es que nada es indigno de un policía –repuso Chen–. Déjeme decirle qué es rastrero. Algo que observé cuando empezaba a redactar mi trabajo de literatura que, como le he dicho, trata sobre los giros deconstructivos en las historias de amor clásicas. He descubierto que estos giros se deben, al menos en parte, a la proyección de una fantasía masculina despreciable sobre las mujeres y el sexo, una fantasía arquetípica en el inconsciente de la cultura china, o en el inconsciente colectivo, que yo denomino la demonización de las mujeres en el amor sexual. Ya sé que no es momento para esgrimir teorías literarias, pero me consta que usted estaba influenciado por esta fantasía.

Chen levantó la tapa de paja de la cazuela y llenó dos cuencos de sopa con un cucharón, uno para Jia y otro para él.

–Cuando lo encerraron en el cuarto trasero del comité vecinal, su madre fue a hablar con el camarada Fan. Estaba muy preocupada por usted. Presa de la desesperación, le dijo que estaba dispuesta a hacer cualquier cosa por su hijo. El camarada Fan entendió lo que Mei quería decir, pero la rechazó tras explicarle que Tian era el único que podía liberar al niño. Mei aceptó su consejo, algo que Fan lamentaría después profundamente. Fan no dudó ni por un momento de que la preocupación que Mei sentía por su hijo fuera la causa de su encuentro con Tian aquella tarde. Lo hizo por usted.

»Puede que usted hubiera contemplado esta posibilidad, pero no fue capaz de aceptarla. En aquel oscuro cuarto trasero, sólo podía aferrarse al recuerdo inmaculado de su madre dándole la mano en el jardín: "Madre, vayamos allí". El mundo se había derrumbado a su alrededor, pero ella todavía era suya, sólo suya.

»Así que, cuando volvió a su casa, la escena que presenció le pareció realmente espantosa: la diosa inmaculada se había convertido en ramera desvergonzada en brazos del que lo había encerrado en aquel cuarto. Una traición imperdonable a su juicio, que le hizo perder el control.

»Pero usted estaba equivocado. Según mi investigación, Tian hizo todo lo posible para que lo destinaran al instituto. Como les sucediera a otros muchos, probablemente la viera tocar y se enamorara locamente de ella. La Revolución Cultural le ofreció la oportunidad perfecta. Consiguió integrarse en una Escuadra de Mao para estar cerca de Mei, pero ella hizo cuanto estuvo en su mano por evitar su compañía, pese a todo su poder. Si Mei hubiera sucumbido a la presión, Tian no habría ido a su barrio ni habría dirigido la investigación conjunta. No se le presentó la oportunidad ansiada hasta que usted se metió en un lío. Ella le quería más que a nada en el mundo. Más que a su propia vida. Incluso en aquellas circunstancias, fue a Fan, y no a Tian, a quien acudió primero en busca de ayuda.

»Al cabo de un par de días usted fue puesto en libertad de forma inesperada. Si hubo algo entre ellos, debió de haber sucedido durante aquel breve periodo, sólo para beneficiarlo a usted. Puede imaginar lo desesperada que debía de estar su madre, y lo doloroso que sin duda fue para ella entregarse a Tian.

–Pero no tenía por qué hacerlo. No le habría pasado nada a... –Jia fue incapaz de acabar la frase.

–¿No le habría pasado nada a usted? Lo dudo. En aquellos años, podrían haberlo condenado a muerte por semejante «crimen político». Recuerdo que ejecutaron a un anciano en la Plaza del Pueblo por acarrear a la espalda una estatua de Mao, sujeta con una cuerda alrededor del cuello. «Simboliza el ahorcamiento del presidente Mao», dictaminó el comité revolucionario. Mei era consciente de lo que podía pasarle. Sabía muy bien que Tian era capaz de cualquier cosa.

»Sin embargo, usted continuó viendo lo sucedido sólo desde su perspectiva, y nunca desde la de su madre. La imagen de Mei retorciéndose y estremeciéndose bajo otro hombre fue un golpe terrible, y le impidió pensar de forma racional. Por ello los asesinatos en serie supusieron para usted una válvula de escape, tanto para su amor como para su odio...

El sonido estridente del móvil volvió a interrumpir el relato de Chen. Esta vez era el subinspector Yu.

–Lo siento, tengo que contestar a otra llamada –se disculpó Chen mientras se levantaba y se acercaba a la ventana. En el jardín reinaba la oscuridad más absoluta.

–No había nada en el coche, jefe –explicó Yu–. He examinado el aparcamiento. Es cierto que Jia podía salir de allí a través de la puerta lateral sin que lo viera nadie. La parte delantera queda oculta a la vista por un bosquecillo de bambú. He entrado en el edificio con la llave.

–¿Había algo en su despacho?

–Es una sala bastante grande. Además del despacho, hay una recepción y un estudio. También hay un dormitorio pequeño con baño.

–No me sorprende. Según Xia, Jia suele pasar la noche allí.

–Ahí pudo lavar el cuerpo de Jazmín.

–Cierto.

–No he visto manchas de sangre, ni nada parecido. Deben de haber limpiado la alfombra hace poco. Todavía huele a detergente, y he encontrado una vaporeta, lo cual es bastante raro. En esas oficinas de lujo suelen encargar la limpieza a profesionales. ¿Por qué un abogado limpiaría su despacho él mismo?

–Buena pregunta.

–Y entonces me fijé en algo más, jefe. El color de la alfombra. Coincidía con el de la fibra pegada al pie de la tercera víctima.

–Sí, debió de meter a la chica en el despacho sin que nadie la viera, pero no se fijó en la fibra que se le quedó entre los dedos del pie.

–No tendremos los resultados del análisis de la fibra hasta mañana por la mañana. Aunque puede que una prueba como ésta no resulte concluyente en un caso de asesinato.

–Bastará para retener a Jia un par de días, y para justificar un registro completo. Al menos no podrá hacer nada durante ese tiempo –añadió Chen.

–¿Empezamos esta noche?

–No se precipite. Espere mi llamada.

Cuando Chen volvió a la mesa, vio que la tortuga se había dado la vuelta y ahora estaba panza arriba, inmóvil en la cazuela, con el peto de un horrible color blancuzco.

–Para ser policía –dijo Jia– ha mostrado bastante compasión al escribir esta historia.

Chen se preguntó si el comentario era sarcástico, o si revelaba un sutil cambio en Jia.

–La caracterización compasiva es esencial en cualquier relato –repuso Chen, mirando fijamente a Jia–. Podría pensar que nadie lo entiende, ya que es el producto de todos los absurdos y las atrocidades que padeció durante la Revolución Cultural. Usted es como un *software* modelado por todos estos acontecimientos y, por consiguiente, sólo puede operar de una forma; es algo que ni usted mismo es capaz de comprender. Sin embargo, quiero que sepa que yo he intentado comprenderlo. A medida que descubría las experiencias por las que pasó, me decía una y otra vez: «De no haber intervenido el azar, lo que le sucedió a Jia me podría haber sucedido a mí».

»No pude evitar identificarme con el niño de la foto. Tan feliz, cogiéndole la mano a su madre como si ella fuera todo su mundo, tan poco preparado para el desastre que se avecinaba en el horizonte. He intentado ponerme en su lugar, y creí volverme loco.

»Durante los días que siguieron a la muerte de su madre, cada vez que sus vecinos lo miraban, usted pensaba que la veían correr en su busca, desnuda. Era como si un demonio lo estuviera devorando. Así que se trasladó a otro lugar e intentó olvidarse de todo. Más tarde incluso se cambió el apellido. Pero, igual que en un poema de Su Dongpo, estaba "intentando no pensar, pero sin olvidar".

»No importa que sea policía, no voy a condenarlo por tomarse la justicia por su mano, al menos al principio, cuando arremetió contra Tian de forma tan implacable. Entiendo que la venganza puede ser una fuerza cegadora. Yo también quedé destrozado por la muerte de una joven compañera. En el templo de Jing'an juré que haría cualquier cosa para vengarla.

»Pero usted comenzaba a perder el control de la situación. Descubrió su problema sexual, cuya causa sin duda adivinó. Siendo un abogado célebre, conocido por aceptar casos políticos controvertidos, parecía demasiado arriesgado acudir a un psiquiatra. Así que tuvo que seguir aguantando, como hiciera en el oscuro cuarto trasero del comité vecinal, salvo que entonces aún tenía esperanzas de que su madre lo estuviera esperando fuera.

»Entonces se derrumbó al conocer los planes de matrimonio de Jazmín. El pánico lo convirtió en asesino. Cuando la tocó, las represiones o las supresiones que había ido acumulando durante todos estos años salieron a la luz. En cuanto al resto de la historia, no creo que haga falta repetir nada más.

»No he venido aquí como juez, señor Jia, pero no puedo evitar comportarme como un policía. Por ello he organizado esta cena especial, con la esperanza de que pudiéramos encontrar otra manera...

–¿Otra manera? ¿Y eso qué le importa a un hombre que, como usted ha dicho, no ve ninguna luz al final del túnel? –preguntó Jia con voz pausada–. Y, ahora, ¿qué quiere de mí?

–Lo que quiero, como policía, es que cesen los asesinatos de personas inocentes.

–Bien, si el juicio de mañana tiene lugar tal y como estaba previsto, si no pasa nada...

–Eso es lo que espero. Que no pase nada –dijo Chen, mirando su reloj–. Nada fuera de lo normal.

–Vaya, ya estamos a viernes. No tiene que preocuparse por eso –afirmó Jia, como si le leyera el pensamiento–. Y deberá destruir todas las fotografías.

–Las destruiré. Y también todos los negativos. Le doy mi palabra.

–¿Aún piensa escribir su historia, inspector jefe Chen?

–No, si puedo evitarlo; no pienso escribir una historia de no ficción, quiero decir.

–No piensa escribir una historia de no ficción que incluya demasiados detalles personales, pero, hasta el momento, nadie ha publicado ni un solo libro decente sobre la Revolución Cultural.

–Lo sé –dijo Chen–. Y me parece una lástima.

–Tengo que pedirle algo a título personal.

–¿A título personal?

–No dimita. Esto puede sonar condescendiente viniendo de mí, pero usted es un policía muy poco corriente, y es consciente de que las historias no son siempre o blanco o negro. No hay demasiados policías que compartan su forma de ver las cosas.

–Gracias por decírmelo, señor Jia.

–Gracias por haberme contado esta historia, inspector jefe Chen. Aunque ya va siendo hora de que vuelva a casa y prepare el juicio de mañana... de hoy –dijo Jia, levantándose–. Después del juicio, usted puede hacer lo que quiera, y yo haré lo posible por cumplir sus deseos.

Al salir del restaurante vieron que Nube Blanca aún esperaba en el vestíbulo del restaurante. Debió de dormirse mientras esperaba, acurrucada en el sofá de cuero, con el qipao arrugado y los pies descalzos. No llevaba nada debajo del vestido mandarín.

Jia retrocedió impresionado. A estas horas de la madrugada, cuando las fantasías revolotean súbitamente como murciélagos, la imagen de la muchacha lo sobresaltó.

31

El juicio por el caso del complejo residencial de la manzana nueve oeste parecía desarrollarse sin contratiempos aquella mañana del viernes.

Se celebraba en el juzgado del distrito de Jin'an, en el que estaba ubicada la manzana nueve oeste. El edificio había sido una escuela católica en los años veinte. A principios de los sesenta se convirtió en un Palacio de los Niños, recordó Chen. Sólo dos o tres vitrales en la sala del tribunal evocaban recuerdos de épocas pasadas.

Según la información confidencial que acababan de facilitar a Chen, Peng sería condenado a tres años de cárcel. El veredicto supondría un mensaje tranquilizador para el pueblo en un momento en que la brecha entre ricos y pobres se iba ensanchando como si se aproximara un terremoto. Al Gobierno le convenía cerrar el caso rápidamente y sin sobresaltos, poniendo de relieve el castigo a Peng por el uso indebido de los fondos del Estado y por su grave negligencia en la operación inmobiliaria.

Esta conclusión le parecería comprensible, y en principio aceptable, a la mayoría de la gente, pese a que no afectaría a los funcionarios corruptos del Partido involucrados que aún no habían sido descubiertos. Por otra parte, brindaría al Gobierno la oportunidad de mostrarse solidario con los ciudadanos de a pie. Tras destinar fondos estatales a indemnizaciones por traslado y otras compensaciones, los vecinos quedarían satisfechos, y puede que algunos decidieran incluso volver a la zona. En cuanto a Peng, debería considerarse afortunado por haber sido condenado a tres años de cárcel. Con sus contactos, quedaría en libertad en un par de meses.

Por lo que sabía Chen, Shanghai y Pekín habían llegado a una especie de acuerdo, al igual que Jia y el Gobierno municipal. Un resultado como éste parecía ser el mejor que Jia podía conseguir en nombre de los vecinos.

El juicio era, por lo tanto, un mero trámite.

Entre los asistentes había un grupo de vecinos de la manzana nueve oeste, además de un grupo igualmente numeroso de periodistas que incluía periodistas extranjeros, los cuales tuvieron que obtener un permiso especial del Gobierno municipal para asistir.

Jia, tenso y pálido, estaba sentado en primera fila entre los vecinos. Llevaba puesto el mismo traje negro.

Chen se sentó al fondo de la sala y comenzó a frotarse las sienes, que le palpitaban como en una sesión de acupuntura. Ni siquiera había tenido tiempo de cambiarse después de la larga cena en la Antigua Mansión. Puede que fuera mejor así. Se había puesto unas gafas de cristales color ámbar, con la esperanza de que nadie lo reconociera.

Yu estaba sentado junto a él, también de paisano. Tampoco había dormido en toda la noche. Tras obtener los resultados de la prueba de la fibra a primera hora de la mañana, el subinspector puso en marcha los procesos rutinarios para pasar de inmediato a la acción, pero Chen le ordenó que esperara.

A instancias de Chen, los policías destacados tanto dentro como fuera de la sala iban también sin uniforme. El inspector jefe ordenó que no pasaran a la acción hasta recibir su aviso. Yu no les había dicho nada acerca del otro caso, el caso del vestido mandarín rojo.

Y Chen tampoco sabía qué contarle a Yu, pero decidió no preocuparse de eso hasta después del juicio. Incluso entonces, la conveniencia de actuar sin dilación continuaba siendo discutible. Sería demasiado drástico. La posible avalancha de especulaciones sobre represalias políticas iría en contra de los intereses del Partido.

Chen comenzó a preguntarse si debería haber asistido al juicio. Pese a los terribles delitos cometidos, no podía evitar ver las cosas desde el punto de vista de Jia. La justicia podía ser una cuestión de perspectivas, tal y como habían comentado la noche anterior. Sin embargo, fueran las que fuesen las injusticias que sufrió Jia durante la Revolución Cultural, era preciso poner fin al asesinato de personas inocentes en el presente.

Gang Hua, el abogado defensor de Peng, se había levantado para pronunciar su alegato final.

Gang solicitó la indulgencia del tribunal basándose en la cooperación de Peng con el Gobierno, en su devolución de los fondos estatales y en su desconocimiento de la conducta deshonesta de sus empleados. Concretamente, Gang hizo hincapié en lo que definió como «circunstancias históricas».

–Es cierto que Peng consiguió los terrenos por menos de su valor, y que pensaba vender los pisos a un precio más alto. Pero el valor de las propiedades inmobiliarias en Shanghai ha aumentado enormemente desde entonces, y este aumento no sólo ha afectado a su proyecto. En cuanto a la regulación sobre el uso de los terrenos, no se especificó al iniciarse la construcción, ni tampoco se fijaron cantidades concretas para compensar a los residentes. Sólo se propuso una escala de posibles compensaciones. Para poder garantizar una puntual finalización del proyecto, Peng contrató a una empresa especializada en traslados, cuyos empleados, quizá movidos por un celo excesivo, se comportaron de un modo demasiado brusco sin que Peng tuviera conocimiento de ello.

»Somos conscientes de que algunos de los vecinos de la manzana nueve oeste sufrieron molestias, e incluso resultaron heridos, pero, a fin de cuentas, este proyecto inmobiliario va en interés del pueblo. ¿Cómo pueden seguir viviendo los habitantes de Shanghai como en la obra *Setenta y dos familias que habitan una casa shikumen de dos plantas*? China ha emprendido con éxito una reforma sin precedentes. Por tanto, aunque Peng debería responsabilizarse de los errores cometidos en el proyecto del complejo residencial, no podemos pasar por alto las circunstancias históricas. Visto desde una perspectiva más amplia, podríamos decir que la actividad comercial de Peng ha contribuido a la prosperidad de la ciudad. Si van a la manzana nueve oeste el año que viene, verán una hilera tras otra de edificios nuevos.

Era un discurso inteligente, que incluía todo cuanto podía decirse para presentar a Peng como un hombre de negocios que había cometido errores, algunos de ellos bienintencionados, debido a las «circunstancias históricas». El discurso no incluía, por supuesto, lo que no podía decirse: que todas las prácticas corruptas se llevaron a cabo gracias a los contactos de Peng con altos cargos del Partido.

Hubo distintas reacciones entre el público de la sala. Algunos se pusieron a cuchichear entre ellos: a muchos vecinos sólo les interesaba la compensación económica que se les debía.

Entonces Jia se levantó y se dirigió a la parte delantera de la sala para pronunciar su alegato final.

Mientras subía al estrado, Jia recorrió con la mirada los rostros del público hasta reconocer a Chen sentado al fondo. El abogado asintió con la cabeza de forma casi imperceptible, y a continuación bebió un sorbo de agua de una botella de plástico. Parecía lleno de confianza y de convicción. Su rostro había adquirido una extraña transparencia, como si su otro yo fuera a hacerse cargo de la situación.

Sin embargo, esa impresión podía deberse a la luz matutina que entraba a raudales por las vidrieras, pensó Chen.

–Si nos atenemos al discurso de mi docto colega, el veredicto parece del todo previsible –empezó diciendo Jia–. Peng será penalizado por una mala gestión comercial, y los vecinos de la manzana nueve oeste recibirán compensaciones para sus traslados. Ya me imagino los titulares de los periódicos: «El Gobierno municipal exige justicia para el pueblo». O «El Bolsillos Llenos Número Uno de Shanghai, Peng, recibe su castigo». Así que no hay más que hablar. Unos estarán satisfechos con la compensación que se les debe, otros se trasladarán al nuevo complejo de pisos, otros hablarán sobre la caída de los advenedizos, y otros, por fin, se alegrarán de que no se hable más del caso.

»Con todo, un veredicto tan "satisfactorio" puede dejar muchas cosas sin explicar.

»¿Cómo pudo Peng, alguien que vendía empanadillas en la

calle Chapu hace cinco o seis años, convertirse en el Bolsillos Llenos Número Uno de Shanghai? No es un mago de los que convierten en oro todo lo que tocan, pero, como sabemos, tiene sus contactos. ¿Y cómo pudo Peng conseguir los terrenos para construir su complejo residencial cuando varios promotores más cualificados que él también habían presentado sus ofertas? Peng sólo cuenta con estudios primarios, pero, como sabemos, tiene sus contactos. ¿Cómo pudo Peng, tras haber obtenido el permiso estatal para "mejorar las viviendas", negar a los vecinos originales el derecho a volver a sus pisos, pese a afirmar que respetaría ese derecho en su propuesta comercial? Como sabemos, tiene sus contactos. ¿Cómo pudo Peng conseguir la autorización del Gobierno para echar por la fuerza a los vecinos "por cualquier medio que fuera necesario"? Pese a que los traslados forzosos eran algo nuevo en la ciudad, la gente no tardó en entender el significado de "por cualquier medio que fuera necesario". Pero, como sabemos, Peng tiene sus contactos.

»¿Y qué contactos son ésos?

»Quizá no hace falta que entre en detalles aquí. Diga lo que diga, hay quien afirmará que esto es irrelevante.

»Al fin y al cabo, cualquier cosa puede explicarse y justificarse. Una persona, que casualmente está sentada en esta sala, me ha dicho que la nuestra es una época de perspectivas. Todo depende de la perspectiva que se adopte, pero esa persona olvidó añadir que quienquiera que ostente el poder controlará la perspectiva.

Jia se refería inequívocamente a él, pensó Chen. Volvió a frotarse las sienes.

–Mi docto colega se ha referido a una situación específica –continuó diciendo Jia–. Las circunstancias históricas. No es un término que él haya inventado. Todos hemos leído sobre este tema y hemos oído hablar de él, sobre todo con relación a la Revolución Cultural, ¿no les parece?

–¿Lo interrumpimos? –susurró Yu al oído de Chen–. ¿Adónde quiere ir a parar con su discurso?

–No, no creo que vaya demasiado lejos. Esperemos un poco más.

Fue un juicio sin precedentes, en el que un abogado chino emergió triunfante tras enfrentarse por su cuenta a todos los funcionarios del Partido que se ocultaban detrás de Peng. Jia merecía su momento de gloria: puede que fuera el único consuelo que iba a recibir su maltrecho ego. Además, Chen no quería que el juicio se viera afectado por el caso del vestido mandarín rojo. Se trataba de dos casos distintos, que no guardaban relación alguna.

–Estamos aquí, por supuesto, para hablar de los asuntos sociales y políticos relacionados con este caso –siguió diciendo Jia–. Pero ¿qué hay de la gente que ha sufrido pérdidas irrecuperables? Los padres de Zhang Pei, por ejemplo, que murieron a causa de las terribles condiciones que se vieron obligados a soportar después de ser expulsados de su hogar. O Lang Tianping, por citar otro ejemplo, que quedó paralítico después de recibir una brutal paliza durante la «campaña de demolición» que llevó a cabo la empresa encargada de los traslados. O Li Guoqing, cuya novia lo abandonó cuando fue detenido por enfrentarse a los matones de la tríada contratados por Peng.

»Entonces, ¿creen que culpar únicamente a Peng por su mala gestión y exculpar a sus contactos es hacer justicia?

La pregunta inquietó a Chen. ¿Hasta dónde pretendía llegar Jia con todo aquello? Tal vez se tratase de un mero alarde efectista por parte del abogado. La lucha contra la corrupción era una causa popular en los noventa, y su discurso seguramente sería recibido con otra salva de aplausos. Aunque ¿le importaba eso realmente a Jia?

¿Pretendía el abogado que todos recibieran su merecido? Parecía comprensible que un hombre en su situación optara por la venganza. Sería, posiblemente, su última venganza, y también la más implacable. A su modo de ver, las autoridades del Partido tendrían que haber rendido cuentas por la Revolución Cultural. Y, para un Gobierno tan ansioso por cerrar este caso con un mínimo impacto político, sería desastroso que se desenmascarara a todos los funcionarios corruptos y que salieran a la luz todas las políticas sucias, tal y como Jia había amenazado la noche anterior.

Chen debería intentar detener a Jia para salvaguardar los intereses del Partido, pero el abogado estaba pronunciando su alegato final, diciendo lo que era preciso decir. ¿Y qué podía hacer el inspector jefe Chen?

Sin embargo, por alguna razón, Chen no creía que Jia pensara seguir adentrándose por ese camino. Según su acuerdo tácito de la noche anterior, no iba a suceder nada excesivamente dramático en el juicio. Ambos habían prometido moderarse. Si Jia quería que Chen cumpliera su parte del trato, él también debería cumplir la suya. Después de todo, Chen tenía las fotos. Jia debió de tomarse la presencia de Chen como una advertencia: cualquier salida de tono por su parte traería consecuencias. No sólo le afectarían a él, sino también al recuerdo de su madre. Tanto Jia como Chen lo sabían.

Para el inspector jefe, pensar que había ayudado a resolver el caso del complejo residencial era como haberse tragado una mosca.

Chen no sabía cómo alejar el mal presentimiento que se había apoderado de él. Algo no iba bien. ¿Qué era? Por un momento dejó su mente en blanco para ponerse en la piel de Jia.

Jia debía de estar pensando en lo que iba a suceder después del juicio. No tenía escapatoria, y él lo sabía mejor que nadie.

¿Cómo iba a ser capaz de enfrentarse a su caída en desgracia? Uno de los abogados más prestigiosos de la ciudad, que siempre hablaba de hacer justicia, tendría que enfrentarse a un juicio en el que sería juzgado y condenado como criminal, tras firmar la confesión de su puño y letra. Fuera cual fuese su defensa, sólo había una condena posible: la muerte, así como la peor humillación imaginable.

Es más, todo eso también podría afectar a su madre. Aunque las fotos no salieran a la luz, la gente acabaría desenterrando algunos detalles de la historia, si no todos.

¿Qué otra cosa podía esperar?

Chen intentó no seguir pensando de aquella forma. «No eres un pez, ¿cómo puedes conocer su forma de pensar?» Jia está enfermo. Eso era lo que Chen le había dicho a Yu, y era cierto.

De improviso, Jia empezó a toser y a respirar agitadamente sacudido por espasmos, con el rostro pálido y demudado.

–¿Está bien? –preguntó el juez, deseando que Jia acabara por fin su alegato.

–Sí, estoy bien. No es más que un viejo problema –respondió Jia.

El juez vaciló antes de pedirle que continuara. El juicio era demasiado importante para interrumpirlo ahora.

–Me siento tentado de contarles una historia paralela a nuestro caso –continuó diciendo Jia con renovada fuerza–. Una historia sobre lo que le sucedió a un niñito durante la Revolución Cultural. Perdió a su padre, perdió su hogar, y después, de la forma más humillante, perdió a la madre a la que tanto quería. La experiencia lo traumatizó por completo. Era como un arbolito raquítico que sólo puede sobrevivir retorciendo sus ramas. Como dice el proverbio, «Si le damos la vuelta a un nido ni un solo huevo quedará intacto, aunque puede que las grietas no sean visibles». El niño creció con el único propósito de vengar a su familia. Pero cuando Mao declaró que la Revolución Cultural había sido un error bienintencionado, un error comprensible dadas las circunstancias históricas, el protagonista de nuestra historia se dio cuenta de que la suya sería una tarea imposible. Así que finalmente decidió tomarse la justicia por su mano.

»Nadie debería tomarse la justicia por su mano, claro está, sino reclamarla en una sala como ésta. Es algo que todos podemos entender. Sin embargo, ¿existe algún tribunal que persiga los delitos de la Revolución Cultural? ¿Existirá algún día?

Chen estaba a punto de levantarse cuando Jia sufrió otro acceso de tos, más violento si cabe que los anteriores. Su rostro se amorató, y luego fue adquiriendo una palidez cadavérica. Jia empezó a tambalearse.

En la sala se hizo un profundo silencio.

–No se preocupen, no es más que un viejo problema –consiguió decir Jia antes de desplomarse.

–¿Está enfermo? –preguntó Yu con estupefacción.

Chen negó con la cabeza. No era un viejo problema, sospechó. Algo muy grave estaba sucediendo. Se le ocurrió una posible solución, que quizás había estado intentando obviar hasta ese momento.

Podría haber una salida para Jia, aunque no fuera inmediata. No aquí, no de esa forma.

Jia consiguió darse la vuelta e insinuó un débil gesto para llamar la atención de Chen.

Chen se levantó, se quitó las gafas y mostró su placa a los guardias de seguridad que corrían hacia él.

Un periodista que estaba entre el público lo reconoció y exclamó: «¡Inspector jefe Chen Cao!».

Chen se dirigió hacia Jia con paso firme y se inclinó sobre él. Los asistentes al juicio no daban crédito a lo que estaban presenciando. El juez bajó del estrado y, tras vacilar unos segundos, se encerró en su recámara. Lo siguieron los dos funcionarios del juzgado, como si huyeran a toda prisa del escenario de un crimen. Nadie más se movió. Jia empezó a hablar con una voz tan débil que sólo el inspector jefe la podía oír.

–El fin está llegando más rápidamente de lo que había esperado, pero no importa si acabo de pronunciar mi alegato final o no. Lo que no puede decirse tiene que confinarse al silencio –susurró Jia, sacándose un sobre del bolsillo de la chaqueta–. Aquí hay cheques para esas familias. Los he avalado. Tiene que hacerme el favor de entregárselos.

–¿A sus familias? –preguntó Chen, cogiendo el sobre.

–He cumplido mi palabra lo mejor que he podido, inspector jefe Chen. Y usted también cumplirá la suya, lo sé.

–Sí, pero...

–Gracias –contestó Jia con una débil sonrisa–. Le agradezco de verdad todo lo que ha hecho por mí, créame.

Chen le creyó. Sabía que Jia tenía que estar exhausto de haber luchado todos esos años, en vano, en soledad. Chen le dio finalmente la oportunidad de poner fin a sus problemas.

–Ella me quiere, lo sé. Todo lo hace por mí –dijo Jia con un resplandor extraño en el rostro–. Usted me ha devuelto el mundo. Gracias, Chen.

Chen le cogió la mano, que estaba cada vez más fría.

–A usted le gusta la poesía –volvió a decir Jia–. También hay un poema en el sobre. Puede quedárselo como muestra de mi gratitud.

Cerrando los ojos, Jia dejó de hablar. Después de todo, ¿qué más podía decir?

Chen sacó su móvil para llamar a una ambulancia. Quizá ya fuera demasiado tarde. La llamada no era más que un modo de guardar las apariencias.

Al igual que el juicio, otro fingimiento, aunque necesario para el Gobierno.

Su teléfono no parecía funcionar. No había señal. Quizá fuera mejor así. Chen casi se sintió aliviado.

Pero otros debieron de llamar a la ambulancia. Los enfermeros entraron apresuradamente, y lo apartaron del hombre que yacía en el suelo.

«He mantenido mi palabra.» Chen se levantó, pensando en las últimas palabras de Jia mientras los enfermeros empezaban a sacar al abogado en una camilla.

Chen no tuvo que abrir el sobre. Los cheques, firmados por Jia, bastarían como prueba, junto al hecho de que se los hubiera entregado en presencia de tanta gente.

Yu se le acercó con un teléfono en la mano. Debía de haberse puesto en contacto con los otros policías, para ordenarles que no acudieran de inmediato. Era un desenlace extraño. No sólo del juicio por el caso del complejo residencial, sino también del caso del vestido mandarín rojo.

La sala era ahora como una olla de agua hirviendo que comienza a derramarse.

Chen le entregó el sobre a Yu, quien lo abrió y se puso a examinar los cheques con expresión incrédula.

–Para las familias de las víctimas vestidas con qipaos rojos, incluyendo la familia de Hong –dijo Yu con voz sobrecogida–. Debe de haber anotado todos los nombres. Al estar firmados, los cheques son como una confesión en toda regla. Ahora podremos cerrar el caso.

Chen no contestó enseguida. En cuanto a cómo cerrar el caso, aún no lo sabía.

–Su propia firma –dijo Yu enfáticamente–. Debería de ser concluyente como prueba.

–Sí, yo también lo creo.

–¿Quiere hacer algún comentario, camarada inspector jefe Chen?

El periodista que había reconocido a Chen se dirigió a él a gritos desde el otro lado de la sala, intentando abrirse paso a codazos a través del cordón de seguridad formado por los guardias del juzgado.

–¿Está a cargo del caso? –inquirió otro periodista, empujando hacia delante junto a varios reporteros más.

En la sala reinaba ahora una confusión total, como si la olla de agua hirviendo no sólo se estuviera derramando, sino como si alguien la hubiera volcado.

Algunos de los periodistas siguieron a la camilla hasta el exterior. Chen y Yu se quedaron de pie, solos, en el lugar en que Jia se había desplomado hacía unos minutos. Otros periodistas empezaban a centrar su interés en los dos policías, mientras iluminaban la sala con los flashes de sus cámaras.

Chen arrastró a Yu hasta la recámara del juez, que estaba vacía, y cerró la puerta tras entrar. Inmediatamente después alguien golpeó con fuerza la puerta, tal vez alguno de los periodistas había atravesado el cordón de seguridad, pero los golpes cesaron de repente. Los guardias de seguridad debieron de llevarse a rastras a quienquiera que estuviera llamando a la puerta.

–¿Había imaginado un final así, jefe? –preguntó Yu, sin andarse con rodeos.

–No –respondió Chen, desconcertado por la brusca pregunta de su compañero–. No exactamente. No así.

No obstante, era un giro que podía haber previsto. Y que debería haber previsto. Si tuviera que enfrentarse a un juicio por los asesinatos en serie en el que saldrían a la luz los secretos vergonzantes de su familia y las fotografías del cuerpo desnudo de su madre, cuyo escándalo sexual sería escrutado, y su complejo de Edipo exagerado, el propio Chen no habría dudado en elegir la salida por la que había optado Jia.

Chen se preguntó acerca de la reacción de Yu. Yu podría sospechar que Chen, movido por sus fantasías librescas, había accedido a la última petición que Jia le hiciera la noche anterior. Después de todo, conceder a un soldado mortalmente herido la oportunidad de suicidarse constituía una tradición consagrada. No era exactamente cierto, pero Yu no lo sabía todo.

–Esos cheques son mucho dinero –dijo Yu con sarcasmo–, pero, claro, el dinero no tenía sentido para él.

El último acto de Jia también revelaba su contrición. Jia no era un asesino trastornado, tal y como Chen había sostenido. En el fondo, Jia era consciente de sus actos. Los cheques ascendían a una gran cantidad. Era la forma que tenía Jia de ofrecer compensación, aunque, como acababa de afirmar en su alegato, «eso no es hacer justicia».

Podía hacerse otra lectura, sin embargo: Jia imploraba indulgencia a través de un mensaje que sólo el inspector jefe podía comprender. Era como si le concediera todo el mérito a Chen, aunque ello supusiera un enorme riesgo para Jia. Si Chen no fuera un hombre de palabra, podría apuntarse el mérito de haber resuelto el caso de asesinato y, pese a su promesa, seguir adelante con la publicación de su relato sensacionalista y de todas aquellas fotografías. Los cheques firmados de Jia revelaban su confianza incondicional en Chen. Como en las batallas de épocas pasadas, los soldados moribundos se ponían en manos de aquellos adversarios a los que respetaban.

Sabiéndose atrapado, a Chen le entró un sudor frío.

–Jia no tenía por qué haberlo hecho –respondió Chen finalmente–. Es demasiado inteligente para no haber previsto las consecuencias. Estos cheques han sellado sus crímenes. Lo ha hecho para ganarse mi favor: él cumplió con su palabra y cooperó. Ahora me toca a mí cumplir con la mía.

–¿Qué palabra? –preguntó Yu–. Entonces, ¿usted escribirá el informe del caso, jefe?

Yu tenía razón: ¿qué pasaría con el informe del caso?

Las autoridades del Partido presionarían para obtener una explicación. Como policía y como miembro del Partido, no podía negarse a responder. Y la historia tendría que salir a la luz.

Pero puede que no lo obligaran a decir toda la verdad, pensó Chen, si lanzaba algunas indirectas sobre la relación que existía entre el caso y la Revolución Cultural. Si conseguía manejar bien la situación, probablemente no importarían demasiado las vaguedades que farfullara como explicación. Destapar los secretos vergonzantes del pasado podría tener consecuencias indeseadas, por lo que quizá podría lograr que el Gobierno accediera a silenciar ciertos detalles. Puede que se le ocurriera una versión que resultara aceptable para todo el mundo. Una declaración un tanto confusa sobre la muerte del asesino en serie, sin siquiera revelar su identidad ni la causa auténtica de los asesinatos. Después de todo, algunos no iban a creerse lo que contara, dijera lo que dijera. Si dejaban de aparecer nuevas víctimas vestidas con un qipao rojo, la tormenta amainaría.

–Se ha librado con demasiada facilidad –siguió insistiendo Yu, visiblemente ofendido por el silencio de Chen–. Cuatro víctimas, incluyendo a Hong.

Yu aún no había superado la muerte de Hong. Chen lo entendió. Por otra parte, Yu no sabía demasiado acerca de Jia, o de lo que se escondía tras el caso de Jia. Chen no sabía si sería capaz de explicárselo todo a su compañero.

En cuanto al informe del caso, creyó tener una idea mejor. ¿Por qué no atribuirle todo el mérito a Yu, un gran compañero que continuaba apoyándolo, como había hecho siempre, pese a todas las preguntas sin responder?

–¿Acaso tenía otra salida? –inquirió Chen–. Ahora usted tiene que cerrar el caso.

–¿Yo?

–Sí, fue usted quien investigó el pasado de Jazmín, quien descubrió el nombre en la lista del club Puerta de la Alegría, quien me alertó sobre la mala suerte de Tian, y quien investigó el pasado de Tian como miembro de una Escuadra de Mao. Por no mencionar la contribución de Peiqin a la investigación. Cuando sugirió que el vestido podría ser una imagen de algo me sirvió de inspiración.

–Eso no es cierto, jefe. Puede que haya investigado todo lo que menciona, pero yo no descubrí nada. No volví a investigar el pasado de Tian hasta que usted me lo ordenó.

–No tenemos que discutir por eso. De hecho, me está haciendo un favor. ¿Qué otra explicación podría ofrecer?

–¿Qué quiere decir?

–El inspector Liao estará muy cabreado. Debe creer que he jugado al gato y al ratón con el Departamento, y que he trabajado en el caso a sus espaldas. Y lo mismo pensará el secretario del Partido Li. Es muy probable que sus sospechas políticas lo tengan obsesionado.

–La cuestión es que usted ha cerrado el primer caso de asesinatos en serie de Shanghai –repuso Yu.

–Le di mi palabra a Jia. Hay algo acerca del caso que no revelaré. No es algo que se refiera sólo a él. Ahora que ha muerto tras cumplir con su parte del trato, mantendré la boca cerrada. Usted podría entenderlo, Yu, pero los demás no.

Chen se preguntó si Yu lo entendería, pero el subinspector no lo presionó para que le diera una explicación. No demasiado, en cualquier caso. No sólo eran compañeros de trabajo, también eran amigos.

–¿Qué puedo decirles? –preguntó Yu–. ¿Que la venganza está relacionada con la Revolución Cultural? ¡Ni pensarlo!

–Bueno, Jia cometió los crímenes debido a un ataque de locura temporal. Después le carcomió el remordimiento, así que firmó esos cheques para las familias de las víctimas.

–¿Por qué le dio a usted los cheques?

–Lo conocí por casualidad, después de hojear el expediente sobre el caso del complejo residencial. Y eso es cierto. El director Zhong, del Comité para la Reforma Legal, puede respaldar mi declaración. Zhong me telefoneó ayer por la noche para hablar del caso del complejo residencial, y Jia estaba presente en ese momento.

–¿Aceptarán su historia?

–No lo sé, pero al Gobierno no le interesará destapar un caso que podría llamarse «la venganza de la Revolución Cultural», como usted acaba de decir. Ojalá no me presionen para que les dé más detalles. De hecho, cuanto menos digamos, mejor será para todos. Puede que nos salgamos con la nuestra. –Y luego añadió–: Es posible que las autoridades del Partido ni siquiera deseen revelar la identidad del asesino. Está muerto, y punto.

–¿No estarán deseando castigar a Jia como escarmiento a los que causan problemas al Gobierno?

–No creo que quieran castigarlo así, no ahora. Podría salirles el tiro por la culata. Claro que todo esto no son más que suposiciones mías...

El timbre del teléfono sonó más fuerte de lo habitual en la recámara vacía del juez. Era el profesor Bian, quien tenía una cita con Chen aquella mañana. Su alumno no se había presentado.

–Sé que está ocupado, pero su trabajo es muy original. Me gustaría saber cómo avanza.

–Le entregaré el trabajo dentro del plazo previsto –prometió Chen–. Aunque la conclusión me está dando algún que otro problema.

–Es difícil extraer una conclusión general en un trabajo de fin de trimestre –admitió Bian–. Su tema es muy amplio. Si puede encontrar una tendencia compartida por cierto número de historias, ya será suficiente. En el futuro, podría desarrollar el trabajo como tesis de fin de carrera.

Chen se preguntó si podría hacerlo. No respondió de inmediato. Estaba empezando a tener dudas sobre sus estudios.

Después de todo, su trabajo de literatura no era sino otra interpretación más de los textos antiguos. La gente continuaría leyendo, con o sin su interpretación. Puede que la cultura china se hubiera caracterizado por el discurso antiamoroso de los matrimonios concertados, o puede que existiera cierto arquetipo de mujer fatal china. Pero, de ser así, ¿realmente importaba? Cada historia era distinta, cada autor era distinto. Como en los casos criminales, un policía no siempre puede aplicar una teoría general a todos ellos.

–Sí, lo pensaré, profesor Bian. Y tengo algunas ideas nuevas sobre la «enfermedad sedienta».

Su proyecto literario aún podría ser algo en lo que pensar en el futuro, se dijo. Aunque, por ahora, debía posponerlo.

Tal vez le esperara algo más inmediato, más relevante. En cuanto al caso de los asesinatos, quizás una conclusión parcial no resultara del todo satisfactoria, pero al menos ya no habría más víctimas inocentes. No tenía que preocuparse demasiado por presentar una tesis del caso, como sí exigía un trabajo de literatura. Ni siquiera sabía cuál podría ser dicha tesis.

–No piensa seguir adelante con su curso de literatura china, ¿verdad? –inquirió Yu, interrumpiendo las reflexiones de Chen.

–No, me parece que no. No tiene por qué preocuparse por eso –le aseguró Chen–. Aun así debo acabar este trabajo. Aunque no lo crea, este trabajo de literatura realmente me ha ayudado a resolver el caso.

Yu miró a su jefe con expresión de alivio y a continuación le devolvió el sobre.

–¡Ah! Hay un trozo de papel dentro del sobre.

–Es un poema.

–¿Para que usted lo publique?

Chen sacó el papel y empezó a leer.

Madre, he intentado que el eco lejano
me ofrezca una pista de lo que me sucede:
en la antigua mansión la gente viene y va,
viendo sólo lo que quieren ver.

El recuerdo del vestido mandarín rojo
me agota; resplandecen entre las flores
tus pies descalzos, tu mano suave:
el peso del recuerdo me roba
las horas de vigilia.

Pero estamos achatados, enmarcados en el zoom
de un momento; clic, y las nubes y la lluvia
se aproximan deprisa, mientras la funesta tristeza
vuelve a escabullirse hacia el horizonte.

Es todo lo que sé, todo lo que veo.
Madre, bébete tú mi copa.

–No hay ninguna copa en la fotografía –dijo Yu, perplejo.

Chen creía que la última imagen sobre la copa podía provenir de una escena de *Hamlet,* en la que la reina se bebe el veneno destinado a su hijo. En sus años de universidad, Chen había leído una interpretación freudiana de la obra, pero ahora apenas la recordaba.

–Es sobre Hamlet y su madre –respondió Chen, tras decidir no explicar nada más–. Hay más cosas en el cielo y en la tierra que las que pueden aparecer en el informe de un caso.

–¡Que me aspen! –exclamó Yu, sacudiendo la cabeza como si fuera un tambor chino.

AGRADECIMIENTOS

Como ya hice en libros anteriores, quisiera agradecer la ayuda de una larga lista de personas entre las que destacan, muy especialmente, Lin Huiying, célebre diseñadora de vestidos mandarines en Shanghai, por sus expertas explicaciones; Patricia Mirrlees, amiga a la que conocí hace veinte años en Pekín, por su continuo apoyo durante todo este tiempo; y Keith Kahla, mi editor en St. Martin's Press, por su extraordinaria labor.